SOUAD

Bei lebendigem Leib

Buch

Souad ist siebzehn Jahre alt, und sie ist schwanger. Für ihr Heimatdorf im Westjordanland ein Skandal – denn Souad hat die Ehre der Familie beschmutzt. Deshalb beschließen ihre Eltern, sie zu töten, und Souads Schwager Hussein soll das Urteil vollstrecken. Im Nebenzimmer sitzend, belauscht Souad ihr eigenes Todesurteil. Als sie einige Tage später im Garten die Wäsche waschen will, tritt Hussein hinter sie, übergießt sie mit Benzin und verbrennt die junge Frau bei lebendigem Leib. In den Augen der Dorfgemeinschaft ist dieser Mann ein Held. Und seine Tat ein »Ehrenmord«: Mehr als 5000 Tötungsdelikte an jungen Frauen durch Familienmitglieder sind jährlich weltweit dokumentiert; die Dunkelziffer ist jedoch weitaus höher. Und all diese Frauen sind Opfer einer archaischen Tradition, die noch heute als ungeschriebenes Gesetz vollzogen wird. Wie durch ein Wunder kommt Souad mit dem Leben davon, und es gelingt einer französischen Menschenrechts-Aktivistin, die schwerstverletzte junge Frau außer Landes zu bringen. Lange hat Souad geschwiegen. Doch nun hat sie sich entschlossen, Zeugnis abzulegen: für all jene Mädchen und Frauen, deren Leben in Gefahr ist; im Gedenken an die zahllosen Opfer, die nicht so viel Glück hatten wie sie. Und um die Weltöffentlichkeit auf dieses Unglück hinzuweisen.

Autorin

Souad wurde Ende der fünfziger Jahre in einem Dorf im Westjordanland geboren. Nach dem grausamen Mordanschlag gelang es einer engagierten Mitarbeiterin der Hilfsorganisation *surgir* in einer abenteuerlicher Aktion, die schwer verletzte Souad und ihr früh geborenes Kind in eine Schweizer Spezialklinik zu bringen. Nach Jahren voller körperlicher und seelischer Qualen lebt Souad heute zusammen mit ihrem Mann und ihren drei Kindern unter falschem Namen irgendwo in Europa. Trotz der Gefahr einer Verfolgung durch ihre Familie hat Souad sich entschlossen, ihre Geschichte der Weltöffentlichkeit mitzuteilen.

Souad

Bei lebendigem Leib

Unter Mitarbeit
von Marie-Thérèse Cuny

Aus dem Französischen
von Anja Lazarowicz

BLANVALET

Die französische Originalausgabe erschien 2003 unter dem Titel
»Brûlée vive« bei Oh! Éditions, Paris.

Umwelthinweis:
Alle bedruckten Materialien dieses Taschenbuches
sind chlorfrei und umweltschonend.

Der Blanvalet Verlag ist ein Unternehmen
der Verlagsgruppe Random House.

1. Auflage
Taschenbuchausgabe Juni 2005

Umschlaggestaltung: Design Team München
Umschlagfoto: Jean-Marie Périer/Gworld
Satz: Uhl + Massopust, Aalen
Druck: GGP Media GmbH, Pößneck
Verlagsnummer: 36268
LW · Herstellung: Heidrun Nawrot
Made in Germany
ISBN 3-442-36268-7
www.blanvalet-verlag.de

Inhalt

In Flammen

Ich bin ein Mädchen, und Mädchen müssen immer schnell gehen und auf den Boden schauen, den Blick auf den Boden heften und sich beeilen. Mädchen dürfen nicht aufsehen oder den Blick schweifen lassen, denn wenn ein Mädchen einem Mann in die Augen schaut, behandelt sie das ganze Dorf als *charmuta*.

Sieht eine verheiratete Nachbarin, eine alte Frau oder sonst jemand das Mädchen allein auf der Straße, ohne ihre Mutter oder ihre ältere Schwester, ohne Schaf, Heubündel oder einen Korb voller Feigen, gilt sie ebenfalls sofort als *charmuta*.

Ein Mädchen muss heiraten, damit es den Blick heben, den Dorfladen betreten, sich die Haare entfernen und Schmuck tragen darf.

Wenn ein Mädchen, wie meine Mutter, im Alter von vierzehn Jahren noch nicht verheiratet ist, fängt man im Dorf an, sich über sie lustig zu machen. Aber Mädchen müssen warten, bis sie mit dem Heiraten an der Reihe sind. Erst ist die Älteste dran, dann kommen die jüngeren Schwestern.

Im Haus meines Vaters gibt es zu viele Mädchen. Vier,

alle im heiratsfähigen Alter. Außerdem habe ich zwei Halbschwestern von der zweiten Frau unseres Vaters, sie sind aber noch Kinder. Der einzige männliche Nachkomme der Familie, der von allen vergötterte Sohn, unser Bruder Assad, unser ganzer Stolz, wurde als viertes Kind zwischen all diesen Mädchen geboren. Ich bin die Drittälteste.

Mein Vater, Adnan, ist unzufrieden mit meiner Mutter, Leila, die ihm so viele Mädchen geboren hat. Er ist auch unzufrieden mit Aicha, seiner anderen Frau, die ihm nur Mädchen geschenkt hat.

Noura, die Älteste, hat spät geheiratet, als ich bereits etwa fünfzehn war. Kaïnat, das zweitälteste Mädchen, will keiner. Ich habe einmal gehört, dass ein Mann mit meinem Vater über mich gesprochen hat, aber Vater sagte, dass ich warten muss, bis Kaïnat verheiratet ist, ehe ich an meine eigene Heirat denken kann. Aber Kaïnat ist nicht besonders hübsch, oder vielleicht arbeitet sie auch zu langsam ... Ich weiß nicht, warum kein Mann sie will, aber wenn sie eine alte Jungfer wird, macht sie sich zum Gespött des ganzen Dorfs – und mich auch.

Seit ich denken kann, gab es für mich keine Spiele und kein Vergnügen. In meinem Dorf als Mädchen zur Welt zu kommen, ist ein Fluch, und die Ehe ist der einzige Weg in die Freiheit. Man tauscht sein Elternhaus gegen das Haus des Ehemanns ein und kehrt auch nicht heim, wenn man von ihm geschlagen wird. Geht ein verheiratetes Mädchen zurück zu ihrem Vater, ist das eine Schande. Es ist ihr nicht erlaubt, außerhalb ihres Hauses Schutz zu suchen, und ihre Familie hat die Pflicht, sie wieder zurückzubringen.

Meine Schwester ist von ihrem Mann geschlagen worden und hat Schande über unsere Familie gebracht, weil sie nach Hause kam und sich beklagte.

Immerhin hat sie einen Mann, davon kann ich nur träumen.

Seit ich gehört habe, dass ein Mann bei meinem Vater war, um über mich zu sprechen, vergehe ich fast vor Neugier und Ungeduld. Ich weiß, dass er nur wenige Schritte von uns entfernt wohnt. Manchmal kann ich ihn sehen, wenn ich oben auf der Terrasse die Wäsche aufhänge. Er fährt ein Auto, trägt Anzug und hat immer eine Aktentasche dabei, also muss er in der Stadt arbeiten und einen guten Beruf haben. Er ist immer tadellos gekleidet und sieht nicht aus wie ein Arbeiter. Nur zu gern würde ich sein Gesicht aus der Nähe sehen, aber ich habe Angst, dass mich meine Familie dabei ertappt. Also gehe ich schnell vors Haus, um Heu für ein krankes Schaf im Stall zu holen, in der Hoffnung, ihn aus der Nähe zu sehen. Aber er parkt zu weit weg. Inzwischen habe ich herausgefunden, um welche Zeit er zur Arbeit fährt. Um sieben Uhr morgens. Dann tue ich so, als müsste ich auf der Terrasse Wäsche zusammenlegen, eine reife Feige pflücken oder die Teppiche ausschütteln, damit ich wenigstens ganz kurz sehen kann, wie er mit seinem Auto wegfährt. Aber ich muss mich beeilen, damit keinem etwas auffällt.

Ich laufe die Treppe hinauf und durchquere die Zimmer, um auf die Terrasse zu gelangen. Dort angekommen, schüttle ich energisch einen Teppich aus und schaue dabei über die Mauer, wobei mein Kopf ein wenig nach rechts gewandt ist. Wenn mich jemand von weitem beobachten sollte, könnte er nicht erkennen, dass ich auf die Straße hinunterschaue.

Manchmal gelingt es mir, ihn zu beobachten. Ich bin in diesen Mann und dieses Auto verliebt! Allein auf meiner Terrasse lasse ich meiner Fantasie freien Lauf: Ich bin mit ihm verheiratet und schaue wie heute zu, wie sich sein Auto entfernt, bis ich es nicht mehr sehen kann, weiß aber, dass er abends von der Arbeit nach Hause kommt. Ich ziehe ihm die Schuhe aus, knie nieder und wasche ihm die Füße, wie es meine Mutter bei meinem Vater macht. Ich bringe ihm seinen Tee und betrachte ihn dabei, wie er wie ein König vor seiner Haustür thront und seine lange Pfeife raucht. Ich bin eine Frau mit einem Ehemann!

Dann dürfte ich mich auch schminken, zum Einkaufen das Haus verlassen, zu meinem Mann ins Auto steigen und sogar in die Stadt fahren. Für dieses bisschen Freiheit würde ich alles ertragen, nur damit ich, wenn ich dazu Lust habe, einfach allein aus der Tür gehen und beim Bäcker Brot kaufen darf!

Und ich würde nie eine *charmuta* werden. Ich würde keinen anderen Mann ansehen; wie zuvor würde ich zwar schnell gehen, aber aufrecht und stolz, nicht mehr den Blick auf den Boden heften, und keiner im Dorf würde Schlechtes über mich sagen können, weil ich dann ja verheiratet bin.

Dort oben auf dieser Terrasse hat meine schreckliche

Geschichte begonnen. Ich war bereits älter als meine ältere Schwester bei ihrer Hochzeit und hoffte voller Verzweiflung.

Ich muss etwa achtzehn gewesen sein oder etwas älter, ich weiß es nicht.

Mein Gedächtnis ging in Rauch auf, als das Feuer über mich kam.

Erinnerung

Ich kam in einem winzigen Dorf zur Welt. Man hat mir gesagt, es liege irgendwo in Jordanien, später hieß es Transjordanien, dann Westjordanland, doch da ich nie zur Schule gegangen bin, weiß ich nichts über die Geschichte meines Landes. Außerdem sagte man mir auch, dass ich dort 1958 oder 1957 geboren wurde … Ich dürfte also heute ungefähr fünfundvierzig Jahre alt sein. Vor fünfundzwanzig Jahren habe ich nur Arabisch gesprochen und hatte mich nie mehr als wenige Kilometer von meinem Dorf entfernt. Ich wusste, dass es irgendwo weit weg Städte gab, hatte sie aber nicht gesehen. Ob die Erde rund oder flach ist, wusste ich nicht, ich hatte überhaupt keine Vorstellung von der Welt! Ich wusste, dass man die Juden verabscheuen muss, weil sie uns unser Land weggenommen hatten. Mein Vater nannte sie »Schweine«. Man durfte ihnen nicht zu nahe kommen, weder mit ihnen sprechen noch sie berühren, sonst wurde man selbst ein Schwein wie sie. Mindestens zweimal am Tag musste ich mein Gebet verrichten; wie meine Mutter und meine Schwestern sagte ich die Gebete auf, habe aber erst viele Jahre später in Europa den

Koran kennen gelernt. Mein einziger Bruder, der König des Hauses, durfte zur Schule gehen, die Mädchen nicht. Bei uns ist es ein Fluch, als Mädchen zur Welt zu kommen. Eine Ehefrau muss unbedingt einen Sohn gebären, mindestens einen, und wenn sie nur Mädchen bekommt, macht sie sich zum Gespött der Leute. Für die Arbeit im Haus, auf den Feldern und im Stall braucht man höchstens zwei oder drei Mädchen. Wenn mehr Töchter zur Welt kommen, ist das ein großes Unglück, und man muss zusehen, wie man sie möglichst schnell los wird. Wie das geht, musste ich sehr früh erfahren. So habe ich etwa siebzehn Jahre gelebt und wusste nur, dass ich weniger galt als ein Tier, weil ich ein Mädchen war.

Das war mein erstes Leben, das Leben einer arabischen Frau im Westjordanland. Es dauerte zwanzig Jahre, und ich bin dort gestorben. Dort gelte ich als tot.

Mein zweites Leben beginnt Ende der siebziger Jahre auf einem internationalen Flughafen in Europa. Ich bin ein Häufchen Elend auf einer Trage und verbreite dermaßen den Geruch nach Tod, dass sich die Passagiere über meine Anwesenheit beschweren. Obwohl hinter einem Vorhang versteckt, war ihnen meine bloße Gegenwart unerträglich. Man hat mir zwar gesagt, dass ich überleben werde, aber ich weiß genau, dass das nicht stimmt, und warte auf den Tod. Ich flehe ihn sogar an, mich zu holen. Der Tod ist immer noch besser als meine Schmerzen und die Erniedrigung. Von meinem Körper ist nichts mehr übrig, warum will man mich dann am Leben halten, wenn ich doch nicht mehr existieren will, weder körperlich noch geistig?

Daran muss ich immer wieder denken. Ich wäre tatsächlich lieber gestorben, als dieses zweite Leben zu riskieren, das mir so großzügig angeboten wurde. Doch dass ich überlebt habe, bedeutet in meinem Fall ein Wunder. Dadurch bin ich jetzt in der Lage, im Namen all jener Zeugnis abzulegen, die dieses Glück nicht hatten und die auch heute noch aus einem einzigen Grund sterben müssen: Weil sie Frauen sind.

Ich habe Französisch gelernt, indem ich den Menschen zuhörte und mich zwang, die Worte zu wiederholen, die man mir mit Hilfe der Zeichensprache erklärte: »Schlecht? Gut? Essen? Trinken? Schlafen? Gehen?« Ich antwortete darauf mit Zeichen: »ja« oder »nein«.

Erst viel später lernte ich lesen, indem ich geduldig und Tag für Tag Wörter aus Zeitungen entzifferte. Zunächst gelang mir das nur mit kleinen Texten oder kurzen Sätzen aus wenigen Wörtern, Todesanzeigen zum Beispiel, deren Klang ich nachsprach. Manchmal kam ich mir vor wie ein Tier, dem man beibringen wollte, sich wie ein menschliches Wesen zu verständigen. Dabei drehte sich in meinem Kopf auf Arabisch alles um die Fragen, wo ich eigentlich war, in welchem Land, und warum ich nicht in meinem Dorf gestorben war. Ich schämte mich dafür, noch am Leben zu sein, was niemand wusste. Und ich hatte Angst vor diesem Leben, was keiner verstand.

Ich muss all das sagen, bevor ich versuche, die einzelnen Bruchstücke meiner Erinnerung zusammenzufügen. Denn ich will, dass meine Worte zu einem Buch werden.

Mein Gedächtnis besteht aus lauter Lücken. Der erste

Teil meines Lebens setzt sich aus Bildern, fremden und gewalttätigen Szenen zusammen – wie ein Film. Manchmal traue ich ihnen selbst nicht, noch dazu weil ich große Mühe habe, sie zu ordnen. Ist es denn wirklich möglich, dass man den Namen einer seiner Schwestern vergisst? Wie alt der eigene Bruder war, als er geheiratet hat? Während ich anderes nicht vergessen habe: die Ziegen, die Schafe und die Kühe, den Backofen für das Brot, den Waschtrog im Garten, die Ernte von Blumenkohl und Tomaten, Zucchini und Feigen, den Stall und die Küche, die Getreidesäcke und die Schlangen? Die Terrasse, von der aus ich meinen Geliebten abpasste? Das Weizenfeld, auf dem ich mich »versündigt« habe?

An meine ersten Lebensjahre kann ich mich nur schlecht erinnern. Manchmal fällt mir eine Farbe oder ein Gegenstand ins Auge, und plötzlich tauchen in meiner Erinnerung Bilder oder Personen, Schreie oder Gesichter auf, die ineinander verschwimmen. Stellt man mir Fragen, entsteht in meinem Kopf oft eine völlige Leere. Verzweifelt suche ich dann nach der Antwort, kann sie aber nicht finden. Oder ein anderes Bild erscheint auf einmal, und ich verstehe den Zusammenhang nicht. Doch diese Bilder haben sich in mein Gedächtnis gegraben, und ich werde sie nie vergessen. Man kann seinen eigenen Tod nicht vergessen.

Ich heiße Souad und bin ein Kind aus dem Westjordanland. Ich hüte mit meiner Schwester Schafe und Ziegen, weil mein Vater eine Herde besitzt, und ich muss härter arbeiten als ein Esel.

Mit acht oder neun Jahren musste ich anfangen zu arbeiten, mit zehn hatte ich meine erste Regelblutung. Bei uns heißt es, dass ein Mädchen dann »reif« ist. Ich schämte mich für dieses Blut, das man verbergen musste, sogar vor den Blicken der eigenen Mutter. Ich musste heimlich meinen *saroual* waschen, bis er wieder weiß war, und ihn schnell in der Sonne trocknen, damit kein Mann und kein Nachbar etwas bemerken konnte. Ich besaß nur zwei *saroual*. Ich kann mich noch an das Papier erinnern, das man an diesen schlechten Tagen benützte, an denen man wie eine Aussätzige behandelt wurde. Diesen Beweis meiner Unreinheit vergrub ich immer schleunigst und heimlich im Müll. Gegen das Bauchweh kochte meine Mutter einen Tee aus Salbeiblättern, den sie mir zu trinken gab. Dann wickelte sie meinen Kopf fest in ein Tuch, und am nächsten Morgen hatte ich keine Schmerzen mehr. Das ist die einzige Medizin, an die ich mich erinnern kann. Ich verwende sie heute noch, weil sie sehr wirksam ist.

Früh am Morgen gehe ich in den Stall, pfeife durch die Finger, damit die Schafe zu mir kommen, und mache mich mit meiner Schwester Kaïnat, die etwa ein Jahr älter ist als ich, auf den Weg. Mädchen dürfen das Haus nicht allein oder in Begleitung einer sehr viel jüngeren Schwester verlassen. Die Ältere dient zum Schutz der Jüngeren. Meine Schwester Kaïnat ist nett, rundlich, ein bisschen dick, während ich klein und mager bin. Wir haben uns immer gut verstanden.

Zu zweit gingen wir mit den Schafen und Ziegen auf die Weide, die etwa eine Viertelstunde vom Dorf entfernt lag. Wir gingen schnell und ohne aufzusehen, bis wir das letzte Haus hinter uns gelassen hatten. Erst wenn wir auf die Weide kamen, fühlten wir uns frei genug für ein paar alberne Wortwechsel und lachten sogar gelegentlich ein bisschen. Ich kann mich nicht erinnern, dass wir lange Gespräche geführt hätten. Alles drehte sich um den Käse, den wir zu essen dabei hatten, den Genuss einer Wassermelone, das Hüten der Schafe und besonders der Ziegen, die imstande waren, sämtliche Blätter eines Feigenbaumes innerhalb weniger Minuten aufzufressen. Wenn sich die Schafe zum Schlafen im Kreis versammelten, legten wir uns ebenfalls zum Schlafen in den Schatten – wobei wir in Kauf nahmen, dass sich vielleicht eines unserer Tiere aufs Nachbarfeld verirrte und wir abends für die Folgen bezahlen mussten. Wenn das Tier dann einen Gemüsegarten geplündert hatte oder wir einige Minuten zu spät in den Stall zurückkamen, gab es eine Tracht Prügel mit dem Gürtel.

Ich finde, unser Dorf ist sehr schön grün. Es gibt bei uns viele Feigenbäume, Weinstöcke, Obst-, Zitronen- und große Olivenbäume. Meinem Vater gehört die Hälfte des gesamten Ackerlands von unserem Dorf... Er ist nicht besonders reich, aber wohlhabend. Sein Haus ist groß, aus Steinen gebaut, und steht hinter einer Mauer mit einem schweren, grauen Eisentor. Dieses Tor ist Symbol unserer Gefangenschaft. Sobald wir den Hof betreten haben, schließt es sich hinter uns und lässt uns nicht wieder hinaus. Man kann also durch dieses Tor eintreten, wenn man von draußen kommt, aber es führt kein Weg zurück. Gibt es einen Schlüssel oder irgendeinen Mechanismus? Ich weiß nur noch, dass mein Vater und meine Mutter durch dieses Tor nach draußen gingen, wir jedoch nicht. Mein Bruder allerdings schon, er ist frei. Er ist frei wie der Wind: Er geht ins Kino, geht durch dieses Tor ein und aus, macht, was er will. Ich habe diese verfluchte Eisentür oft angestarrt und mir gesagt: »Nie darf ich dort hinaus, niemals ...«

Das Dorf kenne ich nicht sehr gut, weil man dort nicht herumlaufen darf. Wenn ich die Augen schließe und mich sehr konzentriere, erinnere ich mich an verschiedene Einzelheiten, die ich einmal gesehen habe. Da ist mein Elternhaus und etwas weiter weg, auf der gleichen Straßenseite, das Haus der reichen Leute, wie ich es nenne. Und gegenüber das Haus meines Geliebten. Direkt gegenüber auf der anderen Straßenseite, ich kann es von unserer Terrasse aus sehen. Von hier erkenne ich auch noch ein paar andere, verstreut liegende Häuser, aber ich weiß nicht, wie viele es sind, bestimmt nur wenige. Alle sind von Mäuerchen oder eisernen Zäunen umgeben, und jedes hat so einen Gemüsegarten wie wir. Ich habe nie das ganze Dorf gesehen. Ich verlasse das Haus nur, um mit meinen Eltern zum Markt zu fahren oder mit meiner Schwester rauszugehen, um die Schafe zu hüten – das ist alles.

Bis ich siebzehn oder achtzehn war, habe ich nichts anderes gesehen. Nicht ein einziges Mal habe ich den Dorfladen betreten, der nicht weit von unserem Haus entfernt war. Aber wenn ich mit meinem Vater auf unserem kleinen Eselskarren zum Markt fuhr, kamen wir dort vorbei, und jedes Mal stand der Kaufmann in seiner

Tür und rauchte eine Zigarette. Zwei kleine Treppen führen in den Laden: Über die rechte gehen die Leute, die Zigaretten, Zeitungen und Getränke kaufen wollen, also ausschließlich Männer; über die linke gelangt man in den Teil des Ladens, in dem es Obst und Gemüse gibt.

Auf dieser Straßenseite gibt es noch ein anderes Haus, in dem eine verheiratete Frau mit vier Kindern lebt. Sie darf ihr Haus verlassen. Und sie darf den Laden betreten – ich sehe, wie sie mit ihren durchsichtigen Plastiktüten auf der Treppe zum Gemüseladen steht.

Der Garten um unser Haus war sehr groß. Wir pflanzten dort Zucchini, Kürbisse, Blumenkohl und Tomaten, alle möglichen Gemüsesorten an. Der Garten grenzte an den des Nachbarhauses, und beide waren nur durch eine niedrige Mauer getrennt, über die man leicht hätte klettern können. Aber das machte keiner von uns. Für uns war es normal, eingesperrt zu sein. Keinem Mädchen kam es in den Sinn, diese symbolische Grenze zu überwinden. Wohin hätte man auch gehen sollen? Wenn man als Mädchen ins Dorf, auf die Straße gegangen wäre, wäre man sehr schnell entdeckt worden und hätte damit das Ansehen und die Ehre seiner Familie ruiniert.

In diesem Garten wusch ich auch die Wäsche. In einer Ecke gab es einen Brunnen, und ich musste das Waschwasser in einer Schüssel über einem Holzfeuer erhitzen. Ich holte Reisig aus dem Schuppen und zerbrach es über dem Knie. Es dauerte lange, bis das Wasser heiß war, sehr lange. Aber während ich darauf wartete, erledigte ich andere Arbeiten, ich fegte, schrubbte den Boden und kümmerte mich um den Gemüsegarten. Wenn es so weit war, wusch ich die Wäsche mit der Hand und hängte sie zum Trocknen auf der Terrasse in die Sonne.

Unser Haus war modern und sehr bequem eingerichtet, aber wir hatten im Bad und in der Küche kein warmes Wasser. Das Wasser musste im Freien erhitzt und dann ins Haus gebracht werden. Erst später ließ mein Vater eine Warmwasser-Heizung und eine Badewanne mit Dusche einbauen. Alle Mädchen mussten zum Waschen dasselbe Wasser verwenden, nur mein Bruder hatte ein Recht auf sein eigenes Badewasser – und natürlich mein Vater.

Ich schlief zusammen mit meinen Schwestern auf dem Boden auf einem Schaffell. Wenn es sehr heiß war, schliefen wir auf einer Terrasse, in Reih und Glied unter freiem Himmel. In einer Ecke lagen die Mädchen nebeneinander, auf der anderen Seite die Eltern und mein Bruder.

Der Arbeitstag begann sehr früh. Um vier Uhr morgens, wenn die Sonne aufging, manchmal auch früher, standen mein Vater und meine Mutter auf. Zur Zeit der Getreideernte nahmen wir uns Essen mit und arbeiteten alle zusammen, mein Vater, meine Mutter, meine Schwestern und ich. Zum Ernten der Feigen brach man ebenfalls zeitig auf. Man musste sie einzeln einsammeln, wobei man keine einzige übersehen durfte, und in Kisten packen, die mein Vater dann auf den Markt brachte. Mit dem Esel brauchte man eine gute halbe Stunde, dann gelangte man in eine kleine Stadt, eine sehr kleine Stadt, deren Namen ich vergessen habe, wenn ich ihn überhaupt je kannte ... Die Hälfte des Markts am Eingang der Stadt war für ortsansässige Händler reserviert, die dort ihre eigenen Erzeugnisse feilboten. Für Kleidung musste man mit dem Bus in eine größere Stadt fahren. Aber wir Mädchen gelangten nie dorthin. Meine Mutter fuhr mit meinem Vater in die Stadt. So war das nun einmal: Sie geht mit meinem Vater einkaufen, sie gibt den Mädchen ein Kleid. Ob es einem gefällt oder nicht, man muss es anziehen. Weder meine Schwestern noch ich und nicht einmal meine Mutter hatten da irgendetwas zu sagen. Es gab nur dieses oder keines.

Wir trugen lange Kleider mit kurzen Ärmeln, die meistens grau, manchmal weiß und in seltenen Fällen schwarz waren, aus einer Art Baumwolle, einem ziemlich dicken Stoff, der auf der Haut kratzte. Sie hatten einen hohen, geschlossenen Kragen. Je nach Jahreszeit mussten wir zusätzlich noch ein Hemd oder eine Weste mit langen Ärmeln anziehen. Oft war uns so heiß, dass wir glaubten zu ersticken, aber die Ärmel waren obligatorisch. Ein Stück Arm oder Bein zu zeigen oder, schlimmer noch, etwas Dekolleté, war schamlos. Dafür liefen wir immer barfuß herum, höchstens einige verheiratete Frauen trugen Schuhe, wir nie.

Unter diesem langen, bis zum Hals zugeknöpften Kleid trug ich einen *saroual*, das ist eine graue oder weiße Pluderhose, und darunter dann noch einen großen Schlüpfer, der einem bis zum Bauch ging. Meine Schwestern waren alle genauso angezogen.

Meine Mutter war meistens schwarz gekleidet. Mein Vater trug einen *saroual*, ein langes Hemd und auf dem Kopf das rotweiße Palästinensertuch.

Mein Vater! Ich sehe ihn vor mir, wie er auf dem Boden vor seinem Haus sitzt, unter einem Baum, den Stock neben sich. Er ist klein, seine Haut ist sehr hell und hat rote Flecken, er hat einen runden Kopf und böse blaue Augen. Einmal ist er vom Pferd gefallen und hat sich das Bein gebrochen. Wir Mädchen waren sehr zufrieden, weil er nicht mehr so schnell hinter uns herlaufen konnte, um uns mit seinem Gürtel zu schlagen. Wäre er bei dem Unfall gestorben, wären wir noch glücklicher gewesen.

Ich sehe ihn ganz deutlich, diesen Vater. Ihn werde ich nie vergessen können, er haftet wie eine Fotografie in meinem Gedächtnis. Er sitzt vor seinem Haus, als throne ein König vor seinem Palast, mit seinem rotweißen Kopftuch, das den kahlen roten Schädel verbirgt, er trägt seinen Gürtel, und der Stock liegt auf seinem übergeschlagenen Bein. Ich sehe ihn ganz deutlich, da ist er, klein und böse, er nimmt seinen Gürtel und schreit: »Warum sind die Schafe allein zurückgekommen?!«

Er packt mich an den Haaren und zerrt mich über den Boden in die Küche. Er schlägt zu, während ich auf den Knien liege, er zieht an meinen Haaren, als wollte er sie mir ausreißen, und dann schneidet er sie mir mit der großen Schafschere ab. Ich habe keine Haare mehr. Egal ob ich weine, schreie oder flehe, ich bekomme nur noch mehr Fußtritte. Es ist meine Schuld.

Weil es sehr heiß war, waren meine Schwester und ich eingeschlafen, und ich hatte die Schafe laufen lassen. Manchmal schlug er uns so fest mit seinem Stock, dass ich vor lauter Schmerzen überhaupt nicht mehr liegen konnte, weder auf der rechten, noch auf der linken Seite.

Mit dem Gürtel oder dem Stock, ich glaube, wir wurden jeden Tag geschlagen. Ein Tag, an dem man nicht geschlagen wurde, war nicht normal.

Vielleicht war das der Tag, an dem er uns beide, meine Schwester Kaïnat und mich, gefesselt hat. Er band uns die Hände hinter den Rücken, die Füße zusammen und ein Tuch vor den Mund, damit wir nicht schreien konnten. So mussten wir die ganze Nacht bleiben, gefesselt an einen Pfosten im großen Stall, zusammen mit dem Vieh, aber schlechter dran als das Vieh.

So war das in diesem Dorf, es galt das Gesetz der Männer. Mit Sicherheit wurden die Mädchen und Frauen in den anderen Häusern auch täglich geschlagen. Manchmal hörte man draußen Schreie, also war es ganz normal, dass man uns schlug, dass einem die Haare abrasiert und wir an einen Pfosten im Stall gefesselt wurden. Es gab ganz einfach kein anderes Leben bei uns.

Mein Vater ist der König, der allmächtige Mann, der besitzt und entscheidet, der uns schlägt und quält. Und er sitzt ruhig vor seinem Haus und raucht seine Pfeife, während er da drin seine Frauen eingesperrt hält, die er schlechter behandelt als seine Tiere. Der Mann nimmt sich eine Frau, weil er Söhne bekommen will, und weil sie ihm wie eine Sklavin dienen muss, genau wie die Töchter, falls sie zu ihrem Unglück welche zur Welt bringt.

Wenn ich meinen Bruder ansah, den die ganze Familie so vergötterte wie ich, habe ich mich oft gefragt: »Was hat er uns voraus? Er kommt aus dem gleichen Bauch wie wir ...« Aber ich konnte keine Antwort finden. Es war einfach so. Wir mussten ihm wie meinem Vater dienen, auf den Knien und mit gesenktem Blick.

Auch das Tablett mit dem Tee, sogar das, mussten wir den Männern der Familie auf den Knien servieren, gesenkten Blicks und schweigend. Wir hatten nicht zu reden. Wir durften nur Antwort geben. Mittags gibt es süßen Reis, Gemüse und Huhn oder Schaffleisch. Und immer Brot. Es ist immer genug zu essen da; was die Mahlzeiten anbelangt, fehlt es der Familie an nichts.

Bei uns wächst viel Obst. Wenn ich Trauben pflücken möchte, brauche ich nur auf die Terrasse zu gehen. Wir haben Orangen, Bananen und vor allem grüne und schwarze Feigen. Ich werde nie vergessen, wie sie schmecken, wenn man sie früh am Morgen pflückt. In der kühlen Nachtluft öffnen sie sich ein wenig, und ihr Saft fließt wie Honig – der vollkommene Genuss.

Die Schafe machen am meisten Arbeit. Ich muss sie aus dem Stall holen, auf die Weide bringen, hüten, wieder zusammentreiben, zurückbringen und ihre Wolle scheren, die mein Vater auf dem Markt verkauft. Dazu nehme ich das Schaf an den Hufen, lege es auf den Boden, halte es fest und schere es mit der großen Schafschere. Meine Hände sind dafür noch zu klein und tun mir bald weh.

Außerdem melke ich die Schafe. Ich hocke mich auf den Boden, klemme ihre Füße zwischen meine Beine und gelange so an ihre Milch, aus der Käse gemacht wird. Manchmal lassen wir sie auch abkühlen und trinken sie so, wie sie ist, fett und nahrhaft.

Im Garten meines Vaters wächst so gut wie alles, was

wir zum Essen brauchen. Und wir machen alles selbst. Mein Vater kauft nur Zucker, Salz und Tee.

Morgens koche ich Tee für uns Mädchen und bereite einen Teller mit etwas Olivenöl und Oliven vor. Auf der Glut im Brotofen koche ich in einem Kessel das Teewasser. In der Küche steht in einer Ecke ein heller Stoffsack mit dem getrockneten grünen Tee. Ich greife in den Sack, hole eine Hand voll Tee heraus, gebe ihn in die Teekanne und füge Zucker hinzu. Dann hole ich den Kessel mit dem kochenden Wasser aus dem Garten. Er ist sehr schwer, und ich kann ihn nur schlecht an den beiden Henkeln tragen. Mit gekrümmtem Rücken, um mich nicht zu verbrühen, kehre ich in die Küche zurück und gieße das Wasser in die Teekanne, gieße es ganz langsam über den Tee und den Zucker. Denn der Zucker ist kostbar und teuer. Ich weiß, dass ich geschlagen werde, wenn ich ein paar Krümel auf dem Boden verstreue. Also bin ich sehr vorsichtig. Wenn ich ungeschickt bin und etwas Zucker verschütte, darf ich ihn nicht wegfegen, sondern muss ihn einsammeln und in die Teekanne geben. Dann kommen meine Schwestern zum Frühstück, aber mein Vater, meine Mutter und mein Bruder essen nie gemeinsam mit uns. Wenn ich mich an den Anblick erinnere, wie wir morgens in der Küche auf dem Boden hocken und Tee trinken, sehe ich immer nur meine Schwestern vor mir. Ich überlege, wie alt ich damals gewesen sein muss, aber ich bin mir nicht sicher. Kann es sein, dass Noura, meine älteste Schwester, noch nicht verheiratet war?

Ich bin nicht in der Lage, die Erinnerungen chronologisch zu ordnen, ich glaube, mein Gedächtnis reicht bis ungefähr ein oder zwei Jahre vor Nouras Hochzeit zurück, an die ich mich gut erinnern kann. Also dürfte ich damals etwa fünfzehn gewesen sein.

Nach ihrer Hochzeit sind noch meine Schwester Kaïnat, die ein Jahr älter ist als ich, und eine jüngere Schwester im Haus, an deren Namen ich mich nicht erinnere. Ich habe mich wirklich bemüht, mich an ihren Vornamen zu erinnern, aber er fällt mir nicht mehr ein. Wenn ich von ihr erzählen will, muss sie einen Namen haben, also nenne ich sie Hanan. Ich hoffe, sie nimmt es mir nicht übel, denn so hieß sie bestimmt nicht. Ich weiß nur noch, dass sie sich um unsere beiden Halbschwestern gekümmert hat, die mein Vater zu uns mitbrachte, nachdem er Aicha, seine zweite Frau, verlassen hatte. Ich habe diese Frau einmal gesehen und sie nicht gehasst. Es war normal, dass mein Vater sie genommen hat. Er wollte immer Söhne, aber das hat mit Aicha auch nicht besser funktioniert, die ihm nur zwei Töchter schenkte: Noch mehr Mädchen! Also ließ er sie fallen und brachte die beiden neuen kleinen Schwestern zu uns nach Hause. Das war vollkommen normal. Alles an diesem Leben war normal, die Schläge mit dem Stock und alles Übrige eingeschlossen. Ich konnte mir kein anderes Leben vorstellen. Eigentlich konnte ich mir überhaupt nichts vorstellen. Soweit ich weiß, hatte ich keine Träume, keine konkreten Ideen. Für uns gab es kein Spielzeug und keine Spiele, nur Gehorsam und Unterwerfung.

Jedenfalls leben diese beiden kleinen Mädchen jetzt bei uns. Hanan bleibt im Haus und kümmert sich um sie, da bin ich mir ganz sicher. Aber auch deren Vornamen habe ich vergessen, leider. Für mich heißen sie immer nur »die kleinen Schwestern«. Zum frühesten Zeitpunkt, an den ich mich noch erinnern kann, sind sie fünf oder sechs Jahre alt und müssen noch nicht arbeiten. Sie befinden sich unter der Obhut von Hanan, die das Haus äußerst selten verlässt, nur wenn es sein muss, also zum Beispiel zur Gemüseernte.

Bei uns werden die Kinder ungefähr im Abstand von einem Jahr geboren. Meine Mutter hat mit vierzehn geheiratet; mein Vater war wesentlich älter als sie. Sie bekam viele Kinder, insgesamt vierzehn. Davon leben noch fünf. Ich habe lange nicht begriffen, was das bedeutet, vierzehn Kinder ... Der Vater meiner Mutter sprach einmal darüber, als ich gerade den Tee servierte. Ich erinnere mich noch genau an den Wortlaut: »Ein Glück, dass du jung geheiratet hast, so konntest du vierzehn Kinder bekommen ... und einen Sohn zur Welt bringen, das ist gut!«

Auch wenn ich nicht zur Schule gehen durfte, konnte ich doch die Schafe zählen. Also konnte ich mir auch an den Fingern abzählen, dass wir nur fünf Kinder waren, die aus dem Bauch meiner Mutter stammten: Noura, Kaïnat, ich, Souad, Assad und Hanan. Wo waren die anderen? Meine Mutter hat nie gesagt, dass sie tot wären, aber so, wie sie sich dazu immer äußerte, verstand sich das von selbst: »Ich habe vierzehn Kinder, sieben davon leben.« Vorausgesetzt, sie hat die beiden Halbschwestern mitgezählt, weil wir sie nie so, sondern immer »Schwestern« genannt haben ... Tatsächlich waren wir zu siebt ... Also fehlten sieben Kinder? Angenommen, sie hat die beiden kleinen Schwestern nicht mitgerechnet, dann fehlten neun.

Eines Tages habe ich allerdings gesehen, warum wir nur sieben waren, oder fünf…

Ich weiß nicht mehr, wie alt ich damals war, aber ich war noch nicht reif, also muss ich jünger als zehn Jahre gewesen sein. Meine älteste Schwester Noura war bei mir. Ich habe vieles vergessen, aber dies nicht: Voller Entsetzen habe ich es mit angesehen, ohne zu begreifen, dass es ein Verbrechen war.

Ich sehe meine Mutter vor mir. Sie liegt auf einem Schaffell auf dem Boden und kommt nieder. Meine Tante Salima ist bei ihr, sie sitzt auf einem Kissen. Ich höre die Schreie, die Schreie von meiner Mutter und die von dem Baby, und dann nimmt meine Mutter das Schaffell und erstickt das Baby. Sie kniet da, und ich sehe, wie sich das Kind unter der Decke bewegt, und dann ist es vorbei. Ich weiß nicht mehr, was dann passiert, das Baby ist nicht mehr da, das ist alles, und ich bin wie gelähmt vor Angst.

Das Kind, das meine Mutter nach seiner Geburt erstickte, war ein Mädchen. Ich habe ihr ein erstes Mal dabei zugesehen, dann ein zweites Mal. Ob ich ein drittes Mal miterlebt habe, kann ich nicht mit Sicherheit sagen, aber ich habe davon gewusst. Ich höre auch noch, wie meine älteste Schwester Noura zu meiner Mutter sagt: »Wenn ich Mädchen bekomme, mache ich es wie du…«

So also hat sich meine Mutter der fünf oder sechs Mädchen entledigt, die sie zusätzlich zu uns bekommen hat, und zwar offensichtlich nach Hanan, der letzten Überlebenden. Und all das war üblich, normal, bedeutete für keinen ein Problem. Nicht einmal für mich, das glaubte ich zumindest beim ersten Mal, wenn ich auch große Angst hatte.

Diese kleinen Mädchen, die meine Mutter tötete, waren irgendwie ein Teil von mir. Ich begann heimlich zu weinen, jedes Mal, wenn mein Vater ein Schaf oder ein Huhn schlachtete, weil ich um mein Leben fürchtete. Der Tod eines Tieres, der für meine Eltern genauso einfach und gewöhnlich war wie der Tod eines Kindes, löste bei mir die entsetzliche Vorstellung aus, ich könnte genauso problemlos und schnell von der Bildfläche verschwinden wie sie. »Eines Tages bin ich an der Reihe oder meine Schwester«, dachte ich mir. »Ob groß oder klein, macht keinen Unterschied. Weil sie uns das Leben geschenkt haben, haben sie auch das Recht, es uns jederzeit wieder zu nehmen.«

Solange man in unserem Dorf bei seinen Eltern lebt, schwebt man in ständiger Todesangst. Ich fürchtete mich davor, auf eine Leiter zu steigen, wenn mein Vater an ihrem Fuß stand. Ich hatte Angst vor der Axt, mit der das Holz gespalten wurde, Angst, Wasser aus dem Brunnen zu holen. Angst, wenn mein Vater überwachte, wie wir mit den Schafen in den Stall zurückkamen. Angst vor nächtlichem Türenschlagen, weil ich das Gefühl hatte, unter dem Schaffell erstickt zu werden, auf dem ich schlief.

Auf dem Heimweg mit den Tieren von der Weide sprachen Kaïnat und ich manchmal darüber.

»Was ist, wenn alle tot sind, wenn wir nach Hause kommen…? Oder wenn der Vater die Mutter getötet hat? Dazu braucht es nur einen Schlag mit einem Stein! Was machen wir dann?«

»Also ich bete jedes Mal, wenn ich Wasser aus dem Brunnen hole, weil er sehr tief ist. Ich glaube, dass kein Mensch erfährt, wo ich geblieben bin, wenn man mich dort hineinwirft! Du könntest dort unten sterben, keiner würde dich holen kommen.«

Vor diesem Brunnen hatte ich am meisten Angst. Meine Mutter auch, das habe ich gespürt. Außerdem hatte ich Angst vor den Schluchten, an denen ich mit den Schafen und Ziegen vorbeimusste. Ich sah mich ständig um und bildete mir ein, mein Vater könnte sich dort irgendwo verstecken und würde mich in den Abgrund stoßen. Für ihn wäre das ein Leichtes, und erst mal dort unten angekommen, wäre ich tot. Man könnte sogar ein paar Steine über mich häufen, ich wäre begraben und würde es auch bleiben.

Der mögliche Tod unserer Mutter beschäftigte uns mehr als der einer Schwester. Schwestern gab es mehrere … Die Mutter wurde oft genauso geschlagen wie wir. Manchmal kam sie uns zu Hilfe, wenn er zu heftig auf uns einschlug, dann verprügelte er sie, warf sie zu Boden und zog sie an den Haaren hinter sich her … Den möglichen Tod vor Augen zu haben, war für uns Alltag, tagein, tagaus. Ein Nichts konnte ihn verursachen, vollkommen überraschend, einfach, weil es der Vater so beschlossen hatte. So wie sich meine Mutter entschied, ihre kleinen Töchter zu ersticken.

Erst war sie schwanger, dann war sie es nicht mehr, und keiner stellte Fragen. Wir hatten keinen Kontakt zu den anderen Mädchen aus dem Dorf. Nur »Guten Tag« und »Auf Wiedersehen«. Man traf sich nie, außer zu Hochzeiten. Und dann wurde nur über Belangloses geredet, über das Essen, die Braut oder über andere Mädchen, die man hübsch oder hässlich fand ... Oder über eine Frau, die wir darum beneideten, dass sie geschminkt war.

»Schau dir mal die an, sie hat sich die Augenbrauen gezupft ...«

»Sie hat eine hübsche Frisur.«

»Oh, sieh nur, die hat Schuhe an!« Sie war das reichste Mädchen des Dorfs und trug bestickte Babouches.

Wir gingen barfuß aufs Feld, hatten ständig Dornen in den Füßen und mussten uns auf die Erde hocken, um sie herauszuziehen. Meine Mutter besaß keine Schuhe, und meine Schwester Noura hat sogar barfuß geheiratet. Um derart wesentliche Dinge ging es in den wenigen Sätzen, die auf Hochzeiten gewechselt wurden. Ich habe auch nur bei zwei oder drei mitgefeiert.

Undenkbar, dass sich jemand darüber beklagte, dass er geschlagen wurde, weil das ständig vorkam. Niemand fragte nach dem Verbleib eines Babys, außer wenn die Frau einen Sohn geboren hatte. Wenn dieser Sohn am Leben blieb, war das eine Ehre für sie und ihre Familie. Wenn er starb, weinte man um ihn und verfluchte sie und ihre ganze Familie. Nur die männlichen Nachkommen zählen, die weiblichen nicht.

Ich weiß allerdings nicht, was aus den kleinen Mädchen wurde, nachdem meine Mutter sie erstickt hatte. Hat man sie irgendwo begraben? Hat man sie den Hunden zum Fraß vorgeworfen ...? Meine Mutter trug dann schwarz, mein Vater auch. Jede Geburt eines Mädchens war gleichbedeutend mit einem Todesfall in der Familie. Und immer war die Mutter schuld, wenn sie nur Töchter bekam. Das dachte mein Vater, so wie jeder Mann im Dorf.

Hätten die Männer in unserem Dorf die Wahl zwischen einer Tochter und einer Kuh, würden sie die Kuh nehmen. Mein Vater gab uns immer wieder zu verstehen, dass wir zu nichts nutze waren: »Eine Kuh gibt Milch und bekommt Kälbchen. Und was macht man mit der Milch und den Kälbchen? Man verkauft sie und bringt das Geld nach Hause. Das heißt, eine Kuh ist für die Familie von Nutzen. Aber eine Tochter? Was hat die Familie von ihr? Rein gar nichts. Was bringen einem die Schafe? Ihre Wolle. Wir verkaufen die Wolle und tragen das Geld nach Hause. Das Schaf wird größer, es bekommt Lämmer, gibt mehr Milch, aus der wir Käse machen, den wir verkaufen und das Geld dafür nach Hause bringen. Eine Kuh oder ein Schaf sind viel besser als eine Tochter.«

Uns Mädchen hat er davon überzeugt. Außerdem wurden die Kühe, Schafe und Ziegen viel besser behandelt als wir. Sie wurden nie geschlagen, die Kuh oder das Schaf!

Außerdem waren wir auch überzeugt, dass eine Tochter ein Problem für ihren Vater darstellte, weil er immer Angst haben musste, dass er sie nicht verheiraten konnte. Und wenn sie dann endlich verheiratet war, brachte sie Schande und Unglück über ihre Familie, wenn sie es wagte, zu ihren Eltern zurückzukommen, weil ihr Ehemann sie misshandelte. Solange sie unverheiratet war, fürchtete der Vater, dass sie eine alte Jungfer werden könnte, weil sich dann das ganze Dorf über sie lustig machte, was für die Familie ganz schrecklich war. Wenn ein älteres Mädchen mit seinen Eltern durchs Dorf ging, schauten alle hinter ihr her und verspotteten sie. Wenn sie zwanzig wurde und immer noch bei ihren Eltern lebte, war das nicht normal. Zwar hielt sich jeder an die Regel, dass unter den Schwestern immer die ältere mit Heiraten an der Reihe war. Aber wenn ein Mädchen zwanzig wurde, galt das nicht mehr. Ich weiß nicht, wie es sich anderswo in unserem Land verhielt, aber in meinem Dorf war es so.

Als ich aus unserem Dorf verschwand, kann meine Mutter noch nicht vierzig gewesen sein. Sie hatte zwölf oder vierzehn Kinder bekommen. Fünf oder sieben waren ihr geblieben. Hatte sie die anderen alle erstickt? Wie auch immer: Es war ganz »normal«.

Hanan?

Da waren die Todesangst und das Eisentor, hinter dem unser Dasein als überlebende, unterworfene Töchter eingesperrt war. Mein Bruder Assad ging mit einem Ranzen zur Schule, ritt aus, unternahm Spaziergänge. Mein Bruder Assad aß nicht mit uns. Er wuchs auf, wie es sich für einen Mann gehört, stolz und frei. Und er wurde wie ein Prinz von den Mädchen des Hauses bedient. Auch ich verehrte ihn wie einen Prinzen. Ich ließ ihm das Bad ein, als er noch klein war, wusch ihm den Kopf, pflegte ihn wie einen kostbaren Schatz. Ich hatte keine Ahnung von dem Leben, das er außerhalb unseres Hauses führte, ich wusste nicht, was er in der Schule lernte, was er in der Stadt erlebte und machte. Wir warteten darauf, dass er ins heiratsfähige Alter kam: Eine Heirat ist das einzig wichtige für eine Familie – neben der Geburt eines Sohnes!

Assad war schön. Wir waren uns so nah, wie das in meiner Familie überhaupt möglich war – solange er ein Kind war. Als seine ältere Schwester, von der ihn nur ein Jahr trennte, durfte ich ihn eine Weile begleiten. Ich kann mich nicht erinnern, dass ich mit ihm gespielt hätte, so wie europäische Kinder in diesem Alter miteinander spielen. Bereits mit vierzehn oder fünfzehn war er ein Mann und entzog sich mir. Ich glaube, er hat sehr früh geheiratet, vermutlich mit siebzehn. Er wurde gewalttätig. Mein Vater hat ihn gehasst. Ich weiß nicht warum ... Vielleicht war er ihm einfach zu ähnlich. Er hatte Angst, dass er von einem erwachsen gewordenen Sohn um seine Macht gebracht würde. Ich weiß nicht, woher dieser Hass zwischen ihnen kam. Aber ich sehe noch vor mir, wie mein Vater einmal einen Korb nahm, ihn ausleerte, mit Steinen füllte, nach oben auf die Terrasse ging und ihn auf Assad fallen ließ, als wollte er ihn umbringen.

Nachdem Assad geheiratet hatte, wohnte er mit seiner Frau bei uns im Haus. Er schob damals einen Schrank vor die Verbindungstür, damit mein Vater seine Räume nicht betreten konnte. Ich habe schnell begriffen, dass die Gewalttätigkeit der Männer in unserem Dorf aus früherer Zeit stammte. Der Vater reicht sie an seinen Sohn weiter, der sie seinerseits weitergibt, und so geht das immer weiter.

Ich habe meine Familie seit fünfundzwanzig Jahren nicht mehr gesehen, falls ich aber zufällig meinem Bruder begegnen sollte, würde ich ihm eine einzige Frage stellen: »Wo ist meine verschwundene Schwester, die ich Hanan nenne?«

Hanan ... In meiner Erinnerung ist sie brünett. Ein hübsches Mädchen, hübscher als ich, mit schönem Haar und reifer als ich. Kaïnat ist nett und sanft und ein bisschen zu dick; Hanan hat ein anderes Wesen, ein wenig schroff und nicht so unterwürfig wie wir. Ihre dichten Augenbrauen treffen sich über der Nase. Sie ist nicht dick, aber man ahnt, dass sie kräftig werden könnte, rundlich. Jedenfalls ist sie nicht so dünn wie ich. Wenn sie uns bei der Olivenernte hilft, arbeitet sie bedächtig und kommt nur langsam vom Fleck. Das war in unserer Familie nicht üblich: Man ging schnell, man arbeitete schnell, man beeilte sich zu gehorchen, die Tiere aus dem Stall zu holen oder nach Hause zurückzubringen. Hanan war nicht sehr tatkräftig, sondern verträumt und achtete selten auf das, was man zu ihr sagte. Bei der Olivenernte taten mir zum Beispiel schon die Fingerspitzen weh, weil ich bereits einen ganzen Korb voll gesammelt hatte, da war von ihrem noch nicht einmal der Boden bedeckt. Also kehrte ich um und half ihr. Wenn sie das Schlusslicht bildete, bekam sie Ärger mit meinem Vater. Ich erinnere mich, wie wir in Reih und Glied im Olivenhain arbeiten. Gebückt rücken wir im Rhythmus des Pflückens auf einer Linie langsam vorwärts. Die Bewegungen müssen schnell ablaufen. Man sammelt eine Hand voll, wirft die Oliven in den Korb und macht damit so lange weiter, bis der Korb bis zum Rand gefüllt ist. Dann schüttet man die Oliven in große Leinensäcke. Jedes Mal, wenn ich an meinen Platz zurückkehre, bleibt Hanan hinter den anderen zurück, mit ihren langsamen Bewegungen, die wie in Zeitlupe wirken. Sie ist wirklich ganz anders als die anderen. Aber ich kann mich nicht erinnern, dass ich mit ihr gesprochen oder mich besonders um sie gekümmert hätte, außer um ihr bei der Olivenernte zu helfen, wenn das nötig war. Oder um ihr schönes Haar zu einem dicken Zopf zu flechten, so wie sie es bei mir machte. Sie war nicht mit uns im Stall, sie hat die Kühe nicht gemolken und die Schafe nicht geschoren... In meiner Erinnerung sehe ich sie eher in der Küche, wo sie meiner Mutter hilft. Vielleicht war sie deshalb beinahe aus meinem Gedächtnis verschwunden. Aber ich habe wieder und wieder nachgezählt und mich bemüht, die Geschwister nach ihrem Alter zu ordnen: Noura, Kaïnat, Souad, Assad und...? Meine dritte Schwester existierte nicht mehr, ich hatte sogar ihren Namen vergessen. Manchmal wusste ich nicht einmal mehr genau, wer vor wem geboren wurde. Bei Noura und Assad war ich mir ganz sicher, aber schon mit Kaïnat und mir kam ich gelegentlich durcheinander. Und was die Schwester betrifft, die ich Hanan nenne, ist es für mich am schlimmsten, dass ich mich jahrelang nicht einmal gefragt habe, wo sie geblieben ist.

Ich hatte sie vollkommen »vergessen«, als hätte sich eine eiserne Tür hinter dieser Schwester geschlossen, die vom gleichen Blut war wie ich, und sie völlig vor den Blicken meiner Erinnerung verborgen, die ohnehin schon so vernebelt war.

Vor einiger Zeit ist allerdings ein schreckliches Bild wieder aufgetaucht, und eine grausame Vermutung hat sich in meinem Kopf festgesetzt. Bei einem Frauentreffen zeigte mir jemand die Fotografie eines toten Mädchens – es lag ausgestreckt auf dem Boden und war mit einer schwarzen Schnur erdrosselt worden, einer Telefonschnur. Irgendwie kam es mir so vor, als hätte ich so etwas bereits einmal gesehen. Diese Fotografie verursachte mir Unbehagen, nicht nur, weil man dieses arme junge Mädchen ermordet hatte, sondern auch weil ich darauf wie in einem Nebel nach etwas suchte, das mich selbst betraf. Am nächsten Morgen fiel es mir seltsamerweise plötzlich ein. Ich war dabei! Ich hatte es gesehen! Ich wusste, wann diese Schwester Hanan verschwand!

Seitdem verfolgt mich dieser neue Albtraum und macht mich krank. Jede genaue Erinnerung, jede Szene meiner früheren Existenz, die mich schonungslos einholen, machen mich krank. Ich wollte all diese schrecklichen Dinge vollkommen vergessen, und unbewusst ist mir das auch mehr als zwanzig Jahre lang gelungen. Doch wenn ich Zeugnis ablegen will von meinem Leben als Kind und Frau in meiner Heimat, muss ich in meinen Kopf tauchen wie auf den Grund des Brunnens, vor dem ich damals so viel Angst hatte. Und all diese Bruchstücke meiner Vergangenheit, die nach und nach an die Oberfläche steigen, erscheinen mir derart entsetzlich, dass ich sie fast nicht glauben kann. Manchmal führe ich Selbstgespräche und frage mich: »Habe ich das alles tatsächlich erlebt?«

Ich bin am Leben, ich habe überlebt. Andere Frauen haben das Gleiche erlebt und sind auch noch auf der Welt. Ich würde es gern vergessen, aber wir sind nur so wenige Überlebende, die darüber sprechen können, dass ich es für meine Pflicht halte, mir diese Albträume in Erinnerung zu rufen und öffentlich zu machen.

Ich bin im Haus und höre Schreie, dann sehe ich meine Schwester, sie hockt auf dem Boden und schlägt mit Armen und Beinen um sich, und mein Bruder Assad beugt sich mit ausgestreckten Armen über sie. Er erdrosselt sie mit der Telefonschnur. Ich sehe dieses Bild so deutlich vor Augen, als hätte ich es gestern erlebt. Ich drücke mich so fest an die Wand, als wollte ich in sie hineinkriechen, in ihr verschwinden. Die beiden kleinen Schwestern sind bei mir, ich stelle mich vor sie, um sie zu schützen. Ich packe sie an den Haaren, damit sie sich nicht rühren.

Assad muss uns gesehen haben, oder er hat mich kommen gehört. Er schreit: »*Rouhi! Rouhi!* Hau ab! Hau ab!«

Ich laufe zu der Betontreppe, die zu den Zimmern führt, und zerre meine beiden Schwestern hinter mir her. Die eine Kleine hat so viel Angst, dass sie stolpert und sich das Bein verletzt, aber ich zwinge sie, weiterzulaufen. Ich zittere am ganzen Körper. Ich sperre uns in einem Zimmer ein und tröste die Kleine. Ich versuche, ihr verletztes Knie zu versorgen, und wir bleiben in dem Zimmer, alle drei, sehr lange, ohne einen Ton. Ich kann nichts machen, absolut nichts außer schweigen, mit dieser Schreckensvision vor Augen.

Mein Bruder erwürgt meine Schwester ... Sie muss telefoniert haben, und er ist von hinten gekommen, um sie zu erdrosseln ... Sie ist tot, ich bin überzeugt, dass sie tot ist.

An jenem Tag trug sie eine weiße Pluderhose und darüber ein knielanges Hemd. Sie war barfuß. Ich sah, wie sich ihre Beine heftig bewegten, ich sah, wie sie meinem Bruder ins Gesicht schlug, während er »hau ab!« schrie.

Ich glaube, das Telefon war schwarz. Es stand im Wohnzimmer auf dem Boden und hatte eine sehr lange Schnur. Sie hatte wohl gerade telefoniert, aber ich weiß nicht mit wem oder warum. Ich weiß auch nicht, was ich kurz zuvor gemacht habe oder wo ich war, noch was Hanan gemacht haben könnte. Meines Wissens rechtfertigte ihr Verhalten in keiner Weise, dass mein Bruder sie erwürgte. Ich verstehe nicht, was passiert ist.

Ich bin mit den Kleinen in dem Zimmer geblieben, bis meine Mutter nach Hause kam. Sie war mit meinem Vater außer Haus gewesen. Assad war allein mit uns. Lange habe ich darüber nachgedacht, warum außer ihm und uns niemand im Haus gewesen ist. Mit der Zeit fügten sich die Erinnerungen dann zu einem Bild zusammen.

An besagtem Tag hatten meine Eltern die Frau meines Bruders besucht. Sie war zu ihren Eltern geflüchtet, nachdem mein Bruder sie geschlagen hatte, als sie schwanger war. Deshalb war mein Bruder mit uns allein im Haus. Er muss außer sich vor Wut gewesen sein, wie jeder Mann, der so beleidigt wird. Wie üblich wusste ich nur bruchstückhaft, was vorging. Mädchen sind nicht zum Familienrat zugelassen, wenn es Probleme gibt. Man informiert sie nicht. Viel später erst habe ich erfahren, dass meine Schwägerin eine Fehlgeburt hatte, und ich vermute, dass ihre Eltern meinen Bruder dafür verantwortlich gemacht hatten. Aber an diesem Tag gab es nichts, was diese beiden Ereignisse in Verbindung gebracht hätte. Was wollte Hanan mit dem Telefon? Wir haben es nur sehr selten benutzt. Ich selbst habe vielleicht zwei- oder dreimal mit meiner großen Schwester, meiner Tante oder der Frau meines Bruders telefoniert. Wenn Hanan jemand anrufen wollte, dann bestimmt jemand aus unserer Familie.

Seit wann hatten wir das Telefon? Damals dürfte es in unserem Dorf kaum viele Telefonanschlüsse gegeben haben … Mein Vater hatte unser Haus modernisieren lassen. Wir hatten ein Badezimmer mit fließend warmem Wasser – und eben ein Telefon …

Als meine Eltern nach Hause kamen, hat meine Mutter mit Assad gesprochen, das weiß ich noch. Sie hat geweint, aber ich weiß inzwischen, dass ihre Tränen nicht echt waren. Jetzt bin ich realistisch und habe begriffen, wie die Dinge in meiner Heimat funktionieren. Ich weiß jetzt, warum Mädchen getötet werden. Ich weiß auch, wie sie das machen. Erst wird Familienrat gehalten, dann gibt es eine Entscheidung, und an dem verhängnisvollen Tag sind die Eltern immer abwesend. Nur derjenige, der bestimmt wurde, das Mädchen zu töten, ist mit ihr allein.

Meine Mutter hat nicht wirklich geweint. Sie weinte nicht! Das war nur Show. Sie wusste ganz genau, warum mein Bruder meine Schwester erwürgt hatte. Warum sonst hätte sie an diesem Tag mit meinem Vater und meiner großen Schwester Noura aus dem Haus gehen sollen? Warum sonst hätte sie uns mit Assad allein zu Hause lassen sollen? Was ich nicht weiß, ist der Grund für Hanans Todesurteil. Sie muss eine Sünde begangen habe, aber ich wüsste nicht welche. War sie allein ausgegangen? Hatte man sie gesehen, wie sie mit einem

Mann sprach? War sie von einem Nachbarn denunziert worden? Es brauchte nicht viel, damit ein Mädchen als *charmuta* betrachtet wurde, die Schande über ihre Familie gebracht hatte, und dass sie sterben musste, um die Ehre ihrer Eltern, ihres Bruders, ja sogar des ganzen Dorfes zu retten!

Meine Schwester war reifer als ich, obwohl sie jünger war. Sie muss irgendeine Dummheit gemacht haben, von der ich nichts weiß. Mädchen vertrauen sich bei uns keine Geheimnisse an. Sie haben viel zu viel Angst zu reden, auch unter Schwestern. Ich kenne mich damit aus, weil auch ich geschwiegen habe ...

Ich mochte meinen Bruder sehr gern. Wir Mädchen haben ihn alle sehr geliebt, weil er der einzige Mann in der Familie war, der einzige Beschützer außer unserem Vater. Stirbt der Vater, übernimmt der Sohn die Leitung der Familie, stirbt er selbst und bleiben nur noch Frauen zurück, ist die Familie verloren. Dann gibt es keine Schafe und kein Land mehr, nichts. Das Schlimmste, das einer Familie zustoßen kann, ist es, ihren einzigen Sohn zu verlieren. Wie sollten sie ohne Mann leben? Der Mann bestimmt und beschützt uns, der Sohn tritt an die Stelle des Vaters und verheiratet seine Schwestern.

Assad war so gewalttätig wie mein Vater. Er war ein Mörder, aber dieses Wort bedeutet bei uns nichts, wenn es nur darum geht, dass jemand eine Frau getötet hat. Der Bruder, der Schwager oder der Onkel, *wer* spielt keine Rolle, haben den Auftrag, die Ehre der Familie zu bewahren. Sie haben das Recht, über Leben und Tod ihrer Frauen zu bestimmen. Wenn der Vater oder die

Mutter zu ihrem Sohn sagt: »Deine Schwester hat gesündigt, du musst sie töten ...«, dann tut er das um der Ehre willen: So ist das Gesetz.

Assad war unser geliebter Bruder. Einmal ist er vom Pferd gefallen – er ritt sehr gern aus. Das Pferd stolperte, und er fiel herunter. Ich weiß noch, wie wir geweint haben! Vor lauter Kummer habe ich mein Kleid zerrissen und mir die Haare ausgerissen. Zum Glück war er nicht schwer verletzt, und wir haben ihn gesund gepflegt. Als sich aber mein Vater ein Bein brach, waren wir so zufrieden darüber, dass wir am liebsten Freudentänze aufgeführt hätten. Noch heute kann ich einfach nicht begreifen, dass Assad ein Mörder ist. Das Bild meiner erdrosselten Schwester ist ein schrecklicher Albtraum, aber damals konnte ich ihm das nicht übel nehmen. Was er getan hatte, war normal, er musste es als seine Pflicht betrachten, weil es für unsere Familie notwendig war. Und ich habe ihn geliebt.

Ich weiß nicht, was sie mit Hanan gemacht haben. Auf jeden Fall verschwand sie aus dem Haus. Und ich habe sie vergessen. Ich verstehe nicht recht, warum. Auf die Angst folgte damals vermutlich wieder mein normales Leben mit seinen Sitten und Gebräuchen, seinen Gesetzen und allem, was uns dazu zwang, diese Dinge »normal« zu finden. Zu Verbrechen oder Grauen werden sie erst anderswo, im Westen, in anderen Ländern mit anderen Gesetzen. Ich selbst sollte sterben – und dass ich wie durch ein Wunder gegen das Gewohnheitsrecht überlebt habe, hat mich lange sehr beunruhigt. Jetzt erkläre ich mir das so, dass ich einen Schock erlitten habe und der Schock so groß gewesen sein muss, dass ich bestimmte Ereignisse aus meinem Gedächtnis gestrichen habe. So hat es mir ein Psychiater erklärt.

So verschwand Hanan aus meinem Leben und aus meinem Gedächtnis. Vielleicht hat man sie neben den anderen Babys begraben. Vielleicht hat man sie aber auch verbrannt oder in einem Graben oder auf einem Feld verscharrt. Vielleicht wurde sie den Hunden vorgeworfen? Ich weiß es nicht. Aber ich merke sehr wohl an den Gesichtern der Menschen hier, dass sie Mühe haben zu verstehen, was ich von meinem Leben zu Hause erzähle. Sie stellen mir Fragen, die für sie logisch sind: »Ist die Polizei gekommen? Kümmert es denn keinen, wenn jemand einfach so verschwindet? Was sagen die Leute aus dem Dorf?«

In meiner Heimat habe ich die Polizei äußerst selten gesehen. Es hat nichts zu bedeuten, wenn eine Frau verschwindet. Und die Leute im Dorf sind für die Gesetze der Männer. Wird ein Mädchen, das seine Familie entehrt hat, nicht getötet, verstoßen die Dorfbewohner diese Familie, niemand will mehr mit ihnen sprechen, man macht keine Geschäfte mehr mit ihnen, die Familie muss das Dorf verlassen. Also ...

Aus europäischer Sicht ist das Schicksal meiner Schwester schlimmer als meines. Aber sie hatte Glück, weil sie tot ist. Wenigstens muss sie nicht mehr leiden.

Noch heute höre ich die Schreie meiner Schwester, sie hat so furchtbar geschrien! Kaïnat und ich hatten danach lange Angst um uns. Immer wenn wir unserem Vater, unserem Bruder oder Schwager begegneten, fürchteten wir, sie könnten etwas gegen uns im Schilde führen. Manchmal konnten wir vor Angst nicht schlafen. Nachts bin ich oft aufgewacht. Ich fühlte mich ständig bedroht. Assad war immer wütend und gewaltbereit. Er durfte nicht zu seiner Frau: Sie war aus dem Krankenhaus direkt zu ihren Eltern gegangen, weil er sie zu sehr geschlagen hatte. Und dennoch ist sie später zu ihm zurückgekehrt und hat bei ihm gelebt, das ist das Gesetz. Sie hat ihm noch mehr Kinder geboren, zum Glück Söhne. Wir waren stolz auf ihn, wir haben ihn immer noch geliebt, obwohl er uns Angst machte. Allerdings verstehe ich nicht, dass ich meinen Vater genauso sehr hasste, wie ich meinen Bruder verehrte, obwohl sie sich im Grunde so ähnlich waren.

Wenn ich in meinem Dorf geblieben wäre, geheiratet und Mädchen zur Welt gebracht hätte, und wenn Assad den Auftrag bekommen hätte, eine meiner Töchter zu erwürgen, hätte ich es wie die anderen Frauen gemacht und mich widerstandslos ergeben. Hier ist es unerträglich, so etwas nur zu denken oder auszusprechen, aber für uns war es nun einmal normal.

Das ist heute anders, weil ich in meinem Dorf als tot gelte und in Europa meine Wiedergeburt erlebt habe. Jetzt bewegen mich andere Gedanken.

Trotzdem liebe ich meinen Bruder noch immer. Mit dieser Liebe ist es wie mit der Wurzel eines Olivenbaums – man kann sie nicht ausreißen, auch wenn der Baum schon längst gefallen ist.

Die grüne Tomate

Jeden Morgen musste ich den Stall ausmisten, der sehr groß war und fürchterlich stank. Hatte ich den Stall sauber gemacht, ließ ich die Tür zum Lüften offen stehen. Die Luft im Stall war sehr feucht und dampfte dann in der Wärme der Sonne. Wir füllten den Mist in Kübel, die ich auf dem Kopf in den Garten trug, um ihn zu trocknen. Der Pferdemist diente ausschließlich als Dünger für den Gemüsegarten. Mein Vater sagte, das sei der beste Dünger. Mit dem Schafsmist wurde der Brotofen geheizt. Wenn er gut getrocknet war, setzte ich mich auf die Erde und knetete daraus ganze Stapel von kleinen Fladen, mit denen der Ofen gefüttert wurde.

Die Schafe wurden sehr früh am Morgen auf die Weide gebracht. Wenn es zu heiß wurde, also gegen elf Uhr, holte man sie wieder in den Stall. Die Schafe fraßen und schliefen. Dann ging auch ich zum Essen ins Haus. Es gab Öl, warmes Brot, Tee, Oliven und Obst. Abends aßen wir Huhn, Lamm oder Kaninchen. Bei uns gab es beinahe jeden Abend Fleisch mit Reis oder Hirsegrieß, den wir selbst anbauten. Alles Gemüse kam aus unserem Garten.

Während der heißen Tageszeit arbeitete ich im Haus. Ich bereitete den Brotteig vor und fütterte die kleinen Lämmchen. Ich nahm sie wie junge Katzen am Hals und brachte sie zum Euter ihrer Mama, damit sie saugten. Wir hatten immer mehrere Lämmer gleichzeitig, also versorgte ich eins nach dem anderen. Wenn ein Lamm genug gesaugt hatte, brachte ich es an seinen Platz zurück und holte das nächste, bis alle satt waren. Dann kümmerte ich mich um die Ziegen, die ihren eigenen Bereich im Stall hatten. Die beiden Pferde hatten ihre Ecke, und die vier Kühe auch. Der Stall war wirklich riesengroß: Rund sechzig Schafe und mindestens vierzig Ziegen fanden darin Platz. Die Pferde waren den ganzen Tag auf der Weide und wurden nur nachts in den Stall geholt. Sie waren einzig und allein für die Ausflüge meines Bruders und Vaters da, nicht für uns. Wenn ich mit der Stallarbeit fertig war, ließ ich beim Gehen die Tür wegen der Hitze offen – aber es gab einen sehr schweren, dicken Holzbalken, der den Tieren den Weg aus dem Stall versperrte.

Wenn die Sonne niedriger stand, mussten wir uns um den Garten kümmern. Es gab sehr viele Tomaten, die wir fast täglich pflückten, wenn sie reif waren. Einmal habe ich aus Versehen eine grüne Tomate gepflückt. Diese Tomate habe ich nicht vergessen! Ich denke oft an sie, wenn ich in meiner Küche bin. Sie war zur Hälfte grün, zur Hälfte rot und kurz davor, reif zu werden. Eigentlich wollte ich sie zu Hause verstecken, aber zu spät, mein Vater kam dazu. Ich wusste, dass ich sie nicht hätte pflücken dürfen, aber meine Hände waren voreilig gewesen.

Weil wir immer so schnell arbeiten mussten, waren meine Bewegungen fast automatisch – meine Finger suchten die Tomatenpflanzen ab, rechts, links, rechts, links, von oben bis unten... Und plötzlich hielt ich die letzte Tomate, die ganz unten am Stamm wuchs und am wenigsten Sonne bekam, in der Hand, ohne dass ich es wollte. Da war sie nun und lag unübersehbar in meinem Korb. Mein Vater brüllte: »Bist du wahnsinnig? Weißt du eigentlich, was du da gemacht hast? Du pflückst eine grüne Tomate? *Majnouna!*«

Er schlug mich und zerquetschte die Tomate über meinem Kopf, die Kerne fielen auf mich herunter. »Jetzt isst du sie auch!« Er stopfte sie mir gewaltsam in den Mund und beschmierte meine Gesicht mit den Resten der Tomate. Ich dachte, man könnte sie schon irgendwie essen, aber sie schmeckte sauer, bitter, einfach widerlich. Ich zwang mich, sie hinunterzuwürgen. Danach wollte ich nichts essen, ich weinte, und mein Magen drehte sich um. Aber mein Vater drückte meinen Kopf auf den Teller und zwang mich wie einen Hund zu essen. Ich konnte mich nicht mehr rühren, er hatte mich wütend an den Haaren gepackt, mir war übel. Meine Halbschwester machte sich über mich lustig und lachte mich aus. Sie bekam eine Ohrfeige, sodass sie alles ausspuckte, was sie im Mund hatte, und ebenfalls weinte. Je mehr ich mich beklagte, dass mir der Kopf wehtue, umso unerbittlicher drückte er mein Gesicht in die Hirse. Er hatte die ganze Schüssel geleert und aus dem Hirsebrei kleine Portionen geformt, die er mir in den Mund stopfte. Er war außer sich vor Wut. Dann wischte er sich die Hände an einem

Leintuch ab, warf es mir an den Kopf und verschwand, um sich in aller Ruhe auf der Veranda in den Schatten zu begeben.

Weinend räumte ich das Geschirr weg. In meinem Gesicht, den Haaren und den Augen klebte Essen. Und dann fegte ich wie alle Tage den Boden, damit mir auch nicht das kleinste Hirsekorn entging, das der Hand meines Vaters entkommen war.

Viele Jahre lang habe ich so wichtige Erlebnisse wie das Verschwinden einer meiner Schwestern vergessen, aber nie vergaß ich diese grüne Tomate und die Erniedrigung, gemeiner als ein Hund behandelt worden zu sein. Und am allerschlimmsten war dann dieser Anblick, wie er nach meiner nahezu täglichen Tracht Prügel ganz ruhig im Schatten saß und wie ein König Siesta machte. Er war das Symbol für diese vollkommen normale Versklavung, die ich hinnahm, indem ich Kopf und Rücken unter seinen Schlägen beugte, wie meine Schwestern und meine Mutter auch. Heute begreife ich meinen Hass. Ich wünschte mir damals, dass er unter seinem Tuch erstickte.

Unser Alltag sah folgendermaßen aus: Gegen vier Uhr brachten wir die Ziegen auf die Weide und holten sie erst wieder vor Sonnenuntergang. Meine Schwester führte die Tiere auf den Weg, ich ging immer mit einem Stock hinter ihnen her, um sie anzutreiben und vor allem, um den Ziegen Angst zu machen. Sie waren ständig unruhig und bereit, irgendwohin zu rennen. Hatten wir endlich die Weide erreicht, wurde es etwas ruhiger, hier war niemand außer uns und der Herde. Manchmal nahm ich eine Wassermelone und klopfte sie zum Öffnen auf einen Stein. Wir beschmutzten unsere Kleider mit dem süßen Saft der Melone und hatten Angst, dass das zu Hause entdeckt werden könnte. Also wuschen wir sie an unserem Körper, sobald wir in den Stall kamen und ehe uns die Eltern gesehen hatten. Natürlich durften wir die Kleider nicht ausziehen, aber sie trockneten zum Glück sehr schnell.

Die Sonne nahm ein besonderes Gelb an und entfernte sich Richtung Horizont, und die Farbe des Himmels ging von blau in grau über – wir mussten vor Einbruch der Nacht zu Hause sein. Nachdem es bei uns sehr schnell dunkel wird, mussten wir genauso schnell sein wie die Sonne und uns mit gesenktem Blick an den Hauswänden entlangdrücken, bis dann wieder einmal das eiserne Tor hinter uns ins Schloss fiel.

Dann war es an der Zeit, die Kühe und die Milchschafe zu melken. Ich weiß noch, wie weh mir oft die Arme taten. Ich stellte einen großen Milchkübel und einen flachen Hocker unter die Kuh, nahm einen ihrer Füße und klemmte ihn mir zwischen die Beine, damit sie sich nicht bewegen und die Milch nicht den Eimer verfehlen konnte. Gab es eine Milchpfütze auf dem Boden oder auch nur ein paar Tropfen, waren meine Tage gezählt! Dann schlug mich mein Vater und brüllte, dass er wegen mir einen Käse verlor! Die Zitzen der Kühe waren sehr dick und hart, weil ihre Euter prall voll mit Milch waren, und ich hatte kleine Hände. Mir taten die Arme weh, ich brauchte sehr lange zum Melken und war vollkommen erschöpft. Eine Zeit lang hatten wir sechs Kühe im Stall stehen, da schlief ich einmal ein – den Eimer im

Arm und den Fuß der Kuh zwischen meinen Beinen. Zu meinem Unglück erschien mein Vater und schrie: »*Charmuta*! Du Hure!« Er zerrte mich an den Haaren durch den Stall und verpasste mir eine Tracht Prügel mit seinem Gürtel. Ich habe diesen großen Ledergürtel verflucht, den er immer zusammen mit einem kleineren trug. Der kleine war eine schmerzhafte Peitsche. Er schlug damit mit aller Gewalt, wobei er ihn wie ein Seil an einem Ende hielt. Wenn er den großen Gürtel nahm, musste er ihn einmal zusammenlegen, weil er zu schwer war. Ich flehte ihn an und weinte vor Schmerz, aber je mehr ich ihm mein Unglück eingestand, umso heftiger schlug er zu und beschimpfte mich als Hure.

Damals musste ich noch beim Abendessen weinen. Meine Mutter wollte wissen, was passiert war. Sie hatte natürlich bemerkt, dass er mich diesmal sehr schlimm geschlagen hatte. Daraufhin schlug er auch noch sie und erklärte ihr, dass sie das nichts angehe und dass sie nicht wissen müsse, warum ich geschlagen wurde, es reiche schließlich, dass ich es wusste.

Bei uns verging kein Tag, ohne dass ich eine Ohrfeige oder wenigstens einen Fußtritt erhielt, wenn auch nur unter dem Vorwand, ich arbeite zu langsam oder das Teewasser brauche zu lang, bis es kochte... Manchmal gelang es mir, dem Schlag auf den Kopf auszuweichen, aber nicht sehr oft. Ich weiß nicht mehr, ob meine Schwester Kaïnat genauso oft geschlagen wurde wie ich, aber ich glaube schon, weil sie genauso viel Angst hatte wie ich. Unwillkürlich habe ich die Angewohnheit beibehalten, schnell zu arbeiten und schnell zu gehen, so als fühlte ich mich ständig bedroht. Einen Esel treibt man mit Stockschlägen an. Hält der Stock inne, bleibt auch der Esel stehen. Das Gleiche galt für uns, nur dass uns mein Vater viel schlimmer schlug als einen Esel. Meistens wurde ich auch noch am folgenden Tag geschlagen, damit ich nicht etwa die Prügel vom Vortag vergaß. Damit ich wie ein Esel weitermachte, ohne einzuschlafen.

Bei Esel fällt mir eine andere Geschichte ein, die mit meiner Mutter zu tun hat. Wie üblich bringe ich die Tiere auf die Weide, beeile mich nach Hause zurückzukommen und noch mehr, den Stall auszumisten. Meine Mutter ist bei mir und treibt mich an, weil wir noch Feigen ernten müssen. Wir müssen den Esel mit Kisten beladen und uns ziemlich weit vom Dorf entfernen. Ich kann die Geschichte zwar zeitlich nicht einordnen, aber mir scheint dieser Morgen irgendwie in der Nähe der grünen Tomate zu liegen. Die Erntezeit der Feigen geht jedenfalls allmählich zu Ende, was man daran sieht, dass der Feigenbaum kahl ist, bei dem wir stehen bleiben. Ich binde den Esel an den Feigenbaum, damit er nicht die Früchte und Blätter fressen kann, die auf dem Boden verstreut herumliegen.

Als ich mit dem Einsammeln beginne, sagt meine Mutter: »Hör gut zu, Souad, du bleibst mit dem Esel hier und sammelst alle Feigen vom Straßenrand auf, aber du gehst nicht weiter als bis zu diesem Baum. Du rührst dich hier nicht weg. Falls du deinen Vater auf dem weißen Pferd kommen siehst oder deinen Bruder oder sonst jemand, pfeifst du, und ich komme sofort zurück.« Sie verlässt den Weg und geht zu einem Reiter, der sie auf seinem Pferd erwartet. Ich kenne ihn vom Sehen, er heißt Fadel. Er hat einen runden Kopf, ist klein und ziemlich stark. Sein Pferd macht einen sehr gepflegten Eindruck, bis auf einen schwarzen Fleck ist es ganz weiß, und sein Schweif ist bis unten geflochten. Ich weiß nicht, ob er verheiratet ist.

Meine Mutter betrügt meinen Vater mit ihm. Das habe ich begriffen, als sie zu mir sagte: »Falls irgendjemand kommt, pfeifst du.« Der Reiter und meine Mutter entziehen sich meinen Blicken. Gewissenhaft sammle ich die Feigen vom Straßenrand auf. An dieser Stelle gibt es nicht viele, aber ich darf hier nicht weg, weil ich sonst nicht sehen könnte, wenn mein Vater oder sonst jemand kommt.

Seltsamerweise erstaunt mich diese Geschichte nicht. Soweit ich mich erinnere, habe ich kaum Angst. Vielleicht, weil meine Mutter ihren Plan gut organisiert hat. Der Esel ist an den kahlen Feigenbaum gebunden und kann so weder Blätter noch Früchte fressen, wie es sich für diese Art von Ernte gehört. Anders als zur Hochsaison, muss ich nicht auf den Esel aufpassen und kann allein arbeiten. Ich mache zehn Schritte in die eine Richtung und zehn in die andere, während ich die Feigen auflese und in die Kisten lege. Ich kann den Weg ins Dorf gut beobachten, schon von weitem sehen, wenn sich jemand nähert und rechtzeitig pfeifen. Weder dieser Fadel noch meine Mutter sind zu sehen, aber ich vermute, dass sie einige Schritte von mir entfernt irgendwo auf dem Feld versteckt sind. Falls es Schwierigkeiten geben sollte, könnte meine Mutter also immer noch behaupten, sie hätte sich nur wegen einer dringenden Notdurft für einen kurzen Augenblick entfernt. Kein Mann, auch nicht mein Vater oder mein Bruder, würde jemals ungehörige Fragen zu diesem Thema stellen, das wäre unverschämt.

Ich bleibe nicht lange allein: Die Kiste ist noch fast leer, als die beiden getrennt zurückkommen. Meine Mutter tritt auf den Weg. Ich sehe, wie Fadel sein Pferd besteigt; beim ersten Versuch kommt er nicht in den Sattel, weil sein Pferd sehr groß ist. Er hat eine elegante, sehr schlanke Reitpeitsche aus Holz und lächelt Mama zu, ehe er verschwindet.

Ich tue so, als hätte ich nichts bemerkt.

Das Ganze ging sehr schnell. Irgendwo auf dem Feld, im Schutz der Pflanzen, haben sie sich geliebt, oder sie haben sich nur getroffen, um miteinander zu reden, ich will es gar nicht wissen. Es steht mir nicht an zu fragen, was sie gemacht haben, oder neugierig zu schauen, es geht mich nichts an. Meine Mutter würde sich mir nie anvertrauen. Außerdem kann sie sicher sein, dass ich kein Wort sagen werde, ganz einfach weil ich ihre Komplizin bin und dafür genau wie sie totgeschlagen würde. Mein Vater weiß mit Frauen nichts anderes anzufangen, als sie zu verprügeln und arbeiten zu lassen, damit er Geld bekommt. Wenn meine Mutter also unter dem Vorwand, Feigen für ihn zu ernten, Liebe mit einem anderen Mann macht, bin ich eigentlich sehr zufrieden. Sie hat vollkommen Recht.

Nun müssen wir uns beeilen, die Kisten mit Feigen zu füllen, um den Zeitaufwand zu rechtfertigen. Sonst würde mein Vater sagen: »Du bringst ja leere Kisten zurück, was hast du die ganze Zeit gemacht?« Und dann bekäme ich den Gürtel zu spüren.

Wir sind ziemlich weit weg vom Dorf. Meine Mutter steigt auf den Esel, mit ihren leicht gespreizten Beinen umklammert sie den Hals des Tieres, sie sitzt dicht hinter seinem Kopf, um das Obst nicht zu zerdrücken. Ich gehe voraus, um den Esel zu führen, und wir machen uns schwer beladen auf den Rückweg.

Nach einiger Zeit begegnen wir einer alten Frau mit ihrem Esel, sie ist allein und sammelt ebenfalls Feigen. Weil sie alt ist, braucht sie keine Begleitung. Sie ist vor uns. Meine Mutter grüßt sie, und wir setzen den Weg gemeinsam fort. Dieser Weg ist sehr eng und unbequem, voller Schlaglöcher, Unebenheiten und Steine. An einigen Stellen wird er ziemlich steil, und der Esel hat alle Mühe, mit seiner schweren Last die Steigung zu bewältigen. Plötzlich bleibt er ganz oben auf einer Böschung vor einer großen Schlange stehen und weigert sich weiterzugehen. Meine Mutter schlägt ihn und redet ihm gut zu, aber er reagiert nicht. Stattdessen versucht er, rückwärts zu gehen, und seine Nase zittert vor Angst. Auch ich habe Angst, ich hasse Schlangen. An dieser Stelle ist es tatsächlich sehr steil, die Kisten schaukeln auf dem Eselsrücken und drohen hinunterzufallen. Zum Glück scheint die Frau, die uns begleitet, keine Angst vor der Schlange zu haben, obwohl sie so groß ist. Ich weiß nicht, wie es ihr gelingt, aber ich sehe, dass sich die Schlange aufrollt und windet. Sie muss sie mit dem Stock geschlagen haben... Jedenfalls verzieht sich die große

Schlange schließlich in den Straßengraben, und der Esel geht folgsam weiter.

Um unser Dorf gab es viele Schlangen, große und kleine. Wir begegneten ihnen ständig und hatten große Angst vor ihnen, so wie vor den Minen. Seit dem Krieg gegen die Juden gab es sie eigentlich überall. Man konnte jeden Moment sterben, weil man versehentlich auf eine Mine trat. Zu Hause wurde viel darüber gesprochen, wenn mein Großvater oder mein Onkel zu Besuch kamen. Meine Mutter warnte uns vor den Minen, die zwischen den Steinen beinahe unsichtbar waren, und ich sah ständig auf meinen Weg, weil ich Angst hatte. Ich weiß nicht, ob ich selbst tatsächlich einmal eine Mine gesehen habe, aber die Gefahr war immer da. Man hob besser keine Steine hoch und achtete sehr genau darauf, wohin man trat. Und die Schlangen versteckten sich sogar im Haus, zwischen den Reissäcken in der Vorratskammer oder den Strohhaufen im Stall.

Mein Vater war nicht da, als wir nach Hause kamen. Darüber waren wir sehr erleichtert, weil wir Zeit verloren hatten: Es war bereits zehn Uhr. Um diese Zeit steht die Sonne hoch am Himmel, es ist heiß, und die überreifen Feigen können leicht verderben. Sie sollten aber gut aussehen und sorgfältig verpackt werden, damit sie mein Vater auf dem Markt verkaufen konnte.

Ich habe sehr gern die Feigen verpackt. Dafür suchte ich besonders schöne Feigenblätter aus, große grüne, mit denen ich die Kisten auspolsterte. Auf die Blätter legte ich dann vorsichtig die Früchte, akkurat wie kostbare Schmuckstücke, und schützte sie mit großen Blättern vor der Sonne. Genauso machte ich es auch mit den Weintrauben: Wir schnitten sie mit einer Schere vom Stock und reinigten sie sorgfältig – keine verdorbene Beere und kein schmutziges Blatt durften mehr zu sehen sein. Ich legte die Kisten mit Weinlaub aus und deckte die Trauben damit zu, damit sie schön frisch blieben.

Je nach Jahreszeit ernteten wir Blumenkohl, Zucchini, Auberginen, Tomaten und Kürbisse, die wir auf den Markt brachten, und mein Vater verkaufte dort auch den Käse, den ich herstellen musste. Dafür goss ich die Milch in einen großen Metalleimer. Ich schöpfte das gelbe Fett ab, das sich am Rand bildete, außerdem den Rahm, für das *leben*, das eigens verpackt und für den Ramadan verkauft wurde. Es kam in separate Eimer, und mein Vater persönlich verschloss es gründlich, damit es nicht verdarb. In arabischer Schrift schrieb er *leben* auf die Päckchen.

Aus dem *halib*, der Milch, machte ich Joghurt und Handkäse. Dazu verwendete ich ein durchscheinendes weißes Tuch und eine eiserne Schüssel, die ich bis zum Rand füllte, damit alle Käse gleich groß wurden. Dann goss ich die Milch in das Tuch und machte einen Knoten, den ich so lange zuzog, bis keine Flüssigkeit mehr aus dem Käse tropfte. Anschließend kamen sie auf ein goldenes Tablett und wurden zum Schutz vor der Sonne und den Fliegen mit einem Tuch zugedeckt. Wenn der Käse fertig war, wickelte ich ihn in kleine weiße Päckchen, die mein Vater ebenfalls beschriftete. So eingepackt sah der Käse sehr appetitlich aus. Zur Zeit der

Obst- und Gemüseernte ging mein Vater praktisch täglich auf den Markt. Käse und Milch verkaufte er zweimal in der Woche.

Mein Vater setzte sich erst auf den Karren, wenn alles aufgeladen war, und wehe uns, wenn wir nicht rechtzeitig fertig wurden. Er saß mit meiner Mutter vorne, ich musste mich hinten zwischen die Kisten zwängen. Die Fahrt dauerte eine gute halbe Stunde. Dann sah ich große Häuser. Das war die Stadt. Eine schöne, ordentliche Stadt. Ampeln regelten den Verkehr. Und es gab schöne Geschäfte. Ich erinnere mich an ein Schaufenster mit einer Schaufensterpuppe in einem Brautkleid. Aber ich durfte nicht spazieren gehen und schon gar nicht die Boutiquen betreten. Mir blieb der Mund offen stehen, und ich verrenkte mir den Hals, um wenigstens aus der Ferne möglichst viel mitzubekommen. So etwas sah ich sonst nicht.

Ich hätte mir diese Stadt gern angeschaut, aber wenn ich dann sah, wie die Mädchen dort in kurzen Kleidern und mit nackten Beinen auf der Straße unterwegs waren, fand ich das beschämend. Wenn ich ihnen begegnet wäre, hätte ich vor ihnen ausgespuckt. Das waren *charmuta* … Und ich empörte mich über ihr Benehmen. Sie bewegten sich ganz allein in der Öffentlichkeit, ohne ihre Eltern. Meiner Meinung nach würden sie nie heiraten können. Kein Mann würde sie wollen, nachdem sie ihre Beine gezeigt und ihre Lippen rot geschminkt hatten. Und ich konnte nicht verstehen, warum sie niemand einsperrte.

Inzwischen ist mir klar, dass sich in unserem Dorf seit

ewigen Zeiten nichts geändert hatte, seit meine Mutter geboren wurde, die Mutter meiner Mutter und so weiter. Wurden die Mädchen in der Stadt auch so verprügelt wie ich? Mussten sie auch so hart arbeiten wie ich? Waren sie eingesperrt wie ich? Sklavinnen wie ich? Ich durfte mich keinen Millimeter vom Lastwagen meines Vaters entfernen. Er überwachte das Entladen der Kisten und nahm das Geld entgegen. Auf ein Zeichen hin musste ich gehorsam wie ein Esel auf den Karren klettern und mich dort verstecken. Mein einziges Vergnügen bestand darin, dass ich ein Weilchen nicht arbeiten musste und die unerreichbaren Geschäfte durch die Spalten zwischen den Obst- und Gemüsekisten betrachten konnte.

Der Markt war sehr groß. Er hatte ein Dach aus Weinlaub, das den Früchten und dem Gemüse Schatten spendete. Das war sehr schön. Hatte er alles verkauft, war mein Vater glücklich und zufrieden. Bevor der Markt schloss, ging er ganz allein zum Marktleiter und holte sein Geld ab – ich sah dann, wie er es in der Hand hielt. Er zählte es immer wieder nach und bewahrte es schließlich in einem kleinen Stoffbeutel auf, den er an einer Schnur um den Hals trug. Mit dem Geld, das er auf dem Markt verdiente, konnte er das Haus modernisieren.

Ich kletterte gern auf den Lieferwagen, weil diese Fahrt für mich eine Ruhepause bedeutete. Während der Fahrt musste ich nichts machen, ich saß einfach da und ruhte mich aus. Doch sobald wir auf dem Markt ankamen, mussten wir uns beeilen und die Kisten schnell abladen. Damit wollte mein Vater zeigen, dass seine Frau und seine Tochter hart arbeiteten. Ich war immer mit meiner Mutter auf dem Markt. Er nahm immer nur eine von uns Schwestern mit.

Wenn meine Schwester an der Reihe war, holte ich gleich am Morgen Wasser und putzte den Hof, damit ihn die Sonne trocknen konnte. Ich kochte und backte Brot. Dazu setzte ich mich auf den Boden, gab Mehl, Wasser und Salz in eine große Schüssel und knetete den Teig mit den Händen. Dann deckte ich ihn mit einem weißen Tuch zu und ließ ihn gehen. Inzwischen entfachte ich das Feuer im Brotofen wieder, damit er heiß wurde. Die Backstube war so groß wie ein kleines Haus und hatte ein Dach aus Holz. Der eiserne Ofen in der Backstube brannte ständig, die Glut hielt sich sehr lange. Aber bevor man Brot backen konnte, musste das Feuer auf ganz bestimmte Weise neu entfacht werden.

Ein Teig, der aufgeht, ist etwas Wunderbares ... Ich liebte es, Brot zu backen. Damit das Brot schöner aussah, machte ich in der Mitte ein Loch in den Teig, ehe ich ihn in den Ofen schob. Und damit der Teig nicht an den Händen klebte, tauchte ich sie in einen Mehlsack und berührte dann zärtlich diesen Teig, der weiß und ganz weich geworden war. Daraus wurde ein großer, prachtvoller Fladen, ein schöner runder Brotlaib, der immer die gleiche Form haben musste. Andernfalls warf ihn mir mein Vater ins Gesicht.

Wenn das Brot gebacken war, putzte ich den Ofen und fegte die Asche zusammen. Nach dieser Arbeit waren meine Haare, mein Gesicht, meine Wimpern und

Augenbrauen ganz weiß vom Aschenstaub, und ich schüttelte mich wie ein Hund, der seine Flöhe loswerden will.

Als ich einmal im Haus war, sah ich Rauch aus dem Dach der Backstube steigen. Mit meiner Schwester lief ich hinaus, um zu sehen, was passiert war, und wir schrien »Feuer«. Mein Vater kam mit Wasser. Die ganze Backstube stand in Flammen. Im Ofen lag etwas Schwarzes, das wie Ziegenmist aussah. Ich hatte ein Brot im Ofen vergessen und die Asche nicht sorgfältig zusammengefegt. Ein Glutrest war zurückgeblieben und hatte das Feuer erneut entfacht. Das war meine Schuld. Niemals hätte ich dieses Brotstück vergessen dürfen, und vor allem hätte ich daran denken müssen, die Asche mit einem Holz zu verteilen, um die Glut zu ersticken.

Ich war verantwortlich für diesen Brand im Brotofen, eine der schlimmsten Katastrophen, die man sich vorstellen konnte.

Und mein Vater schlug mich mehr denn je. Er gab mir Fußtritte und Stockhiebe auf den Rücken. Er packte mich an den Haaren, zwang mich in die Knie und drückte mein Gesicht in die Asche, die zum Glück nur noch warm war. Ich wäre beinahe erstickt, ich spuckte, die Asche drang in meine Nase und in meinen Mund, und ich hatte blutunterlaufene Augen. Zur Strafe musste ich die Asche essen. Was habe ich geweint, als er mich endlich in Ruhe ließ, ich war von oben bis unten schwarz und grau, nur meine Augen waren rot wie Tomaten. Ich hatte einen furchtbaren Fehler gemacht, und wenn meine Schwester und meine Mutter nicht da gewesen wären, hätte mich mein Vater wahrscheinlich ins Feuer geworfen und es erst dann gelöscht.

Der Ofen musste mit Ziegelsteinen neu gebaut werden, was sehr lange gedauert hat. Jeden Tag gab es für mich Beschimpfungen und böse Worte. Ich machte mich ganz klein, wenn ich zum Stall schlich, und hielt den Kopf gesenkt, wenn ich den Hof fegte. Ich glaube, dass mich mein Vater wirklich verabscheute, und das, obwohl ich außer diesem einen Fehler sehr gut arbeitete.

Am späten Nachmittag, vor Einbruch der Nacht, wusch ich die Wäsche. Ich war für die gesamte Wäsche im Haus zuständig. Ich schüttelte die Schaffelle aus, fegte, kochte, fütterte die Tiere und mistete den Stall aus. Verschnaufpausen gab es für mich nur selten.

Wir Mädchen durften abends nicht das Haus verlassen. Meine Mutter und mein Vater gingen allerdings oft aus und besuchten Nachbarn oder Freunde. Auch mein Bruder ging viel aus, aber wir nie. Wir hatten keine Freundinnen, meine große Schwester kam uns nie besuchen. Die einzige Fremde, die ich manchmal traf, war eine Nachbarin namens Enam. Sie hatte einen Fleck im Auge. Die Leute machten sich über sie lustig, und jeder wusste, dass sie nie verheiratet gewesen war.

Von unserer Terrasse aus konnte ich die Villa der reichen Leute sehen. Abends saßen sie auf ihrer hell erleuchteten Terrasse, ich hörte sie lachen und sah, dass sie noch spät draußen saßen und aßen. Wir dagegen waren in unsere Zimmer gesperrt wie Karnickel in den Stall.

Wenn ich an das Dorf denke, erinnere ich mich eigentlich nur an diese reiche Familie, die nicht weit weg von uns wohnte, und an Enam, die alte Jungfer, die immer allein war und draußen vor ihrem Haus saß. Die Fahrt mit dem Lieferwagen zum Markt war meine einzige Abwechslung.

Und die Ruhepausen waren wirklich sehr selten … Wenn man nicht für die eigene Familie arbeitete, half man den anderen Leuten aus dem Dorf und umgekehrt.

In unserem Dorf gab es ein paar Mädchen, die etwa im gleichen Alter waren. Manchmal wurden wir mit einem Bus zur Arbeit gefahren, zum Beispiel, um auf einem großen Feld Blumenkohl zu ernten. Ich kann mich noch sehr gut an dieses Blumenkohlfeld erinnern! Es war so riesig, dass man das andere Ende nicht sehen konnte und den Eindruck bekam, man könne niemals alle Kohlköpfe ernten! Der Busfahrer war so klein, dass er ein Kissen auf den Fahrersitz legen musste, damit er den Bus fahren konnte. Er hatte einen merkwürdig runden, winzigen Kopf und kurz geschorenes Haar.

Den ganzen Tag lang mussten wir Blumenkohl schneiden, auf allen vieren, und immer in Reih und Glied. Überwacht wurden wir dabei von einer älteren Frau mit einem Stock. Und Trödeln kam natürlich nicht in Frage. Wir stapelten die Kohlköpfe auf einem großen Lastwagen. Am Abend ließen wir den Laster stehen und kletterten wieder in den Bus, der uns zurück ins Dorf bringen sollte. Die Straße war auf beiden Seiten von Orangenbäumen gesäumt. Weil wir alle sehr durstig waren, hielt der Fahrer den Bus an und erlaubte, dass jede von uns sich eine Orange holte. Dann sollten wir schleunigst zurückkommen.

»Eine Orange und *halas*!«, was so viel hieß wie: »Eine, nicht zwei!«

Die Mädchen liefen schnell zum Bus zurück und stiegen ein, und der Fahrer, der in einem kleinen Seitenweg geparkt hatte, legte den Rückwärtsgang ein und fuhr los. Doch dann würgte er auf einmal den Motor ab, sprang aus dem Bus und begann so laut zu schreien, dass alle Mädchen erschrocken aus dem Bus stürzten.

Er hatte eine von uns überfahren. Sie war mit dem Kopf unter ein Rad geraten. Ich stand ganz vorne, und weil ich dachte, sie lebe noch, habe ich mich gebückt und wollte ihren Kopf vorsichtig hochheben. Aber ihr Kopf klebte am Boden, und ich wurde vor Schreck ohnmächtig.

Als ich wieder zu mir kam, saß ich im Bus auf dem Schoß der Frau, die auf uns aufpasste. Der Fahrer hielt vor jedem Haus einzeln an, um die Mädchen abzuliefern, weil wir nicht einmal innerhalb des Dorfes allein nach Hause gehen durften. Als ich vor unserem Haus ausgestiegen war, erklärte die Aufseherin meiner Mutter, dass ich krank sei. Mama brachte mich zu Bett und gab mir etwas zu trinken. An diesem Abend war sie sehr nett zu mir, weil ihr die Frau alles erklärt hatte. Sie musste jeder Mama berichten, was für ein Unfall geschehen war, während der Fahrer wartete. Vielleicht war das nötig, damit alle das Gleiche sagten?

Es ist sehr seltsam, dass gerade dieses Mädchen den Unfall hatte. Beim Ernten auf dem Blumenkohlfeld war sie immer in der Mitte der Reihe, nie am Rand. Doch wenn bei uns ein Mädchen so von den anderen geschützt wurde, bedeutete das, sie könnte fliehen wollen. Und mir war aufgefallen, dass dieses Mädchen immer von anderen umgeben war, sodass sie ihren Platz in der Reihe nicht wechseln konnte. Mir kam das merkwürdig vor, vor allem auch, weil wir nicht mit ihr sprachen. Wir durften sie nicht einmal anschauen, weil sie eine *charmuta* war, und wenn ein Mädchen mit ihr gesprochen hätte, hätte man sie ebenfalls als *charmuta* behandelt. Hatte sie der Busfahrer etwa absichtlich überfahren? Das Gerücht hielt sich lange. Die Polizei kam und verhörte uns, sie brachten uns zu dem Feld, wo der Unfall passiert war. Sie kamen zu dritt, und es war schon beeindruckend für uns, richtige Polizisten zu sehen. Wir durften ihnen allerdings nicht in die Augen schauen und mussten sie respektvoll behandeln, wir waren tief beeindruckt. Wir haben ihnen die genaue Stelle gezeigt. Ich habe mich gebückt. Da lag ein unechter Kopf, den ich in die Hand nahm. »*Halas*, *halas*, *halas* …«, haben sie zu mir gesagt. Es war überstanden.

Wir sind wieder in den Bus gestiegen. Der Fahrer hat geweint! Er fuhr schnell und eigenartig. Der Bus holperte über die Straße, und ich kann mich noch erinnern, dass unsere Aufseherin mit beiden Händen ihren Busen festhielt, weil ihre Brüste ebenfalls hüpften. Der Fahrer kam ins Gefängnis. Für uns und das ganze Dorf war es kein Unfall.

Danach war ich noch lange krank. Immer wieder sah ich mich den überfahrenen Kopf dieses Mädchens hochheben. Außerdem hatte ich Angst vor meinen Eltern, nach allem, was über sie geredet wurde. Sie muss etwas Böses getan haben, aber was, weiß ich nicht. Auf jeden Fall hieß es, sie sei eine *charmuta*. Nachts konnte ich nicht schlafen, immer wieder sah ich diesen zermalmten Kopf vor mir und hörte das Geräusch, das die Räder machten, als der Bus rückwärts fuhr. Ich werde dieses Mädchen nie vergessen. Obwohl ich selbst so viel gelitten habe, hat sich mir ihr Bild unvergesslich eingeprägt. Sie war genauso alt wie ich und hatte kurze Haare, einen sehr hübschen Haarschnitt. Auch das war seltsam. Die Mädchen aus unserem Dorf schnitten sich nie die Haare kurz. Warum also sie? Sie war anders als wir, schöner gekleidet. Wer hatte sie zu einer *charmuta* erklärt? Ich habe es nie erfahren. Aber ich konnte es mir denken.

Je älter ich wurde, desto mehr sehnte ich mich danach zu heiraten. Doch niemand wollte Kaïnat heiraten, was sie nicht weiter zu beunruhigen schien. Wahrscheinlich hatte sie sich bereits damit abgefunden, eine alte Jungfer zu werden, was ich für sie schrecklich fand, aber noch mehr für mich, die ich warten musste, bis ich an die Reihe kam.

Allmählich fand ich es beschämend, mich auf anderen Hochzeiten blicken zu lassen, weil ich Angst hatte, man würde sich über mich lustig machen. Verheiratet zu sein, war die größte Form von Freiheit, die für mich überhaupt in Frage kam. Aber auch eine verheiratete Frau setzte mit dem kleinsten Fehler ihr Leben aufs Spiel. In unserem Dorf gab es eine Frau mit vier Kindern. Ihr Mann muss als Angestellter in der Stadt gearbeitet haben, weil er immer ein Sakko trug. Ich sah ihn von weitem, er ging immer sehr schnell, so dass seine Schuhe den Sand hinter ihm aufwirbelten.

Seine Frau hieß Soutteilo, und meine Mutter äußerte irgendwann, dass im Dorf über sie geredet wurde. Die Leute glaubten, sie hätte ein Verhältnis mit dem Ladenbesitzer, weil sie oft bei ihm Brot, Obst und Gemüse kaufte. Vielleicht hatte sie nur keinen so großen Garten wie wir. Vielleicht traf sie sich aber auch heimlich mit diesem Mann, so wie sich meine Mutter mit Fadel getroffen hatte. Eines Tages erzählte meine Mutter, dass die beiden Brüder der Frau zu ihr gekommen waren und ihr den Kopf abgeschnitten hatten. Sie hätten ihren Körper auf dem Boden liegen gelassen und seien dann mit dem abgetrennten Kopf durchs Dorf gegangen. Sie sagte auch, dass ihr Mann, als er von der Arbeit nach Hause kam, glücklich über den Tod seiner Frau gewesen sei, weil sie verdächtigt wurde, sie hätte etwas mit dem Ladenbesitzer gehabt. Dabei war sie nicht einmal besonders hübsch und hatte bereits vier Kinder.

Ich habe nicht gesehen, wie diese Männer mit dem abgeschnittenen Kopf ihrer Schwester durchs Dorf gingen, ich kenne nur den Bericht meiner Mutter. Damals war ich alt genug, um das zu verstehen, aber ich hatte keine Angst. Vielleicht einfach, weil ich nichts gesehen hatte. Mir kam es so vor, als gäbe es in unsere Familie keine *charmuta*, sodass mir so etwas nie passieren könnte. Diese Frau war bestraft worden, das war ganz normal.

Viel normaler, als dass ein Mädchen in meinem Alter auf der Straße überfahren wird.

Damals habe ich nicht begriffen, dass dummes Geschwätz oder Mutmaßungen von Nachbarn, ja sogar irgendwelche Lügen aus jeder Frau eine *charmuta* machen und sie zum Tode verurteilen konnten – um so die Ehre der anderen zu retten.

Das ist der so genannte Ehrenmord, *Jarimat el Sharaf*. Und er gilt für die Männer in meiner Heimat nicht als Verbrechen.

Das Blut der Braut

Irgendwann kamen Husseins Eltern und wollten Noura für ihren Sohn. Sie erschienen mehrfach und diskutierten, denn wenn man bei uns eine Tochter verheiratet, verkauft man sie für Gold. Deshalb kamen Husseins Eltern mit Gold zu uns, das sie auf ein schönes vergoldetes Tablett legten, und Husseins Vater sagte: »Bitte, eine Hälfte ist für Adnan, den Vater, die andere für seine Tochter Noura.«

Ist es zu wenig Gold, wird diskutiert. Beide Teile sind wichtig, weil das Mädchen an seinem Hochzeitstag allen zeigen muss, wie viel Gold ihr Vater dafür bekommen hat, dass er sie verkauft hat.

Das viele Gold, das sie an ihrem Hochzeitstag tragen wird, ist nicht etwa für Noura. All die Armbänder und Ketten und das Diadem dienen ihrer Ehre und jener ihrer Eltern. Das Gold ist nicht für ihre Zukunft, es gehört ihr nicht persönlich, aber sie darf damit durchs Dorf spazieren, und wenn sie vorbeikommt, staunen die Leute, wie viel Gold sie ihren Eltern eingebracht hat. Wenn ein Mädchen bei seiner Hochzeit keinen Schmuck trägt, ist das eine große Schande für sie und ihre Familie.

Das vergaß mein Vater zu erwähnen, wenn er hinter seinen Töchtern her schrie, dass sie nicht einmal so viel einbrächten wie ein Schaf.

Wenn er seine Tochter verkauft, hat er Anspruch auf die Hälfte des Goldes! Also muss er handeln. Das Gespräch findet natürlich ohne uns Mädchen statt, nur die Eltern diskutieren. Ist der Handel perfekt, gibt es keinen unterzeichneten Vertrag, es zählt das Wort der Männer. Ausschließlich das der Männer.

Frauen haben kein Mitspracherecht, meine Mutter und Husseins Mutter genauso wenig wie die zukünftige Braut. Das Gold hat noch niemand gesehen, aber alle wissen, dass die Hochzeit beschlossene Sache ist, weil Husseins Familie gekommen ist. Aber wir dürfen nicht stören, wir dürfen uns nicht blicken lassen, wir müssen uns damit abfinden, dass die Männer verhandeln.

Meine Schwester Noura weiß, dass ein Mann mit seinen Eltern zu uns gekommen ist und sie deshalb sehr wahrscheinlich heiraten wird. Sie ist sehr zufrieden. Sie sagt mir, dass sie sich darüber freut, weil sie sich dann schöner anziehen und ihre Augenbrauen zupfen darf – und weil sie eine eigene Familie und Kinder haben will. Noura ist schüchtern und hübsch. Trotzdem macht sie sich Sorgen, während die Väter verhandeln. Zu gern wüsste sie, wie viel Gold Husseins Eltern mitgebracht haben, und betet zu Gott, dass sie sich einig werden.

Sie weiß nicht, wie ihr zukünftiger Ehemann aussieht, weiß nicht, wie alt er ist, und sie wird auch nicht fragen, was für ein Mensch er ist. Solche Fragen schicken sich nicht. Sie fragt nicht einmal mich, obwohl ich mich irgendwo verstecken und schauen könnte, wie er aussieht. Vielleicht weil sie fürchtet, ich könnte es den Eltern verraten.

Einige Tage später ruft mein Vater Noura zu sich und sagt ihr in Gegenwart unserer Mutter: »Du wirst demnächst heiraten.« Ich war nicht dabei, weil ich kein Recht dazu hatte, bei ihnen zu sein.

Eigentlich sollte ich nicht »weil ich kein Recht dazu hatte« sagen, denn es gibt gar kein Recht. Es ist so Brauch und damit basta. Wenn dein Vater zu dir sagt: »Du bleibst für den Rest deines Lebens in dieser Ecke«, dann bleibst du auch für den Rest deines Lebens in dieser Ecke. Legt dir dein Vater eine Olive auf den Teller und sagt: »Du isst heute nichts anderes«, dann isst du auch nichts anderes. Es ist sehr schwierig, diese Sklavenhaut abzustreifen, weil man als Mädchen mit ihr geboren wird. Unsere gesamte Kindheit hindurch wird uns vom Vater, der Mutter und dem Bruder deutlich gemacht, dass wir nicht existieren, dass wir nur dazu da sind, den Männern und ihren Gesetzen zu gehorchen. Und dass es nur einen Ausweg gibt: die Heirat mit einem Mann, der diese Versklavung fortführt.

Als meine Schwester diesen ersehnten Status erlangte, war ich vermutlich noch keine fünfzehn. Vielleicht irre ich mich aber auch, und zwar sogar gründlich. Bei dem Versuch, meine Erinnerungen zu ordnen, wurde mir nämlich klar, dass es in meinem damaligen Leben keinerlei Anhaltspunkte gab, wie man sie in Europa kennt, keinen Geburtstag, keine Fotos. Ich vegetierte vor mich hin wie ein kleines Tier, das isst, so schnell wie möglich arbeitet, schläft und seine Schläge einsteckt. Als nächstes weiß man dann, wann man »reif« ist, wann man also für das geringste Vergehen den Zorn der Gesellschaft auf sich zu ziehen droht. Nach dem Reifwerden kommt als nächste Etappe die Ehe. Mädchen werden etwa mit zehn Jahren »geschlechtsreif« und heiraten zwischen vierzehn und spätestens siebzehn Jahren. Noura muss ziemlich spät dran gewesen sein.

Die Familie beginnt also mit den Hochzeitsvorbereitungen, die Nachbarn werden eingeladen. Da das Haus nicht groß genug ist, mietet man für den Empfang den Dorfplatz, der sehr schön ist – eine Art blühender Garten mit Weinreben und einer Tanzfläche. Es gibt auch eine überdachte Veranda, die Schatten spendet und in der sich die Braut aufhält.

Mein Vater hat das Schaf für den Festbraten ausgesucht. Man wählt immer das jüngste Lamm, weil sein Fleisch besonders zart ist und nicht lange gebraten werden muss. Braucht das Fleisch lange, bis es gar ist, sagt man, der Vater der Braut ist nicht gerade reich, er hat einen alten Hammel ausgesucht, und bei ihm gibt es nichts Gutes zu essen. Das würde seinem Ansehen im Dorf schaden und noch mehr dem Ruf seiner Tochter.

Deshalb sucht mein Vater das Lamm persönlich aus. Er geht in den Stall, beobachtet die Tiere, fängt das Lamm, das er ausgesucht hat, ein und zerrt es in den Garten. Er hält es fest, damit es sich nicht bewegen kann, nimmt das Messer und schneidet dem Tier mit einem einzigen Schnitt die Kehle durch. Dann dreht er den Kopf des Tieres über eine große Schüssel, um das

Blut aufzufangen. Mit einem gewissen Unbehagen sehe ich dabei zu, wie das Blut fließt. Das Lamm bewegt sich noch. Mein Vater hat damit seinen Teil der Arbeit erledigt, jetzt kommen die Frauen an die Reihe und kümmern sich um das Fleisch. Sie kochen Wasser, mit dem sie das Schaf innen reinigen. Die Eingeweide werden bei uns nicht gegessen, sie finden aber anscheinend Verwendung, weil sie sorgfältig beiseite gelegt werden. Dann wird das Tier gehäutet; meine Mutter übernimmt diese schwierige Aufgabe. Die Haut darf nicht verletzt werden, sie muss ganz bleiben. Das Schaf liegt nun ausgeweidet und sauber auf der Erde. Mit einem großen Messer trennt meine Mutter das Fell vom Fleisch. Mit einer Hand schneidet sie dicht an der Haut entlang, mit der anderen zieht sie vorsichtig. So löst sie das Fell Stück für Stück ab, bis es schließlich komplett abgezogen ist. Anschließend lässt sie es trocknen, um es zu verkaufen oder aufzubewahren. Die meisten unserer Schaffelle haben wir verkauft. Aber man sollte nicht etwa ein einzelnes Schaffell auf den Markt tragen, das schadet dem Ansehen. Man muss immer mehrere bringen, um zu zeigen, dass man reich ist.

Am Vorabend der Hochzeit, nach Einbruch der Nacht, wenn das Lamm geschlachtet ist, kümmert sich meine Mutter um meine Schwester. Sie holt einen alten Topf, eine Zitrone, etwas Olivenöl, ein Eigelb und Zucker. Die Zutaten werden in dem Topf geschmolzen, dann schließt sie sich mit Noura ein und entfernt ihr mit dieser Mischung die Haare. Sämtliche Schamhaare müssen entfernt werden. Die Scham muss nackt und sauber sein. Meine Mutter erklärt, wenn man aus Versehen ein Haar vergisst, wird der Mann gehen, ohne seine Frau auch nur anzuschauen, und sagen, sie sei schmutzig!

Diese Geschichte mit den Haaren, die schmutzig sein sollen, beschäftigt mich sehr. Man entfernt weder die Haare an den Beinen, noch die an den Armen, einzig und allein die Schamhaare. Und die Augenbrauen, das aber wegen der Schönheit. Wenn einem Mädchen die Körperhaare wachsen, ist das, zusammen mit dem Busen, das erste Anzeichen dafür, dass es zur Frau wird. Und sie stirbt auch mit diesen Haaren, denn so wie uns Gott geschaffen hat, nimmt er uns auch wieder zu sich. Trotzdem sind alle Mädchen sehr darauf aus, sich die Haare entfernen zu lassen ... Das ist der Beweis, dass sie einem anderen Mann als ihrem Vater gehören sollen. Ohne Haare gehört man erst wirklich dazu. Mir kommt das Ganze eher wie eine Strafe vor, wenn ich mich daran erinnere, wie meine Schwester geschrien hat. Als sie nach der Prozedur das Zimmer verlässt, wird sie hinter der Tür von einigen Frauen erwartet, die bei ihrem Anblick in die Hände klatschen und kreischen. Es herrscht große Freude: Meine Schwester ist bereit für die Hochzeit, das prachtvolle Opfer ihrer Jungfräulichkeit.

Danach darf sie schlafen gehen. Und auch die Frauen gehen nach Hause, weil sie sie gesehen haben und alles so ist, wie es sein soll.

Am nächsten Morgen wird bei Sonnenaufgang vor dem Haus der Braut mit den Essensvorbereitungen begonnen. Jeder muss sehen können, wie das Mahl zubereitet wird und wie viele verschiedene Gerichte etwa angeboten werden. Und vor allem darf dabei auch nicht eine Hand voll Reis verderben, darüber würde das ganze Dorf herziehen.

Die Speisen beanspruchen fast den ganzen Hof. Es gibt Fleisch, Couscous und Gemüse, Reis, Hühnchen und viele Süßspeisen und Kuchen, die meine Mutter zusammen mit den Nachbarinnen gemacht hat – allein hätte sie nicht für so viele Menschen kochen können.

Wenn die Platten fertig zubereitet sind und von den Gästen begutachtet werden können, kümmert sich meine Mutter gemeinsam mit einer anderen Frau um meine Schwester. Das Hochzeitskleid ist vorn bestickt, knöchellang und hat stoffbezogene Knöpfe. Noura sieht wunderschön aus, als sie sich schließlich goldbehängt zeigt. Sie trägt Armbänder, Halsketten und vor allem das für eine Braut so wichtige Diadem – ein goldgewirktes Band, das um den Kopf geschlungen wird! Ihr Haar ist offen und glatt und glänzt vom Olivenöl. Jetzt wird sie auf ihren Thron gesetzt, einen Stuhl, der auf einem Tisch steht und von einem weißen Tuch bedeckt ist. Noura muss sich auf den Thron setzen und bewundern lassen, bevor ihr zukünftiger Ehemann eintrifft. Alle Frauen drängen in den Hof, kreischen vor Vergnügen und bestaunen die Braut.

Die Männer tanzen inzwischen draußen. Sie mischen sich nicht unter die Frauen im Hof.

Wir dürfen nicht einmal ans Fenster, um ihnen beim Tanzen zuzusehen.

Dann erfolgt der Auftritt des Bräutigams. Seine Verlobte blickt schüchtern zu Boden. Sie darf ihm noch immer nicht ins Gesicht schauen, aber nun kann sie zumindest ahnen, wie er aussieht. Ich nehme an, dass meine Mutter ihr einige Informationen über sein Aussehen, seine Familie, die Arbeit und sein Alter gegeben hat ... Aber auch das ist nicht sicher. Vielleicht hat man ihr auch nur gesagt, dass seine Eltern genug Gold gebracht haben.

Meine Mutter nimmt einen Schleier und zieht ihn über den Kopf meiner Schwester. Der Bräutigam erscheint wie ein Prinz, sehr gut gekleidet. Er nähert sich ihr. Noura lässt ihre Hände sittsam auf den Knien liegen und hält den Kopf unter dem Schleier gesenkt, um ihre gute Erziehung zu zeigen. Diese Haltung dürfte typisch für das ganze Leben meiner Schwester sein.

Wie die anderen schaue ich zu und beneide sie. Ich habe sie immer dafür beneidet, dass sie die Älteste ist und meine Mutter überallhin begleiten durfte, während ich mit Kaïnat im Stall schuften musste. Ich beneide sie dafür, dass sie als Erste dieses Haus verlassen kann. Jedes Mädchen hätte an diesem Tag liebend gern mit der Braut in ihrem schönen weißen Kleid und mit all dem Gold getauscht. Sie ist so schön. Dass Noura keine Schuhe trägt, ist das Einzige, was ich auszusetzen habe. Für mich bedeutet es Elend, barfuß gehen zu müssen. In der Stadt habe ich Frauen gesehen, die auf dem Weg zum Markt waren und Schuhe trugen. Möglicherweise sind Schuhe für mich ein Symbol für Freiheit, weil die Männer nie barfuß gehen. Gehen, ohne dass mir Steine und Dornen die Fußsohle durchlöchern ... Noura ist barfuß, Hussein trägt ein Paar sehr schöne, polierte Schuhe, die mich faszinieren.

Hussein geht auf meine Schwester zu. Man stellt für ihn ebenfalls einen weiß verhängten Stuhl auf den hohen Tisch. Er nimmt Platz, lüftet ihren Schleier, und alles kreischt vor Begeisterung. Das ist die ganze Zeremonie. Der Mann hat soeben das Gesicht der Frau gesehen, die für ihn rein geblieben ist und ihm Söhne schenken wird.

Die beiden bleiben dort oben sitzen wie Schaufensterpuppen. Es wird getanzt, gesungen und gegessen, aber sie rühren sich nicht vom Fleck. Jemand bringt ihnen zu essen, und damit sie nicht ihre schönen Gewänder beschmutzen, bekommen sie weiße Servietten.

Der Bräutigam berührt seine Frau nicht, er küsst sie nicht, und er nimmt auch nicht ihre Hand. Zwischen ihnen spielt sich nichts ab, keine einzige Geste der Liebe oder Zärtlichkeit. Sie sehen aus wie ein Hochzeitsbild – dabei dauert das Fest sehr lange.

Ich weiß nichts über diesen Mann, nicht wie alt er ist, ob er Geschwister hat, wo er arbeitet und wo er mit seinen Eltern lebt. Dabei kommt er aus unserem Dorf. Man sucht sich immer eine Frau aus dem eigenen Dorf! Auch ich sehe diesen Mann zum ersten Mal. Wir wissen nicht, ob er gut aussehend ist oder hässlich, klein oder groß, dick, blind oder einarmig, einen Wolfsrachen hat oder nicht, Ohren oder nicht, oder eine große Nase … Hussein ist ein sehr schöner Mann. Er ist nicht besonders groß, etwa eins siebzig. Sein krauses Haar trägt er sehr kurz, und seine Figur ist eher gedrungen. Sein Gesicht ist dunkel und sonnengebräunt, und er wirkt gut genährt. Seine Nase ist kurz und flach mit großen Nasenlöchern. Er sieht wirklich gut aus. Er hat einen stolzen Gang, und auf den ersten Blick traut man ihm nichts Schlechtes zu, aber vielleicht ist er auch böse. Ich ahne es, manchmal spricht er sehr laut.

Um den Gästen zu verstehen zu geben, dass sich das Fest dem Ende zu neigt und sie nach Hause gehen sollen, singen die Frauen, wobei sie sich direkt an den Bräutigam wenden: »Beschütze mich jetzt. Wenn du mich nicht beschützt, bist du kein Mann …« Und das obligatorische Schlusslied: »Wir gehen nicht nach Hause, wenn du nicht tanzt.«

Sie müssen alle beide tanzen, um die Zeremonie zu beenden.

Der Mann hilft seiner Frau vom Thron herunter – diesmal berührt er sie mit dem Finger, sie gehört ihm jetzt –, und sie tanzen zusammen. Manche tanzen auch nicht, weil sie zu ängstlich sind. Meine Schwester tanzt sehr ausgiebig mit ihrem Bräutigam, was eine Freude für das ganze Dorf ist.

Inzwischen ist es Nacht, und der Mann nimmt seine Frau mit nach Hause. Wenn ihm sein Vater kein Haus geschenkt hat, ist er kein richtiger Mann. Husseins Haus ist nicht weit weg von seinem Elternhaus, im gleichen Dorf. Die beiden gehen allein weg, zu Fuß. Wir sehen ihnen nach und weinen alle, sogar mein Bruder. Wir weinen, weil sie uns verlassen hat, und wir weinen, weil wir nicht wissen, was aus ihr wird, wenn sie ihre Jungfräulichkeit nicht für ihren Mann bewahrt hat. Alle sind unruhig. Man muss abwarten, bis der Ehemann auf den

Balkon tritt und das Betttuch zeigt oder bis er es bei Tagesanbruch aus dem Fenster hängt, damit jeder das Vorhandensein des jungfräulichen Blutes bestätigen kann. Alle müssen dieses Bettlaken sehen können, und möglichst viele Dorfbewohner müssen es anschauen kommen. Es genügt nicht, wenn es nur zwei oder drei Zeugen gibt. Der Beweis könnte angefochten werden, man weiß nie.

Ich erinnere mich an ihr Haus und den Hof mit der Steinmauer drum herum. Alle sind auf den Beinen und warten. Plötzlich zeigt sich mein Schwager mit dem Bettlaken, und alle kreischen. Die Männer pfeifen, und die Frauen singen und klatschen, weil er das Laken gezeigt hat. Es ist ein besonderes Tuch, das für die erste Nacht aufs Bett gelegt wird. Hussein befestigt es jetzt mit weißen Klammern am Balkon. Die Hochzeit ist weiß, das Laken ist weiß, die Klammern sind weiß. Das Blut ist rot.

Hussein grüßt mit der Hand in die Menge und zieht sich ins Haus zurück. Das ist der Sieg.

Schafsblut, Jungfrauenblut, immer Blut. Ich weiß noch, dass mein Vater zu jedem Fest ein Schaf geschlachtet hat. Sein Blut füllte eine Schüssel, in die mein Vater ein Tuch tauchte, um damit die Haustür und den Steinboden zu bemalen. Man musste darauf treten, wenn man durch diese bis oben hin mit Blut bestrichene Tür wollte. Davon wurde mir übel. Jedes Mal, wenn er ein Tier schlachtete, wurde mir schlecht vor Angst. Wie alle Kinder wurde ich gezwungen, meinem Vater zuzusehen, wenn er Hühner, Hasen oder Schafe schlachtete. Und meine Schwester und ich waren der festen Überzeugung, dass er uns wie einem Huhn den Hals umdrehen und uns wie ein Schaf abstechen könnte. Beim ersten Mal war ich so entsetzt, dass ich im Rock meiner Mutter Schutz suchte, um nichts sehen zu müssen. Aber sie hat mich gezwungen hinzusehen. Sie wollte, dass ich weiß, wie mein Vater tötet, damit ich zur Familie gehörte und keine Angst hatte. Ich hatte trotzdem weiter Angst davor, weil das Blut für meinen Vater stand.

Am Morgen nach der Hochzeit sehe ich mir wie alle anderen das Blut meiner Schwester auf dem weißen Leinen an. Meine Mutter weint, ich auch. In diesem Moment wird viel geweint, aus Freude und zu Ehren des Vaters, der die Jungfräulichkeit seiner Tochter bewahrt hat. Und auch aus Erleichterung, weil Noura den triumphalen Beweis geliefert hat. Den einzigen Beweis ihres Lebens. Nun muss sie nur noch zeigen, dass sie einen Sohn bekommen kann.

Ich wünsche mir das gleiche Schicksal, das ist ganz normal. Und ich bin sehr zufrieden, dass sie verheiratet ist: Nun bin ich an der Reihe. Seltsamerweise denke ich in diesem Augenblick nicht an Kaïnat, so als würde meine um ein Jahr ältere Schwester nicht zählen. Dabei ist sie vor mir mit Heiraten an der Reihe!

Dann geht man nach Hause und beginnt, Ordnung zu machen. Die Familie der Braut muss das Geschirr spülen, putzen und aufräumen, es gibt viel Arbeit. Manchmal helfen die Nachbarinnen ein bisschen, aber das ist freiwillig.

Sobald Noura verheiratet war, kam sie nicht mehr nach Hause; sie hatte keinen Grund mehr, ihr neues Heim zu verlassen, weil sie sich jetzt um ihre eigene Familie kümmern musste. Aber einige Tage nach ihrer Hochzeit, höchstens einen Monat später, ist sie trotzdem nach Hause gekommen und hat sich weinend bei Mutter beklagt. Weil ich nicht fragen durfte, was passiert war, habe ich mich oben an der Treppe versteckt und gelauscht.

Noura zeigte ihr die Spuren der Schläge. Hussein hatte sie so sehr geschlagen, dass man es sogar in ihrem Gesicht sah. Sie zog die Hose aus, um meiner Mutter ihre blau und grün geschlagenen Hüften zu zeigen, und meine Mutter hat bei dem Anblick geweint. Wahrscheinlich hat er sie an den Haaren über den Boden gezerrt, das tun die Männer. Aber ich konnte nicht hören, warum Hussein sie geschlagen hatte. Manchmal genügt es schon, wenn die junge Ehefrau nicht gut genug kochen kann, wenn sie das Salz vergessen hat oder wenn es an Sauce fehlt, weil sie kein Wasser ans Essen gegeben hat... Das reicht, um geschlagen zu werden. Noura beklagte sich bei meiner Mutter, weil mein Vater viel zu gewalttätig war und sie nach Hause geschickt hätte, ohne sie auch nur anzuhören. Mutter hat ihr zugehört, sie aber nicht getröstet. »Er ist dein Mann, das ist nicht so tragisch, du gehst jetzt nach Hause«, war alles, was sie dazu zu sagen hatte.

Und Noura ist nach Hause gegangen. Geschlagen wie sie war. Sie ist zu ihrem Mann zurückgegangen, der sie mit Stockschlägen gezüchtigt hatte.

Wir hatten keine Wahl. Selbst wenn er einen würgte, hatte man keine Wahl. Als ich meine Schwester in diesem Zustand sah, hätte ich eigentlich begreifen müssen, dass Heiraten zu nichts anderem gut war, als wieder wie zuvor geschlagen zu werden. Aber selbst angesichts der Vorstellung, erneut geschlagen zu werden, wünschte ich mir nichts sehnlicher als zu heiraten. Wir arabischen Frauen haben ein sonderbares Schicksal, jedenfalls in meinem Dorf. Und wir akzeptieren es natürlich. Wir denken nicht an Widerstand. Wir wissen nicht einmal, was Widerstand ist. Wir können weinen, uns verstecken oder vielleicht auch lügen, um Schläge zu vermeiden, aber wir leisten nie Widerstand. Und zwar ganz einfach, weil es keinen anderen Ort gibt, an dem wir leben können, außer bei unserem Vater oder unserem Mann. Allein zu leben ist undenkbar.

Hussein kam nicht einmal, um seine Frau abzuholen. Aber sie war nicht lange bei uns, weil meine Mutter große Angst hatte, sie könnte ganz zu Hause bleiben wollen! Als Noura dann schwanger wurde und man auf einen Sohn hoffte, war sie auf einmal die Prinzessin für ihre Schwiegereltern, ihren Mann und meine Familie. Manchmal war ich eifersüchtig auf sie, denn in unserer Familie war sie stets wichtiger als ich. Bereits vor ihrer Heirat redete sie viel mit meiner Mutter, und danach kamen sie sich sogar noch näher. Wenn sie zusammen Heu holten, dauerte das sehr lange, weil sie sich dabei so ausgiebig unterhielten. Ich erinnere mich, dass sie sich in ein Zimmer einsperrten, das eine grüne Tür hatte, und ich draußen bleiben musste. Ich war ganz allein, verlassen, weil meine Schwester mit meiner Mutter hinter dieser Tür war und sich von ihr die Haare entfernen ließ. Dieser Raum diente auch als Lager für Getreide, Oliven und Mehl.

Ich weiß nicht, wieso mir diese Tür plötzlich wieder eingefallen ist. Ich bin oft mit Vorratssäcken durch diese Tür gegangen, beinahe täglich. Irgendetwas Schreckliches muss sich hinter dieser Tür abgespielt haben, aber was? Ich glaube, ich hatte mich aus lauter Angst hinter den Säcken versteckt.

Ich sehe es vor mir, wie ich wie ein kleiner Affe in der Dunkelheit auf den Knien kauere. In diesem Zimmer gibt es wenig Licht. Ich halte mich versteckt und presse die Stirn auf den Boden. Es ist ein brauner Steinboden aus lauter kleinen braunen Fliesen. Und mein Vater hat die Fugen zwischen den Fliesen weiß gestrichen. Ich habe vor irgendetwas Angst. Ich sehe meine Mutter, sie hat einen Sack über dem Kopf. Mein Vater hat ihr diesen Sack über den Kopf gezogen. War das wirklich dort oder woanders? Wollte er sie bestrafen, oder wollte er sie ersticken? Ich kann nicht schreien. Auf jeden Fall ist es mein Vater, er hält den Sack hinter dem Kopf meiner Mutter zu, ich sehe sein Profil, seine Nase vor dem hellen Stoff. Mit einer Hand hat er sie an den Haaren gepackt, mit der anderen hält er den Sack fest.

Sie ist schwarz gekleidet. Etwas muss geschehen sein, ein paar Stunden zuvor. Aber was? Meine Schwester ist nach Hause gekommen, weil ihr Mann sie geschlagen hat. Mutter hat sie angehört. Darf die Mutter ihre Tochter nicht bedauern? Nicht weinen, nicht versuchen, sie bei meinem Vater in Schutz zu nehmen? Mir scheint, von der grünen Tür aus fügen sich die Erinnerungen zu einem Bild. Das Erscheinen meiner Schwester, ich, versteckt zwischen den Getreidesäcken, meine Mutter, die mein Vater mit einem leeren Sack zu ersticken droht. Ich muss den Raum betreten haben, um mich dort zu verstecken. Ich habe mich immer versteckt. Im Stall, in einem Zimmer oder in dem Schrank im Flur, in dem die Schaffelle zum Trocknen hingen, bevor sie verkauft wurden. Sie hängen da wie auf dem Markt, und ich verstecke mich dazwischen, damit mich niemand findet, auch wenn ich beinahe ersticke. Doch zwischen den Vorratssäcken verstecke ich mich nur ganz selten, aus Angst vor den Schlangen, die sich dort aufhalten. Wenn ich mich dort versteckt habe, muss ich befürchtet haben, dass auch mir etwas zustößt.

Vielleicht ist es derselbe Tag, an dem mich mein Vater im oberen Stockwerk mit einem Schaffell ersticken wollte. Er will, dass ich ihm die Wahrheit sage, dass ich ihm sage, ob meine Mutter ihn betrogen hat oder nicht. Er hat das Fell doppelt genommen und drückt es mir aufs Gesicht. Eher würde ich sterben als meine Mutter verraten. Obwohl ich mit eigenen Augen gesehen habe, dass sie sich heimlich mit einem Mann getroffen hat. Wenn ich die Wahrheit sage, bringt er uns beide um. Selbst mit einem Messer an der Kehle könnte ich sie nicht verraten. Ich bekomme keine Luft mehr. Lässt er mich los, oder entwinde ich mich ihm? Jedenfalls laufe ich nach unten und verstecke mich – hinter dieser grünen Tür, zwischen den reglosen Säcken, die wie Ungeheuer aussehen. In diesem stockdunklen Raum haben sie mir immer Angst gemacht. Ich träumte, dass mein Vater nachts das Getreide ausleerte und die Säcke mit Schlangen füllte!

Und so treten manchmal Erinnerungen an mein früheres Leben wieder in mein Gedächtnis. Eine grüne Tür, ein Sack, mein Vater, der meine Mutter ersticken will oder mich, damit ich rede, meine Angst vor der Dunkelheit und vor den Schlangen.

Vor kurzem habe ich einen großen Müllsack gefüllt und ein zusammengeknülltes Stück Plastikfolie oben hineingesteckt. Allmählich ist dieses Knäuel nach unten gerutscht und hat dabei ein seltsames Geräusch gemacht. Ich bin vor Schreck zusammengefahren, als würde gleich eine Schlange aus dem Müllsack kriechen. Ich habe gezittert und musste wie ein kleines Kind weinen.

Mein Vater konnte Schlangen töten. Dazu hatte er eine spezielle Stange mit zwei Haken am Ende, mit denen er die Schlange ergriff, damit sie sich nicht mehr bewegen konnte. Dann tötete er sie mit einem Stock. Nachdem er in der Lage war, Schlangen zu fangen, um sie zu töten, konnte er sie natürlich auch in die Säcke stecken, damit sie mich bissen, wenn ich mit der Hand Mehl herausholte. Das ist der Grund, weshalb ich vor dieser grünen Tür Angst hatte, die mich aber auch faszinierte, weil sich meine Mutter und meine Schwester dahinter die Haare entfernten, ohne mich. Und weil noch immer niemand offiziell um mich angehalten hatte.

Doch einmal – ich muss gerade eben zwölf oder dreizehn Jahre alt gewesen sein – war ein Gerücht sogar bis zu mir durchgedrungen: Eine Familie hatte mit meinen Eltern über mich gesprochen, ganz offiziell. Irgendwo im Dorf gab es einen Mann für mich. Aber es hieß warten. Kaïnat war vor mir an der Reihe.

Assad

Ich war die Einzige, die loslief und schrie, als sein Pferd stolperte und er herunterfiel. Ich sehe meinen Bruder immer noch wie damals vor mir: Er trug ein grünes, bunt gemustertes Hemd, und weil es windig war, wehte das Hemd hinter ihm her. Er sah prächtig aus, wie er auf seinem Pferd saß. Ich habe meinen Bruder so sehr geliebt, dass ich dieses Bild nie vergessen konnte.

Ich glaube, ich war nach Hanans Verschwinden sogar noch netter zu ihm. Ich lag ihm zu Füßen. Ich hatte keine Angst vor ihm, ich fürchtete nicht, dass er mir etwas zuleide tun könnte … Vielleicht weil ich älter war als er? Weil wir uns vertraut waren? Trotzdem hat auch er uns geschlagen, wenn mein Vater nicht da war. Einmal hat er sogar meine Mutter angegriffen. Sie hatten Streit, er packte sie an den Haaren, und sie weinte … Ich sehe es noch genau vor mir, aber ich habe keine Ahnung mehr, worum es bei dem Streit ging. Immer wieder habe ich große Schwierigkeiten, die Bilder richtig zuzuordnen, um ihre Bedeutung zu verstehen. Als hätte sich mein palästinensisches Gedächtnis in lauter kleine Teilchen aufgelöst, als ich mir in Europa ein neues Leben aufbauen musste.

Das ist heute kaum zu verstehen, nach allem, was mein Bruder getan hatte, aber nachdem der Schock vorbei war, habe ich damals wohl kaum begriffen, dass Hanan tot war. Erst jetzt, nachdem diese Szene wieder in meiner Erinnerung aufgetaucht ist, kann ich an nichts anderes mehr denken. Erst nachdem ich die Ereignisse aus der Distanz in einen logischen Zusammenhang bringen kann. Meine Eltern waren nicht zu Hause – immer wenn sich ein Drama anbahnt, also wenn eine Frau von ihrer Familie zum Tode verurteilt wird, ist derjenige, der das Urteil vollstrecken muss, mit ihr allein. Und ich habe Hanan in unserem Haus nicht wiedergesehen. Nie wieder. Assad war an diesem Abend außer sich vor Zorn, erniedrigt, weil er von der Entbindung seiner Frau fern gehalten wurde, erniedrigt durch seine Schwiegereltern. War die Nachricht vom Tod des Babys über unser Telefon gekommen? Hatte Hanan etwas Gemeines zu ihm gesagt? Ich weiß es nicht. Gewalt gegen Frauen war in meinem Elternhaus und in unserem ganzen Dorf an der Tagesordnung! Und ich liebte Assad so sehr. Je mehr mein Vater seinen Sohn verabscheute, umso mehr liebte ich meinen einzigen Bruder.

Seine Hochzeit habe ich als außergewöhnliches Fest in Erinnerung. Vermutlich ist das aber auch die einzige Erinnerung an wirkliche Freude, die mir aus dieser schrecklichen Zeit geblieben ist. Ich muss damals etwa achtzehn gewesen sein, das heißt, ich war alt. Ich hatte mich sogar geweigert, zu einer anderen Hochzeit zu gehen, weil sich die Mädchen ganz offensichtlich über mich lustig machten. Sie machten gemeine Bemerkungen, stießen sich gegenseitig mit dem Ellenbogen und lachten hässlich, wenn ich vorbeikam. Und ich habe die ganze Zeit geweint. Manchmal habe ich mich sogar geschämt, mit unseren Tieren durchs Dorf zu gehen, aus Angst vor den Blicken der anderen. Ich war auch nichts Besseres als die Nachbarin mit dem Fleck im Auge, von der niemand etwas wissen wollte. Meine Mutter erlaubte mir, nicht zur Hochzeit einer Nachbarin zu gehen, weil sie meine Verzweiflung verstehen konnte. Damals habe ich es dann gewagt, meinen Vater anzusprechen: »Es ist alles deine Schuld! Lass mich endlich heiraten!« Aber das wollte er immer noch nicht und schlug mich auf den Kopf. »Deine Schwester muss vor dir verheiratet werden! Verschwinde!« Ich habe ihn nur ein einziges Mal gefragt.

Über die Hochzeit meines Bruders freut sich aber die ganze Familie, und ich erst recht. Sie heißt Fatma, und ich verstehe nicht, warum sie aus einer fremden Familie, einem anderen Dorf kommt. Gibt es bei uns keine Familie mit einer heiratswilligen Tochter? Mein Vater hat für die Fahrt zur Hochzeit Busse gemietet. Einen für die Frauen und einen für die Männer, der natürlich vorausfährt.

Es geht durchs Gebirge, und nach jeder Kurve kreischen die Frauen und danken Gott, dass er uns wieder vor dem Abgrund bewahrt hat – so gefährlich ist die Straße. Die Landschaft, durch die wir fahren, sieht wie eine Wüste aus, die Straße ist nicht geteert, es ist eine staubtrockene, schwarze Piste, und der Männerbus vor uns hüllt uns in eine dunkle Staubwolke. Trotzdem tanzen alle. Ich habe mir ein Tamburin zwischen die Knie geklemmt und begleite das Gekreisch der Frauen. Auch ich tanze mit meinem Tuch, das kann ich sehr gut. Alle tanzen, alle sind fröhlich, nur der Fahrer tanzt nicht!

Die Hochzeit meines Bruders ist ein viel größeres Fest als die der Schwester. Seine Frau ist jung, schön, klein und dunkelhäutig. Sie ist kein Kind mehr, sie dürfte etwa so alt sein wie Assad. Bei uns im Dorf hat man meinen Vater und meine Mutter verspottet, weil mein Bruder »genötigt« ist, eine erwachsene Frau und noch dazu eine Fremde zu heiraten. Er hätte ein Mädchen nehmen sollen, das jünger ist als er. Bei uns ist es nicht üblich, dass die Frau so alt ist wie der Mann! Und warum kommt sie nicht aus dem Dorf? Sie ist sehr schön, und zu ihrem Glück hat sie viele Brüder. Mein Vater musste sehr viel Gold für sie bieten. Sie hat sehr viel Schmuck bekommen.

Bei der Hochzeit wird drei Tage lang getanzt und gefeiert. Und ich weiß noch, dass der Fahrer den Bus auf der Rückfahrt unterwegs angehalten hat und wir weiter getanzt haben. Ich tanze mit meinem Tuch und mit meinem Tamburin, ich bin glücklich und stolz auf Assad. Für uns ist er so etwas wie der liebe Gott; diese Liebe für ihn ist seltsam und hört nicht auf. Er ist der einzige Mensch, den ich nie hassen könnte, obwohl er mich geschlagen und seine Frau verprügelt hat, obwohl er zu einem Mörder wurde.

Für mich ist und bleibt er Assad, der *ahouia*. Mein Bruder Assad. *Assad ahouia*. Guten Tag, mein Bruder Assad. Nie mache ich mich an die Arbeit, ohne vorher

»Guten Tag, mein Bruder Assad!« zu sagen. Ich bin ihm wirklich ergeben. Als Kinder waren wir viel zusammen. Nachdem er nun verheiratet ist und mit seiner Frau bei uns wohnt, diene ich ihm weiter. Wenn nicht genug heißes Wasser für sein Bad da ist, heize ich es für ihn, ich putze die Badewanne, ich wasche seine Wäsche und räume sie weg. Wenn nötig, flicke ich sie, bevor ich sie in den Schrank räume.

Eigentlich dürfte ich ihn nicht so lieben und ihm nicht mit so viel Liebe dienen, denn er ist auch nicht anders als die anderen Männer. Bald nach der Hochzeit wird Fatma geschlagen und macht ihm Schande, weil sie zu ihren Eltern geht. Und anders als es Brauch ist, bringen ihr Vater und ihre Mutter sie auch nicht am gleichen Tag mit Gewalt zurück. Vielleicht weil sie reicher sind als wir, weil sie uns voraus sind oder weil es ihre einzige Tochter ist und sie sie deshalb mehr lieben, ich weiß es nicht.

Ich glaube, die Auseinandersetzungen zwischen meinem Vater und Assad nahmen hier ihren Anfang. Mein Bruder hatte diese Frau aus einem anderen Dorf gewollt, für die mein Vater sehr viel Gold geben musste, und dafür hatte sie nun eine Fehlgeburt, anstatt einen Sohn zu bekommen, und sie hatte unsere Ehre beschädigt, indem sie zu ihren Eltern zurückgegangen war! Natürlich war ich nicht dabei, wenn die Familie beratschlagte, und meiner Erinnerung nach rechtfertigt nichts die Schlussfolgerungen, die ich heute ziehe, aber ich weiß noch ganz genau, wie mein Vater mit einem Korb voller Steine oben auf der Terrasse stand und sie Assad auf den Kopf warf, einen nach dem anderen. Und ich erinnere mich noch sehr gut an den Schrank, den mein Bruder von innen vor seine Zimmertür gestellt hatte, damit mein Vater nicht hineinkonnte. Vielleicht wollte Assad das Haus für sich allein, er benahm sich damals jedenfalls so, als gehörte es ihm bereits. Ich nehme an, mein Vater wollte nicht, dass er im Haus etwas zu sagen hatte. Dass er ihn um seine Autorität und um sein Geld brachte.

Oft sagte mein Vater zu meinem Bruder: »Du bist ja noch ein Kind!«

Assad widersetzte sich immer mehr, weil er sehr selbstbewusst und von uns ziemlich verwöhnt war. Er war der Prinz im Haus. Außerdem darf man bei uns auf keinen Fall zu einem Mann sagen, er sei noch ein Kind, das ist eine schlimme Beleidigung! »Ich bin hier zu Hause!«, schrie er. Das konnte mein Vater nicht ertragen. Im Dorf fragte man sich, was Fatma angestellt haben mochte, weil sie so oft zu ihrem Vater ging? Hatte man sie vielleicht mit einem anderen Mann gesehen? Da entstehen schnell Gerüchte. Man sagte ihr böse Dinge nach, aber das stimmte nicht, sie war ein braves Mädchen. Es ist aber leider so, dass einer nur ein einziges Mal sagen muss »sie ist schlecht«, damit sie für das ganze Dorf als schlecht gilt und damit basta. Dann hat sie den bösen Blick.

Meine Mutter war über die ganze Geschichte sehr unglücklich. Manchmal versuchte sie, meinen Vater zu beruhigen, wenn er gegen Assad aufgebracht war: »Warum tust du das? Lass ihn doch in Ruhe!«

»Am liebsten würde ich ihn umbringen! Wenn du ihn in Schutz nimmst, bist du auch dran!«

Ich sehe Fatma auf dem Boden liegen, und mein Bruder tritt ihr mit den Füßen in den Rücken. Einmal hatte sie ein rotes Auge, und ihr ganzes Gesicht war blau. Aber man konnte nichts sagen und nichts tun. Der Gewalttätigkeit von Vater und Sohn ausgeliefert, blieb einem nichts anderes übrig, als sich zu verstecken, damit man nicht auch Schläge kassierte.

Ob mein Bruder seine Frau geliebt hat? Liebe war für mich damals ein vollkommenes Geheimnis. Bei uns heißt das Ehe, nicht Liebe. Gehorsam und absolute Unterwerfung, anstelle von Liebesbeziehungen zwischen Mann und Frau. Erlaubt ist nur die sexuelle Beziehung zwischen einem jungfräulichen Mädchen und dem Ehemann, an den sie verkauft wird. Andernfalls Vergessen oder Tod. Was hat das mit Liebe zu tun?

Ich erinnere mich allerdings auch noch an eine andere Frau aus unserem Dorf, die Frau, die mit ihrem Mann und ihren Kindern im schönsten Haus im Dorf wohnte. Sie waren für den Luxus in ihrem Haus und für ihren Reichtum bekannt. Die Kinder gingen zur Schule. Es war eine große Familie, in der immer wieder untereinander geheiratet wurde. Bei ihnen war alles gefliest, sogar der Weg von der Straße zum Haus. In den anderen Häusern gab es da nur Sand oder Kies, manchmal Teer. Der Weg zu ihrem Haus war eine schöne Allee mit Bäumen auf beiden Seiten. Ein Gärtner kümmerte sich um Garten und Hof, der von einem schmiedeeisernen Gitter eingezäunt war, das wie Gold glänzte. Dieses Haus fiel einem schon von weitem auf. Bei uns lieben die Leute alles, was glänzt. Hat ein Mann einen Goldzahn, heißt das, er ist reich! Und wenn man reich ist, muss man das auch zeigen. Das Haus dieser Familie war ganz neu und modern und sah von außen wunderschön aus. Immer parkten zwei oder drei Autos davor. Natürlich habe ich es nie betreten, aber wenn ich mit meinen Schafen dort vorbeikam, geriet ich ins Träumen. Der Besitzer des Hauses hieß Hassan und war ein sehr großer, dunkelhäutiger und eleganter Mann. Seine Frau und er waren sich sehr zugetan, man sah sie ständig zusammen. Sie erwartete Zwillinge und sollte bald niederkommen. Leider verlief die Geburt schlecht, die Zwillinge überlebten, aber die Frau starb bei der Geburt. Friede ihrer Seele, denn sie war noch sehr jung. Ihr Begräbnis war das einzige, das ich in unserem Dorf erlebt habe. Es hat mich erstaunt und gerührt, dass ihre ganze Familie jammerte und weinte, als sie hinter der Bahre hergingen, auf der der Leichnam lag – und am meisten ihr Mann. Aus Trauer um seine Frau zerriss er sein langes weißes Hemd. Und auch seine Schwiegermutter zerriss ihr Kleid. Ich habe die nackten Brüste dieser älteren Frau gesehen, die zwischen den Stofffetzen auf ihren Bauch hingen. Noch nie zuvor hatte ich eine ähnliche Verzweiflung erlebt. Die Frau, die dort begraben wurde, war geliebt worden, ihr Tod betrübte ihre ganze Familie, ja das ganze Dorf.

War ich auch auf der Beerdigung, oder habe ich von der Terrasse aus zugesehen? Vermutlich Letzteres, weil ich noch zu jung war. Ich habe jedenfalls auch geweint. Viele Leute waren gekommen und zogen langsam durchs

Dorf. Und dann dieser Mann, der seinen Schmerz hinausschrie und sich sein Hemd zerriss – ich werde ihn nie vergessen. Er war so schön, als er da aus Liebe zu seiner Frau wehklagte.

Dieser Mann besaß sehr viel Würde und Haltung.

Die Eltern meiner Mutter und meines Onkels lebten in unserem Dorf, und auch mein Großvater, Mounther, wirkte stets sehr gepflegt. Er war groß gewachsen wie sein Sohn und immer rasiert und gut gekleidet, selbst wenn er die traditionelle Kleidung trug. Immer hatte er seine »Gebetskette« in der Hand und zählte die Perlen mit seinen langen Fingern ab. Manchmal besuchte er meinen Vater, sie rauchten zusammen ein Pfeifchen und schienen sich gut zu verstehen. Doch eines Tages verließ meine Mutter unser Haus, um bei ihren Eltern zu schlafen, weil mein Vater sie zu sehr geschlagen hatte. Sie hat uns mit ihm allein gelassen. Bei uns darf eine Frau ihre Kinder nicht mitnehmen. Egal ob Mädchen oder Jungen, die Kinder bleiben bei ihrem Vater. Je größer ich wurde, desto mehr schlug er sie, und desto öfter ging sie weg. Großvater Mounther brachte sie dann immer mit Gewalt zu uns zurück. Manchmal blieb sie eine Woche weg, manchmal einen Tag oder nur eine Nacht. Einmal blieb sie mehr als einen Monat weg, damals wollte der Großvater nicht mehr mit meinem Vater sprechen.

Ich glaube, wenn meine Mutter gestorben wäre, hätte es mit Sicherheit kein Begräbnis wie das von dieser Frau gegeben, und mein Vater hätte nicht geweint oder geschrien und dabei sein Hemd zerrissen wie dieser Herr Hassan. Er hat meine Mutter nicht geliebt.

Leider musste ich einsehen, dass es bei uns keine Liebe gab, jedenfalls nicht bei uns zu Hause. Schließlich hatte ich nur meinen Bruder, den ich trotz seiner Gewalttätigkeit und seiner gelegentlichen Anfälle von Wahnsinn liebte. Meine Schwestern liebten ihn auch. Noura wohnte nicht mehr bei uns, aber Kaïnat war wie ich, sie nahm ihn in Schutz und klatschte Beifall, wenn er sein Pferd bestieg.

Abgesehen von den kleinen Schwestern, die noch zu jung waren, um ans Heiraten zu denken, waren nur noch wir beide da. Zwei alte Jungfern. Was Kaïnat betrifft, hatte ich das Gefühl, dass sie bereits aufgegeben hatte. Sie war nicht hässlich, aber auch nicht besonders hübsch oder ansehnlich. Kaïnat war ein anderer Typ als ich. Vielleicht waren wir beide zwei schlecht gekleidete, unfrisierte Bauernmädchen... Aber ich war klein und zierlich, sie dagegen ziemlich kräftig mit einem viel zu großen Busen. Die Männer bei uns mögen zwar gut genährte Frauen, aber auf große Brüste legen sie keinen besonderen Wert. So konnte sie keinem gefallen. Darüber war sie unglücklich, konnte aber auch nichts unternehmen, um hübscher auszusehen. Kaïnat hatte zugenommen, während sie das Gleiche aß wie ich, sie konnte nichts dafür. Und keine von uns beiden hatte irgendeine Möglichkeit, sich hübscher zu machen, als Gott uns geschaffen hatte. Womit denn? Wir besaßen keine schönen Kleider, keine Schminke und keinen Schmuck, immer nur die gleichen grauen oder weißen Hosen. Und wurden eingesperrt wie alte Hühner, schlichen immer an den

Hauswänden entlang, hastig und den Blick gesenkt, sobald wir mit den Schafen das Haus verließen.

Kaïnat hatte zwar die Hoffnung aufgegeben und versperrte mir den Weg zur Hochzeit; dennoch wusste ich, dass sich ein Mann für mich interessiert hat. »Der Vater von Faiez war bei uns und wollte dich für seinen Sohn. Zurzeit können wir jedoch nicht von Heiraten reden, erst ist deine Schwester an der Reihe«, sagte meine Mutter zu mir.

Seitdem stellte ich mir vor, dass er auf mich wartete und ungeduldig auf die Zustimmung meiner Eltern hoffte.

Mein Bruder Assad kannte ihn. Er wohnte im Haus gegenüber, auf der anderen Straßenseite. Diese Leute waren keine Bauern wie wir, sie bauten nur wenig im Garten an. Seine Eltern hatten drei Söhne, und Faiez war als einziger noch nicht verheiratet. Er hatte keine Schwestern, deshalb gab es um das Haus herum keine Mauern, sondern einen hübschen Zaun, und die Tür war nie abgesperrt. Das Haus war rosa, und das Auto, das immer vor der Tür stand, war grau.

Faiez arbeitete in der Stadt. Ich weiß zwar nicht, was, aber ich nehme an, er arbeitete wie mein Onkel in einem Büro. Jedenfalls sah er viel besser aus als Hussein, der Mann meiner ältesten Schwester, der immer Arbeitskleidung trug, nie besonders sauber war und immer schlecht roch.

Mit Faiez verband ich Eleganz und ein schönes viersitziges Auto, das jeden Morgen losfuhr.

Nun hatte ich angefangen, nach seinem Auto Ausschau zu halten, um ihn zu sehen. Den besten Überblick hatte man von der Terrasse, wo ich die Schafswollteppiche ausschüttelte, Trauben pflückte oder die Wäsche zum Trocknen ausbreitete. Wenn ich mich ein wenig bemühte, gab es immer etwas für mich dort oben zu tun.

Als Erstes fand ich heraus, dass er sein Auto immer an der gleichen Stelle parkte, einige Schritte vom Eingang entfernt. Weil ich nicht zu lange auf der Terrasse bleiben durfte, um herauszufinden, um welche Zeit er das Haus verließ, brauchte ich ein paar Tage, ehe ich wusste, dass er jeden Morgen gegen sieben Uhr aus dem Haus ging, also zu einer Zeit, wo ich leicht etwas finden konnte, was ich dort oben machen musste.

Als ich ihn das erste Mal sah, hatte ich Glück. Ich hatte mich beim Ausmisten des Stalls beeilt und war gerade dabei, besonders trockenes Heu für ein krankes Schaf zu holen, das bald lammen sollte. Mit dem Heu im Arm war ich nur zwei oder drei Schritte von ihm entfernt, als er aus dem Haus kam. Er sah genauso elegant aus wie mein Onkel, trug einen Anzug, schöne, schwarzbeige Schnürschuhe und in der Hand eine Aktentasche, sein Haar war tiefschwarz, seine Haut dunkel und sein Gang stolz.

Ich senkte den Kopf und steckte meine Nase ins Heu. Ich hörte das Geräusch seiner Schritte auf dem Weg zum Auto, hörte, wie die Tür zuschlug, hörte den Motor und das Geräusch, das die Reifen auf dem Kies machten. Erst als der Wagen losfuhr, schaute ich wieder auf und wartete, bis er verschwunden war, mit klopfendem Herzen und zitternden Knien. »Ich will diesen Mann zum

Mann, ich liebe ihn. Ich will ihn, ich will ihn…«, sagte ich mir immer wieder.

Aber wie sollte ich das anstellen? Sollte ich ihn etwa bitten, meinen Vater noch einmal um seine Zustimmung zur Hochzeit zu fragen? Und wie sollte ich überhaupt mit ihm sprechen? Ein Mädchen darf einen Mann nicht ansprechen. Sie darf ihm nicht einmal direkt ins Gesicht sehen. Dieser Mann war für mich unerreichbar, und selbst wenn er mich heiraten wollte, war nicht er es, der die Entscheidung traf. Mein Vater entschied, nur er, und er hätte mich umgebracht, wenn er gewusst hätte, dass ich draußen einen Augenblick lang mit meinem Heubündel stehen geblieben war, um Faiez' Aufmerksamkeit auf mich zu lenken.

Ich versprach mir davon nicht viel, ich wollte nur, dass er mich sah und wusste, dass auch ich wartete. Und dann beschloss ich, alles daranzusetzen, ihn heimlich zu treffen und mit ihm zu sprechen. Auch auf die Gefahr hin, dass man mich deshalb totschlagen würde. Ich wollte nicht noch mehr Monate oder Jahre darauf warten, dass Kaïnat das Haus verließ, das war zu ungerecht. Ich wollte nicht unverheiratet noch älter und zum Gespött des ganzen Dorfes werden. Ich wollte nicht jede Hoffnung darauf aufgeben, eines Tages mit einem Mann wegzugehen und mich von den Brutalitäten meines Vaters zu befreien.

Jeden Morgen und jeden Abend wollte ich von nun an auf der Terrasse sein, um meinen Geliebten zu erspähen, bis er eines Tages zu mir heraufblicken und mir ein Zeichen geben, mir ein Lächeln schenken würde. Andernfalls, da war ich mir ganz sicher, würde er um ein anderes Mädchen aus dem Dorf oder von anderswo anhalten. Und dann würde ich eines Tages sehen, wie eine andere Frau an meiner Stelle zu ihm ins Auto stieg.

Sie würde mir Faiez wegnehmen.

Das Geheimnis

Heute ist mir klar, dass ich für diese Liebesaffäre, die vor etwa fünfundzwanzig Jahren in meinem Heimatdorf im Westjordanland begann, mein Leben aufs Spiel setzte. Einem winzigen Dorf, das jetzt auf israelisch besetztem Gebiet liegt und dessen Namen ich auch heute nicht nennen kann. Damit würde ich mein Leben riskieren, obwohl ich Tausende Kilometer von dort entfernt bin. Dort gelte ich offiziell als tot, man hat schon längst vergessen, dass es mich einmal gegeben hat. Doch wenn ich heute dorthin zurückkehren sollte, würde man mich ein zweites Mal töten, zur Ehrenrettung meiner Familie. Das ist so Brauch.

Während ich als junges Mädchen auf der Terrasse meines Elternhauses den Mann zu erspähen versuche, den ich liebe, schwebe ich in Lebensgefahr. Trotzdem habe ich nur einen einzigen Gedanken: meine Hochzeit.

Es ist Frühling. Ich weiß nicht mehr genau, welcher Monat, wahrscheinlich April. In meinem Dorf wird nicht wie in Europa gerechnet. Niemand kann genau sagen, wie alt seine Eltern sind, man kennt nicht einmal sein eigenes Geburtsdatum. Die Zeit vergeht im Rhythmus des Ramadan, der Erntezeiten oder der reifen Feigen. Die Sonne bestimmt den Ablauf der Arbeitstage, die mit ihr beginnen und zu Ende gehen.

Ich glaube, ich war ungefähr siebzehn. Später erfuhr ich, dass ich laut Ausweis neunzehn Jahre alt war. Aber ich weiß nichts von diesem Papier oder wie der Ausweis ausgestellt wurde. Sehr wahrscheinlich hat meine Mutter die Geburtstage ihrer Töchter verwechselt, als sie plötzlich gezwungen war, meine Existenz amtlich zu bestätigen.

Seit meiner ersten Periode bin ich erwachsen, also seit drei oder vier Ramadans im heiratsfähigen Alter. Am Tag meiner Hochzeit werde ich eine Frau. Meine eigene Mutter ist noch jung, wirkt aber bereits wie eine alte Frau, mein Vater muss alt sein, weil er kaum noch Zähne hat.

Faiez ist bestimmt älter als ich, aber das ist gut so. Ich erhoffe mir von ihm Sicherheit. Mein Bruder Assad hat sich zu jung mit einer Frau seines Alters verheiratet. Sollte sie ihm keinen Sohn schenken, wird er sich eines Tages eine andere Frau suchen müssen.

Ich höre Faiez' Schritte auf dem Kiesweg. Ich schüttle einen Wollteppich über der Terrassenbrüstung aus. Er blickt zu mir herauf. Er betrachtet mich aufmerksam, und ich weiß, dass er begriffen hat. Kein Zeichen, erst recht kein Wort, er steigt in sein Auto und fährt los. Mein erstes Rendezvous hat so lange gedauert, wie man zum Vernaschen einer Olive braucht, ein unvergessliches Gefühl.

Am nächsten Morgen habe ich noch mehr Glück, ich

tue so, als müsste ich eine Ziege einfangen, um an seinem Haus vorbeizukommen. Faiez lächelt mir zu, und da sein Auto nicht gleich losfährt, weiß ich, dass er mir nachsieht, wie ich meine Tiere auf die Weide bringe. Morgens ist es kühler, deshalb kann ich meine rote Wollweste anziehen, mein einziges neues Kleidungsstück. Sie ist durchgeknöpft und steht mir gut. Wenn ich mitten zwischen meinen Schafen tanzen könnte, würde ich es jetzt tun. Mein zweites Rendezvous hat wesentlich länger gedauert, als ich mich am Dorfende vorsichtig umdrehe, sehe ich nämlich, dass das Auto noch nicht losgefahren ist.

Mehr Zeichen kann ich ihm nicht geben. Jetzt ist es an ihm herauszufinden, wie er mich heimlich treffen kann. Er weiß, wann ich wohin gehe.

Am Tag darauf ist meine Mutter nicht zu Hause, mein Vater hat sie mit in die Stadt genommen, mein Bruder ist bei seiner Frau, und Kaïnat kümmert sich um den Stall und um die kleinen Schwestern. Ich mache mich allein auf den Weg, um Hasenfutter zu holen. Nachdem ich eine Viertelstunde gegangen bin, erscheint Faiez plötzlich vor mir. Er ist mir heimlich gefolgt und grüßt mich. Seine unerwartete Gegenwart erschreckt mich. Ich schaue mich um und befürchte, jeden Augenblick könnte mein Bruder oder eine Frau aus dem Dorf auftauchen. Kein Mensch ist zu sehen, trotzdem ziehe ich den Blickschutz einer ziemlich hohen Böschung am Feldrand vor, und Faiez folgt mir. Ich schäme mich, ich schaue auf meine Füße, knete mein Kleid, ziehe an den Knöpfen meiner Jacke und weiß nicht, was ich sagen soll.

Er setzt sich in Positur, schiebt sich einen grünen Getreidehalm zwischen die Zähne und fragt mich aus: »Warum heiratest du nicht?«

»Erst muss ich den Mann meines Lebens finden und meine Schwester verheiratet sein.«

»Hat dein Vater es dir gesagt?«

»Er hat mir gesagt, dass ihn dein Vater vor langer Zeit besucht hat.«

»Geht es dir zu Hause gut?«

»Er schlägt mich, wenn er mich mit dir sieht.«

»Möchtest du, dass wir heiraten?«

»Erst muss meine Schwester heiraten …«

»Hast du Angst?«

»Ja, ich habe Angst. Mein Vater ist böse. Das ist auch für dich gefährlich. Mein Vater kann mich schlagen, aber er kann auch dich schlagen.«

Er bleibt im Schutz der Böschung sitzen, während ich, so schnell es geht, das Hasenfutter pflücke. Er sieht so aus, als würde er auf mich warten, dabei sollte er doch wissen, dass ich nicht mit ihm ins Dorf zurückkehren kann.

»Du bleibst hier, ich gehe allein zurück.«

Mit schnellen Schritten gehe ich nach Hause, ich bin stolz auf mich. Ich will, dass er einen guten Eindruck von mir bekommt, dass er mich für ein kluges Mädchen hält. Ihm gegenüber muss ich sehr auf mein Ansehen achten, weil ich es war, die auf ihn zugegangen ist.

Noch nie war ich so glücklich. Mit ihm zusammen sein, so nahe, wenn auch nur für wenige Minuten, ist wunderbar. Ich spüre ihn mit meinem ganzen Körper, ohne dieses Gefühl richtig zu verstehen. Ich bin zu naiv und habe nicht mehr Erziehung bekommen als eine Ziege, aber dieses herrliche Gefühl entsteht aus der Freiheit meines Herzens und meines Körpers. Zum ersten Mal in meinem Leben bin ich jemand, weil ich selbst beschlossen habe, was ich tun will. Ich bin lebendig. Ich gehorche weder meinem Vater noch sonst jemandem. Ganz im Gegenteil, ich bin ungehorsam.

Meine Erinnerungen an diese und die folgenden Momente sind ganz deutlich. An das, was davor war, kann ich mich kaum erinnern. Ich sehe mich nicht, ich weiß nicht, wie ich aussehe und ob ich hübsch bin oder nicht. Mir ist nicht bewusst, dass ich ein menschliches Wesen bin, dass ich denken und fühlen kann. Ich kenne nur die Angst, den Durst, wenn es heiß ist, das Leid und die Erniedrigung, wenn man wie ein Tier im Stall angebunden und so lange geschlagen wird, bis man seinen Rücken vor Schmerzen kaum noch spürt. Und die schreckliche Angst davor, erstickt oder in einem Brunnen ertränkt zu werden. Wie viele Schläge habe ich brav ertragen. Auch wenn mein Vater nicht mehr so schnell laufen kann, erwischt er uns doch immer wieder. Es ist für ihn ein Leichtes, meinen Kopf gegen den Badewannenrand zu stoßen, weil ich Wasser verschüttet habe. Mühelos schlägt er mit seinem Stock auf meine Beine, wenn der Tee zu spät serviert wird. Man kann nicht über sich selbst nachdenken, wenn man so lebt. Durch mein erstes richtiges Rendezvous mit Faiez, an dem grünen Weizenfeld, bekomme ich zum ersten Mal im Leben eine Ahnung davon, wer ich eigentlich bin. Eine Frau, die ungeduldig darauf wartet, ihn wiederzusehen, die ihn liebt und die entschlossen ist, seine Frau zu werden, koste es, was es wolle.

Am nächsten Tag passt er mich auf dem Weg zur Weide ab und schließt sich mir an.

»Schaust du außer mir auch andere Jungen an?«

»Nein, nie.«

»Willst du, dass ich mit deinem Vater über unsere Hochzeit rede?«

Dafür hätte ich ihm die Füße küssen können. Am liebsten wäre mir, er würde es sofort machen, in dieser Minute zu seinem Vater laufen und ihm verkünden, er, Faiez, könne nicht länger warten, man müsse jetzt bei meiner Familie um mich werben, Gold und Schmuck für mich bringen und ein großes Fest vorbereiten.

»Das nächste Mal gebe ich dir ein Zeichen, und zieh nicht deine rote Weste an, wenn du mich triffst, sie ist zu auffällig, das ist gefährlich.«

Die Tage vergehen, die Sonne geht auf und geht unter, jeden Morgen und jeden Abend warte ich oben auf der Terrasse auf ein Zeichen von ihm. Inzwischen bin ich mir sicher, dass er verliebt ist. Zu unserem letzten Rendezvous ist er nicht erschienen. Ich habe lange gewartet, mehr als eine Viertelstunde, und dabei riskiert, zu spät nach Hause zu kommen und mich dabei von meinem Vater erwischen zu lassen. Ich bin besorgt und unglücklich, aber beim nächsten Mal kommt er. Ich sehe ihn schon von weitem, er bedeutete mir, mich ganz am Ende des Feldes hinter der Böschung zu verstecken, wo uns niemand sehen kann, weil das Getreide schon so hoch steht.

»Warum bist du nicht gekommen?«

»Ich war da, aber ich habe mich versteckt, weil ich sehen wollte, ob du vielleicht noch jemand anderen triffst.«

»Ich schaue keinen anderen Mann an.«

»Die Jungen pfeifen, wenn du vorbeigehst.«

»Ich schaue weder nach rechts noch nach links. Ich bin anständig.«

»Das weiß ich inzwischen. Ich habe deinen Vater aufgesucht. Wir werden bald heiraten.«

Er hat es also gemacht, er ist nach unserem zweiten Treffen zu meinem Vater gegangen. Und selbst wenn noch kein Termin festgelegt ist, noch vor Jahresende würde ich verheiratet sein.

An diesem Tag ist es schön und heiß, die Feigen sind noch nicht reif, aber ich bin mir ganz sicher, dass ich nicht bis zum Ende des Sommers und zur Erntezeit im Herbst warten muss, ehe mein Mutter das Wachs vorbereitet, mit dem meine Haare entfernt werden. Faiez kommt immer näher, sehr nahe. Ich schließe die Augen, ich habe etwas Angst. Erst fühle ich seine Hand hinter meinem Hals, und dann küsst er mich auf den Mund. Ohne ein Wort stoße ich ihn zurück, meine Geste soll sagen: »Halt. Keinen Schritt weiter.«

»Bis morgen. Warte auf mich, aber nicht auf dem Weg, das ist zu riskant. Versteck dich hier im Straßengraben. Nach der Arbeit komme ich zu dir.«

Er geht als Erster zurück. Ich warte, bis er sich weit genug entfernt hat, dann gehe auch ich nach Hause, bin aber nervöser als sonst. Dieser Kuss, der erste meines Lebens, hat mich sehr aufgewühlt. Als ich ihn am nächsten Tag auf mein Versteck zukommen sehe, zittere ich vor Aufregung. Zu Hause ahnt niemand etwas von meinen heimlichen Treffen. Morgens begleitet mich meine Schwester manchmal, wenn ich die Schafe und Ziegen auf die Weide bringe, aber meistens geht sie dann wieder und kümmert sich um Stall und Haushalt, und am Nachmittag bin ich meistens allein. Im Frühjahr steht das Gras hoch, das müssen die Schafe ausnutzen; eigentlich verdanke ich ihnen die Möglichkeit, mich frei zu bewegen. Allerdings ist das eine falsche Freiheit, die mir meine Familie da zugesteht, denn mein Vater überwacht immer sehr genau, wann ich gehe und wann ich komme. Das Dorf und die Nachbarn erinnern mich immer wieder, dass ich mir keinen Verstoß erlauben darf. Mit Hilfe unsichtbarer Zeichen verständige ich mich von der Terrasse aus mit Faiez. Eine Kopfbewegung von ihm, und ich weiß, er wird kommen. Wenn er aber ausgesprochen schnell zu seinem Auto geht und nicht nach oben blickt, kommt er nicht. Ich weiß, dass er heute kommen wird, er hat es mir bedeutet. Und ich habe das starke Gefühl, dass heute irgendetwas passiert.

Ich habe Angst, dass Faiez mehr von mir will als nur einen Kuss. Gleichzeitig sehne ich mich aber auch danach, ohne so recht zu wissen, was mich erwartet. Ich fürchte mich davor, ihn zurückzuweisen, wenn er zu weit geht, und dass ihn das verärgern könnte. Außerdem vertraue ich ihm, schließlich weiß er nur zu gut, dass ich mich vor der Hochzeit nicht berühren lassen darf. Und er weiß ganz genau, dass ich keine *charmuta* bin. Er hat mir die Ehe versprochen. Trotzdem habe ich Angst, ganz allein mit meinen Tieren auf der Weide. Im hohen Gras versteckt, beobachte ich gleichzeitig die Herde und den Weg. Ich sehe niemanden. Die Wiese ist herrlich, Blumen blühen. Um diese Zeit sind die Schafe friedlich, sie verbringen den Tag damit zu fressen und laufen nicht dauernd weg wie im Hochsommer, wenn das Gras knapp wird.

Ich hatte ihn von rechts erwartet, Faiez kommt aber ganz überraschend von der anderen Seite. Das ist auch gut so, er achtet darauf, nicht gesehen zu werden, er schützt mich. Und er ist so schön. Er trägt eine Hose, die von der Taille bis zu den Knien eng anliegt, unten ist sie weit. Das ist die aktuelle Mode für orientalische Männer. Er hat einen weißen Pullover mit langen Ärmeln und V-Ausschnitt an, der seine Brustbehaarung zeigt. Ich finde ihn elegant, unglaublich schick im Vergleich zu mir. Ich habe gehorcht, habe meine rote Weste nicht angezogen, damit man mich nicht schon von weitem sieht. Mein Kleid ist grau, mein *saroual* auch. Meine Kleider habe ich gründlich gewaschen, weil sie von der Arbeit oft schmutzig sind. Meine Haare habe ich unter einem weißen Tuch versteckt, aber ich vermisse meine rote Weste, ich wäre gern hübscher anzusehen.

Wir setzen uns, er küsst mich. Er legt seine Hand auf meinen Schenkel, aber ich lasse ihn nicht.

Er ist verärgert. Böse schaut er mich an: »Warum willst du denn nicht? Lass mich doch machen!«

Ich habe solche Angst, dass er weggehen und sich eine andere suchen könnte… Er darf es machen, wenn er will, er ist ein schöner Mann, mein zukünftiger Gatte. Ich liebe ihn, eigentlich will ich ihm nicht nachgeben, ich habe zu viel Angst, aber noch mehr Angst habe ich, ihn zu verlieren. Er ist meine einzige Hoffnung. Also lasse ich ihn machen, ohne zu wissen, was auf mich zukommt und wie weit er gehen wird. Er ist ganz nah bei mir, Gesicht an Gesicht, er will mich berühren, alles andere zählt jetzt nicht. Die Sonne geht bald unter, es ist nicht mehr so warm, mir bleibt nicht mehr viel Zeit, um die Herde nach Hause zu bringen. Er wirft mich ins Gras und macht, was er will. Ich sage nichts mehr, ich habe keine Möglichkeit mehr, ihn abzuweisen. Er ist nicht gewalttätig, er zwingt mich nicht, er weiß genau, was er tut. Der Schmerz überrascht mich. Damit habe ich nicht gerechnet, aber nicht deshalb weine ich. Er sagt nichts vorher und nichts nachher, er fragt nicht, warum ich weine, und ich weiß selbst nicht, woher all die Tränen kommen. Ich hätte es ihm auch nicht erklären können, wenn er danach gefragt hätte. Ich wollte das nicht. Ich bin Jungfrau, ich weiß nichts von der Liebe zwischen Mann und Frau, niemand hat mich aufgeklärt. Wenn die Frau mit ihrem Mann zusammen ist, muss sie bluten, das ist alles, was ich weiß. Schweigend macht er, was er will, bis ich blute, und dann wirkt er ganz überrascht, als hätte er das nicht erwartet. Hat er geglaubt, dass ich das schon mit anderen Männern gemacht habe? Weil ich immer allein mit den Schafen unterwegs bin? Er hat selbst gesagt, dass er mich beobachtet habe, und dass ich ein anständiges Mädchen sei. Ich wage nicht, ihn anzusehen, ich schäme mich.

Er hebt mein Kinn und sagt: »Ich liebe dich.«

»Ich liebe dich auch.«

In dem Augenblick habe ich nicht begriffen, dass er nur stolz auf sich selbst war. Erst viel später habe ich ihm übel genommen, dass er an meiner Ehre gezweifelt und mich ausgenutzt hat, obwohl er ganz genau wusste, was ich dabei aufs Spiel setzte. Ich wollte nicht, versteckt in einem Straßengraben, mit ihm Liebe machen, ich wollte das, was alle Mädchen aus meinem Dorf wollten. Heiraten, meine Haare entfernen, wie es sich gehört, ein schönes Kleid tragen und in seinem Haus schlafen. Ich wollte, dass er bei Sonnenaufgang allen Leuten das befleckte weiße Leinen zeigte. Ich wollte das Gekreisch der Frauen hören. Er hat meine Angst ausgenutzt, er wusste, dass ich nachgeben würde, um ihn nicht zu verlieren.

Ich laufe weg und verstecke mich, um das Blut von meinen Beinen zu entfernen und mich wieder ordentlich anzuziehen, während er in aller Ruhe seine Kleidung in Ordnung bringt. Danach flehe ich ihn an, mich nicht fallen zu lassen, eine baldige Hochzeit zu betreiben. Wenn ein Mädchen keine Jungfrau mehr ist, ist das eine Katastrophe, ihr bleibt keine Chance.

»Ich werde dich niemals verlassen.«

»Ich liebe dich.«

»Ich dich auch. Aber geh jetzt nach Hause, zieh dich um und tu so, als wäre nichts gewesen. Und vor allem darfst du zu Hause nicht weinen.«

Er geht als Erster. Ich weine nicht mehr, aber mir ist übel. Dieses Blut ist eklig. Mit einem Mann Liebe zu machen, ist kein Vergnügen. Mir ist schlecht, ich fühle mich schmutzig, ich habe kein Wasser, um mich zu waschen, nur Gras, um mich abzuwischen, ich spüre noch das Brennen in meinem Bauch, aber ich muss mit meiner beschmutzten Hose die Schafe zusammentreiben und nach Hause bringen. Und heimlich meine Sachen waschen. Als ich schnell nach Hause laufe, denke ich zwar, dass ich nicht wieder bluten würde, aber ich frage mich auch, ob es mir mit meinem Mann immer so schlecht gehen würde. Sollte es immer so unangenehm sein?

Zu Hause angekommen frage ich mich, ob ich normal aussehe. Ich weine zwar nicht mehr, aber innerlich leide ich und habe Angst. Ich bin kein Mädchen mehr. Solange ich nicht heirate, bin ich nicht mehr in Sicherheit. Bei meiner Hochzeit werde ich keine Jungfrau sein. Aber das spielt keine Rolle, weil er ja weiß, dass ich als Jungfrau mit ihm zusammen war. Das werde ich schon irgendwie hinkriegen, ich werde mich mit einem Messer verletzen, irgendwie werde ich mein Blut auf die Hochzeitswäsche kriegen. Ich werde genauso sein wie alle anderen Frauen.

Ich warte drei Tage. Auf der Terrasse warte ich auf ein Zeichen von Faiez, dass wir uns treffen sollen. Diesmal bringt er mich zu einem Unterstand aus Stein am anderen Ende des Feldes, der eigentlich zum Schutz vor Regen dient. Diesmal blute ich nicht. Es tut wieder weh, aber ich habe viel weniger Angst. Er ist zurückgekommen, das ist das Einzige, was für mich zählt. Er ist bei mir, und ich liebe ihn noch mehr. Was er mit meinem Körper macht, ist nicht wichtig, mit meinem Kopf liebe ich ihn. Er ist mein Leben, meine ganze Hoffnung darauf, dass ich mein Elternhaus verlassen und eine Frau werden kann, die mit einem Mann auf der Straße geht und die sich neben ihn ins Auto setzt, um in die Stadt zu fahren und Kleider und Schuhe zu kaufen und auf den Markt zu gehen.

Ich bin zufrieden, dass ich mit ihm zusammen bin und ihm gehöre ... Er ist ein richtiger Mann. Mir ist nicht entgangen, dass es für ihn nicht das erste Mal war, er weiß, wie das geht. Wegen der Hochzeit bin ich zuversichtlich, er weiß zwar nicht, wann sie stattfinden wird, und ich auch nicht, aber ich stelle keine Fragen. Für mich gibt es keinen Zweifel.

Bis dahin muss ich sehr vorsichtig sein, damit mich niemand denunziert. Für die nächste Verabredung werde ich einen anderen Weg wählen. Ich rechne mir aus, wie viel Zeit ich zusätzlich brauche, so lange wage ich es nicht, das Haus alleine durch das eiserne Tor zu verlassen. Ich warte immer auf meine Mutter oder auf meine Schwester. Jeden Morgen versuche ich, Faiez zu erspähen, wenn er das Haus verlässt. Sobald ich das Geräusch seiner Schritte auf dem Kiesweg höre, nähere ich mich schnell der Gartenmauer. Wenn noch jemand anderes vor dem Haus ist, drehe ich mich wieder um; ist niemand zu sehen, warte ich auf sein Zeichen. Seitdem ich keine Jungfrau mehr bin, hatten wir bereits zwei Rendezvous. Wir können uns nicht täglich treffen, das wäre zu unvorsichtig. Das Zeichen für unsere nächste Verabredung kommt erst nach sechs Tagen. Immer habe ich Angst, immer Zuversicht. Draußen auf den Feldern achte ich auf jedes noch so kleine Geräusch. Ich halte mich nicht am Wegesrand auf. Mit meinem Hütestock sitze ich im Straßengraben im Gras und warte, sehe den Bienen zu, wie sie die wilden Blumen besuchen und träume von dem nahen Tag, an dem ich nicht mehr die Schafe und Ziegen hüten und den Stall ausmisten muss. Er wird kommen, er liebt mich, und wenn er wieder geht, sage ich zu ihm: »Verlass mich nicht.«

Wir lieben uns erneut. Die Sonne ist schon gelb, ich muss nach Hause und die Kühe und Schafe melken. Ich sage zu ihm: »Ich liebe dich, verlass mich nicht. Wann kommst du wieder?«

»Wir dürfen uns nicht gleich wieder treffen. Wir warten ein bisschen. Wir müssen vorsichtig sein.«

»Wie lange?«

»Bis ich dir ein Zeichen gebe.«

Bis hierhin ist meine Liebesgeschichte etwa zwei Wochen alt, die Zeit für wenige Rendezvous auf der Schafweide. Faiez hat Recht, wir müssen vorsichtig sein, und ich sollte geduldig sein, sollte geduldig abwarten, bis meine Eltern mit mir sprechen, so wie sie mit meiner Schwester Noura gesprochen haben. Mein Vater kann unmöglich länger darauf warten, Kaïnat vor mir zu verheiraten! Nachdem Faiez um mich angehalten hat und meine Schwester mit ihren zwanzig Jahren bereits eine alte Jungfer ist, kann er wenigstens mich loswerden, er hat ja noch zwei Töchter! Khadija und Salima, die beiden Kleinen, werden für mich mit unserer Mutter arbeiten und sich um die Tiere und die Ernte kümmern. Fatma, die Frau meines Bruders, ist wieder schwanger.

Sie soll bald niederkommen. Dann kann auch sie arbeiten. Noch immer warte ich ängstlich auf mein weiteres Schicksal, weil es nicht von mir abhängt. Aber ich muss zu lange warten. Die Zeit vergeht, und Faiez gibt mir kein Zeichen. Trotzdem hoffe ich jeden Abend, dass er aus dem Nichts auftaucht und plötzlich wieder von rechts oder links zu dem Graben kommt, in dem ich mich verstecke.

Eines Morgens wird mir bei der Stallarbeit schlecht. Der Gestank vom Mist macht mich schwindlig. Beim Kochen widert mich das Hammelfleisch an. Ich bin nervös, muss plötzlich grundlos weinen oder bin todmüde. Jedes Mal, wenn Faiez das Haus verlässt, blickt er in eine andere Richtung, gibt mir kein Zeichen. Das Warten dauert lange, viel zu lange, und ich weiß nicht mehr, wann ich meine Regel hatte und wann sie wiederkommen muss.

Oft habe ich gehört, wie meine Mutter meine Schwester Noura fragte: »Hast du deine Regel gehabt?«

»Ja, Mama.«

»Nun, dann ist es diesmal nichts.«

Oder aber: »Du hast deine Tage noch nicht wieder gekriegt? Das ist gut, dann bist du schwanger!«

Und meine wollen einfach nicht kommen. Ich vergewissere mich mehrmals täglich. Jedes Mal wenn ich auf die Toilette gehe, sehe ich nach, ob Blut da ist. Manchmal fühle ich mich so merkwürdig, dass ich wieder Hoffnung schöpfe. Aber das ist nicht immer so. Und ich habe solche Angst, dass sie mir die Kehle zuschnürt und mir ganz schlecht davon ist. Ich fühle mich nicht mehr so wie davor, ich habe keine Lust zu arbeiten, ich will nicht aufstehen. Mein ganzes Wesen hat sich verändert.

Ich suche nach einem Grund, der nicht gleich das Schlimmste bedeutet. Ich frage mich, ob der Schock der Entjungferung ein Mädchen vielleicht so verändern kann? Vielleicht kommt die Regel dann nicht gleich wieder? Ich kann mich aber nicht erkundigen, ob meine naive Vermutung stimmt. Nur eine einzige Frage zu diesem Thema, und Gottes Zorn käme über mich.

Ich muss ununterbrochen daran denken, den ganzen Tag und besonders abends, wenn ich neben meinen Schwestern einschlafe. Sollte ich schwanger sein, wird mich mein Vater mit dem Schaffell ersticken. Wenn ich morgens aufwache, bin ich zufrieden, dass ich noch lebe.

Ich habe Angst, dass jemand aus der Familie bemerken könnte, dass ich anders bin als sonst. Beim Anblick des Tellers mit dem süßen Reis wird mir übel, im Stall möchte ich schlafen. Ich bin ständig müde, meine Wangen sind eingefallen, mit Sicherheit wird meine Mutter das bald bemerken und mich fragen, ob ich krank bin. Ich war noch nie krank. Also versuche ich, mich zu verstecken, ich tue so, als ginge es mir gut, aber das wird von Tag zu Tag schwieriger. Und Faiez lässt sich nicht blicken. Mit seinem eleganten Anzug, der Aktentasche und den schönen Schuhen eilt er zu seinem Auto und fährt so schnell los, dass der Staub hinter ihm aufwirbelt. Der Sommer kommt. Bereits morgens ist es sehr heiß. Jetzt muss ich die Tiere in der Morgendämmerung auf die Weide treiben und wieder in den Stall bringen, ehe es zu heiß wird. Ich kann nicht mehr von der Terrasse nach ihm Ausschau halten, dabei muss ich unbedingt mit ihm wegen unserer Hochzeit reden. Auf meiner Nase hat sich nämlich ein seltsamer Fleck gezeigt. Ein kleiner brauner Fleck, den ich zu verstecken versuche, weil ich weiß, was er bedeutet. Noura hatte ihn auch, als sie schwanger war.

Meine Mutter sieht mich erstaunt an: »Was hast du denn da gemacht?«

»Das ist Henna, ich habe nicht aufgepasst und es auf die Nase gekriegt.«

Ich hatte wirklich Henna benutzt, um so zu tun, als hätte ich damit aus Versehen meine Nase beschmiert. Aber diese Lüge wird nicht lange halten. Ich bin schwanger, und ich habe Faiez seit mehr als einem Monat nicht mehr gesehen.

Ich muss ihn unbedingt sprechen. Eines Abends erhitze ich vor Sonnenuntergang im Garten Waschwasser und gehe etwa um die Zeit, zu der er gewöhnlich nach Hause kommt, mit meiner Wäsche auf die Terrasse. Diesmal mache ich ihm ein Zeichen und gebe ihm mit Gesten unmissverständlich zu verstehen: »Ich muss dich sehen, ich gehe jetzt zu unserem Treffpunkt, du musst mir folgen …«

Er hat mich gesehen, und ich mache mich davon, anstatt zu einem kranken Schaf in den Stall zu gehen, wie ich behauptet habe. Das Schaf ist wirklich krank, es bekommt bald ein Lamm, und es wäre nicht das erste Mal, dass ich bei ihm bliebe. Ich habe sogar einmal eine ganze Nacht im Stall auf Stroh geschlafen, aus Angst, ich könnte sein Schreien überhören und nicht rechtzeitig aufwachen.

Kurz nach mir erscheint er an unserem Treffpunkt und möchte mich sofort lieben, überzeugt, ich hätte ihn deshalb gerufen. Ich weise ihn zurück.

»Bitte nicht, deshalb wollte ich dich nicht sehen.«

»Warum denn dann?«

»Ich muss mit dir reden.«

»Das können wir auch noch später ... Komm her! ... Du liebst mich nicht, man trifft sich doch nicht nur, um zu reden?«

»Doch, ich liebe dich, ich liebe dich so sehr, dass ich dich immer begehre, wenn ich dich sehe ... Zuerst wollte ich das nicht, Faiez. Dann hast du mich geküsst, und ich habe es dir dreimal erlaubt, jetzt habe ich noch immer nicht meine Tage bekommen.«

»Vielleicht verspäten sie sich nur?«

»Nein, das wäre das erste Mal, und außerdem fühle ich mich ganz komisch.«

Die Lust ist ihm vergangen. Ich sehe es an seinem Gesicht: Er ist auf einmal ganz blass.

»Und was sollen wir jetzt tun?«

»Wir müssen schnell heiraten, sofort! Wir können nicht länger warten, du musst zu meinem Vater gehen, und wenn es kein Fest gibt, das ist mir egal!«

»Das gibt Gerede im Dorf, so etwas gehört sich nicht!«

»Und was machen wir mit dem Leintuch, das wir auf den Balkon hängen müssen?«

»Da mach dir mal keine Gedanken, darum kümmere

ich mich. Aber wir können keine kleine Hochzeit machen, wir haben eine große Hochzeit angekündigt, also veranstalten wir auch eine große. Ich rede mit deinem Vater. Komm morgen um die gleiche Zeit her und warte auf mich.«

»Aber das ist mir nicht immer möglich. Du bist ein Mann, du kannst machen, was du willst… Warte auf ein Zeichen von mir. Wenn ich wegkann, wirst du sehen, dass ich meine Haare flechte. Wenn ich mein Tuch nicht abnehme, kommst du nicht.«

Am nächsten Tag wage ich es, ich behaupte, ich müsse Kräuter für das kranke Schaf holen. Ich mache mein Zeichen und laufe zitternd vor Angst zu unserem Treffpunkt. Mein Vater hat nichts gesagt, und ich habe auch nichts gehört. Ich habe solche Angst, dass ich fast keine Luft mehr bekomme. Er kommt eine halbe Stunde nach mir, vorsichtshalber.

Ich bedränge ihn: »Warum bist du nicht zu Papa gekommen?«

»Ich wage es nicht, deinem Vater unter die Augen zu treten. Ich habe Angst.«

»Aber dir bleibt keine Zeit, es ist jetzt beinahe zwei Monate her. Bald kriege ich einen dicken Bauch, und was soll ich dann machen?«

Ich breche in Tränen aus.

Da sagt er: »Lass das, weine nicht, wenn du nach Hause kommst. Morgen rede ich mit deinem Vater.«

Ich habe es ihm geglaubt, weil ich es so gern glauben wollte. Weil ich ihn liebte und guten Grund zur Hoffnung hatte, nachdem er ja bereits um mich angehalten hatte. Ich konnte verstehen, dass er Angst vor meinem Vater hatte. Es war nicht leicht zu erklären, warum er eine schnelle Hochzeit wollte. Welche Begründung konnte er finden, die dem Misstrauen und der Bösartigkeit meines Vaters standhalten würde, ohne das Geheimnis zu verraten und mich und sich selbst vor der Familie zu entehren?

Abends betete ich wie immer zu Gott. Meine Eltern waren sehr religiös, meine Mutter besuchte oft die Moschee. Wir Mädchen mussten zweimal am Tag im Haus unser Gebet verrichten. Am nächsten Morgen dankte ich Allah, dass ich noch am Leben war, als ich aufwachte.

Das Auto war bereits weg, als ich auf die Terrasse kam. Also machte ich mich wie gewohnt an die Arbeit. Ich versorgte das Schaf, mistete den Stall aus, trieb die Tiere auf die Weide und pflückte Tomaten.

Ich wartete, dass es Abend wurde. Ich hatte solche Angst, dass ich einen großen Stein nahm und damit auf meinen Bauch schlug, weil ich hoffte, das Blut würde alles wieder in Ordnung bringen.

Das letzte Rendezvous

Es wird Abend. Verzweifelt warte ich darauf, dass Faiez kommt, allein oder mit seinen Eltern, aber eigentlich weiß ich ganz genau, dass er nicht kommen wird. Es ist schon viel zu spät. Sein Auto steht noch nicht vor dem Haus, und die Fensterläden bleiben geschlossen.

Für mich bedeutet das eine Katastrophe. Ich kann die ganze Nacht nicht schlafen und versuche mir immer vorzustellen, dass er sich irgendwo mit seiner Familie getroffen hat oder die Fensterläden nur wegen der Hitze geschlossen bleiben.

Erstaunlich, wie genau mein Gedächtnis diese Wochen meines Lebens festgehalten hat. Während ich mich doch nur mit Mühe und mit Hilfe grausamer Bilder an meine Kindheit erinnern kann, in der es kein Glück und keinen Frieden gegeben hat. Aber diese Augenblicke gestohlener Freiheit, Angst und Hoffnung habe ich nie vergessen. Ich sehe noch genau vor mir, wie ich in jener Nacht zusammengekauert und beide Hände an den Bauch gepresst unter meiner Decke liege und auf jedes Geräusch in der Dunkelheit achte. Er kommt morgen, er kommt morgen nicht… Er rettet mich, er lässt mich im Stich…

Wie eine Melodie gehen mir diese Worte ohne Ende durch den Kopf.

Am nächsten Morgen sehe ich sein Auto vor dem Haus. »Er ist noch am Leben!« Es gibt noch Hoffnung. Ich konnte nicht sehen, wie er das Haus verließ, aber als er abends zurückkommt, bin ich auf der Terrasse. Ich mache das verabredete Zeichen für ein Treffen vor Sonnenuntergang am folgenden Tag.

Und am nächsten Abend, kurz vor Sonnenuntergang, gehe ich Heu für die Schafe holen. Ich warte zehn Minuten, eine Viertelstunde, in der Hoffnung, dass er sich etwas weiter weg versteckt hält. Die Heuernte ist eigentlich vorbei, aber an manchen Stellen gibt es noch gutes Heu, das ich zu schönen Bündeln sammle und mit Stroh zusammenbinde. Ich reihe sie am Wegrand auf und verknote sie im Voraus. Ich arbeite zügig, lasse aber absichtlich drei Garben offen, damit ich etwas zu tun habe, falls jemand vorbeikommen sollte, weil man mich hier leicht sehen kann. Jetzt muss ich mich nur über meine Heubündel beugen und den Eindruck erwecken, ich sei sehr mit meiner – bereits fertigen – Arbeit beschäftigt. Damit gewinne ich eine Viertelstunde Aufschub, bis ich nach Hause zurück muss. Meiner Mutter habe ich gesagt, dass ich in einer halben Stunde mit dem Heu komme. Um diese Zeit sind die Schafe, die Ziegen und die Kühe wieder im Stall, und ich muss noch melken und den Käse für den nächsten Tag machen. Für diese Rendezvous habe ich jeden erdenklichen Vorwand genutzt. Ich bin zum Brunnen gegangen, um Wasser für die Tiere zu holen, das bedeutet, dass ich den Weg mehrmals mit einem großen Eimer zurücklegte, den ich auf dem Kopf balancierte. Die Hasen brauchten frische Kräuter, die Hühner Körner, die ich für sie sammeln musste... Ich wollte nachsehen, ob die Feigen schon reif waren, ich brauchte zum Kochen eine Zitrone oder musste die Glut im Brotofen neu entfachen.

Ständig muss man sich vor seinen Eltern in Acht nehmen, die ihrer Tochter nicht trauen. Was kann ein Mädchen alles machen ... Sie geht in den Hof. Was macht sie im Hof? Hat sie etwa eine Verabredung hinter dem Backofen? Sie geht zum Brunnen. Hat sie denn den Eimer mitgenommen? Wurden die Tiere nicht schon getränkt? Sie will Heu holen. Mit wie vielen Bündeln kommt sie nach Hause?

Heute Abend ziehe ich meinen Jutesack hinter mir her von Heubündel zu Heubündel. Ich fülle ihn schnell und warte und warte. Ich weiß, dass mein Vater wie immer unter der Lampe vor dem Haus sitzt und mit seinem Gürtel darauf wartet, dass die Tochter um die Zeit nach Hause kommt, um die sie kommen soll. Dabei raucht er wie ein Pascha seine Pfeife. Er zählt die verbleibenden Minuten. Er hat ja eine Uhr, und wenn ich in einer halben Stunde gesagt habe, sollte ich eine Minute vor Ablauf dieser halben Stunde zurück sein, wenn ich nicht mit dem Gürtel geschlagen werden will.

Mir bleiben nur mehr die drei Bündel, die noch verschnürt werden müssen. Der Himmel wird allmählich grau, das Gelb der Sonne verblasst. Ich habe keine Uhr, aber mir bleiben nur noch wenige Minuten, bevor es Nacht wird, was in meiner Heimat sehr schnell geht.

Man könnte meinen, die Sonne ist so ermüdet davon, uns Licht zu geben, dass sie wie ein Stein herunterfällt und uns ohne Übergang in die Dunkelheit stürzt.

Ich habe keine Hoffnung mehr. Es ist vorbei. Er hat mich fallen lassen. Ich komme nach Hause. Sein Auto ist nicht da. Als ich am nächsten Morgen aufstehe, ist sein Auto noch immer nicht da.

Das ist das Ende. Ich kann nicht mehr aufs Überleben hoffen, und ich habe verstanden. Er hat mich ausgenutzt, für ihn war das ein schönes Erlebnis. Für mich nicht.

Ich bereue es zutiefst, aber es ist zu spät. Ich werde ihn nie wieder sehen. Nach einer Woche versuche ich nicht einmal mehr, ihn von der Terrasse aus zu erspähen. Die Fensterläden des rosafarbenen Hauses sind geschlossen. Wie ein Feigling ist er mit dem Auto geflohen. Es gibt keinen Menschen, den ich um Hilfe bitten könnte.

Im dritten oder vierten Monat beginnt mein Bauch zu wachsen. Noch kann ich ihn ganz gut unter dem Kleid verstecken, aber sobald ich einen Eimer oder irgendetwas Schweres auf dem Kopf tragen muss, wobei man ein Hohlkreuz macht und die Arme hebt, muss ich mich sehr anstrengen, damit man ihn nicht bemerkt. Den Fleck auf meiner Nase versuche ich wegzureiben, aber er verschwindet nicht. Die Geschichte mit dem Henna kann ich nicht wieder erzählen, meine Mutter würde mir nicht glauben.

In der Nacht ist die Angst am schlimmsten. Ich schlafe jetzt oft bei den Schafen. Ein Vorwand ist schnell gefunden: Wenn ein Schaf merkt, dass es bald lammt, schreit es wie ein Mensch, und wenn man das Schreien nicht hört, kann es sein, dass das Kleine im Bauch der Mutter erstickt.

Ich muss immer wieder an das Schaf denken, dessen Junges nicht kommen wollte. Ich musste mit dem Arm ganz tief und vorsichtig in seinen Bauch greifen, um den Kopf des Lamms in die richtige Position zu bringen und es behutsam herauszuziehen. Ich hatte große Angst, der Mutter wehzutun, und habe lange um das Leben des kleinen Lamms gekämpft. Die arme Mutter konnte es einfach nicht herauspressen, und ich musste ihr sehr helfen. Etwa eine Stunde später war sie tot.

Das Lamm war ein kleines weibliches Schaf, das wie ein Kind hinter mir herlief. Sobald es bemerkte, dass ich mich entfernte, rief es nach mir. Erst habe ich die anderen Schafe gemolken, dann fütterte ich es mit dem Fläschchen. Damals muss ich etwa fünfzehn gewesen sein. Ich habe bei der Geburt vieler Lämmer geholfen, aber ich erinnere mich nur noch an diese eine. Das Kleine folgte mir im Garten, es lief hinter mir her die Treppen im Haus hinauf. Wohin ich auch ging, es folgte mir auf Schritt und Tritt. Die Mutter war tot, das Lamm lebte …

Es ist absurd, dass man sich so viel Mühe machte, damit ein Lämmchen überlebte, während meine Mutter ihre Kinder erstickte. Damals machte ich mir darüber keinerlei Gedanken. So war es nun einmal Brauch, und daran hatte man sich zu halten. Wenn ich heute daran denke, bin ich empört. Hätte ich so wie heute empfunden, hätte ich meine Mutter wahrscheinlich erwürgt, um wenigstens eines dieser kleinen Mädchen zu retten.

Für eine dermaßen unterworfene Frau ist es ganz normal, wenn sie ihre Töchter umbringt. Für einen Vater wie meinen ist es ganz normal, dass er seiner Tochter die Haare mit der Schafschere abrasiert. Dass er sie mit dem Gürtel oder mit dem Stock schlägt. Dass er sie eine ganze Nacht lang im Stall zwischen den Kühen anbindet. Was könnte mein Vater sonst noch tun, wenn er erfahren sollte, dass ich schwanger bin? Meine Schwester Kaïnat und ich waren der Meinung, dass uns nichts Schlimmeres zustoßen könnte, als im Stall angebunden zu werden. Die Hände hinter dem Rücken verknotet, ein Tuch um den Mund, damit wir nicht schreien konnten, und die Füße mit dem Strick zusammengebunden, mit dem wir vorher geschlagen worden waren. Die ganze Nacht wach, sahen wir uns nur stumm an und hatten den gleichen Gedanken: »Solange wir hier angebunden sind, leben wir noch.«

An einem Waschtag kommt mein Vater zu mir. Ich höre, wie er angehumpelt kommt und sein Stock auf den Hofboden knallt. Er bleibt hinter mir stehen – ich wage nicht, mich aufzurichten.

»Ich glaube, du bist schwanger.«

Ich lasse die Wäsche im Becken los, ich habe nicht die Kraft, ihm in die Augen zu sehen. Ich könnte nicht so tun, als wäre ich überrascht oder beleidigt, und wenn ich ihn ansehen würde, könnte ich nicht lügen.

»Aber nein, Papa.«

»Doch. Schau dich doch an! Du bist dick geworden!

Und dann dieser Fleck. Erst hast du gesagt, er kommt von der Sonne, jetzt soll es Henna sein? Deine Mutter soll sich deinen Busen ansehen.«

Meine Mutter hat also Verdacht geschöpft.

Er erteilt nur den Befehl: »Du musst ihn ihr zeigen.«

Und dann geht er mit seinem Stock weg, ohne noch etwas zu sagen.

Er hat mich nicht geschlagen. Ich habe nicht protestiert, mein Mund ist wie versteinert. Wenn es dazu kommt, bin ich tot, denke ich mir.

Jetzt ist meine Mutter an der Reihe. Die Hände in den Hüften, umrundet sie den Waschtrog. Sie wirkt ruhig, aber unnachgiebig. »Lass die Wäsche! Zeig mir deinen Busen!«

»Nein, Mama, bitte nicht, das ist mir peinlich.«

»Du zeigst mir jetzt deine Brüste, oder ich zerreiße dein Kleid!«

Da knöpfe ich mein Kleid halb auf und öffne es.

»Bist du schwanger?«

»Aber nein!«

»Hattest du deine Regel?«

»Ja!«

»Wenn du das nächste Mal deine Regel bekommst, zeigst du es mir!«

Ich sage ja, damit sie mich in Frieden lässt, um sie zu beruhigen und zu meiner Sicherheit. Mir ist klar, dass ich mich werde schneiden müssen, dass ich Blut auf Toilettenpapier bringen und es ihr vor Ablauf des nächsten Monats zeigen muss.

Ich lasse meine Wäsche im Stich, gehe ohne Erlaubnis

aus dem Haus und in den Garten, wo ich mich in den Ästen eines alten Zitronenbaums verstecke. Natürlich ist es dumm, dort Schutz zu suchen, der Zitronenbaum kann mich nicht retten, aber vor lauter Angst weiß ich nicht mehr, was ich tue. Mein Vater sucht und findet mich bald, wie ich einer Ziege gleich zwischen den Blättern kauere. Er muss nur an meinen Beinen ziehen, schon falle ich hinunter.

Ich blute an einem Knie, und er bringt mich ins Haus zurück. Er nimmt Salbeiblätter, zerreibt sie und gibt diese Masse auf die Wunde, damit sie aufhört zu bluten. Das ist seltsam. Ich verstehe nicht, warum er, nachdem er mich erst so brutal zu Fall gebracht hat, sich jetzt die Mühe macht, mich zu verarzten, was er noch nie getan hat. In diesem Augenblick komme ich zu der Überzeugung, dass er doch nicht so böse ist. Er hat mir geglaubt, was ich ihm gesagt habe. Im Nachhinein frage ich mich, ob er das nicht einfach nur gemacht hat, damit ich nicht mit dem Blut von meinem Knie vortäuschen konnte, ich hätte meine Regel bekommen …

Durch den Sturz tut mir mein Bauch weh, und ich hoffe, dass er die Regel auslöst.

Bald darauf findet ein Familienrat statt, zu dem ich nicht zugelassen bin. Meine Eltern haben Noura und Hussein dazugeholt. Ich lausche an der Wand. Alle reden durcheinander. Mein Vater sagt: »Ich bin sicher, dass sie schwanger ist, sie will es nur nicht zugeben. Warten wir ab, ob sie ihre Tage bekommt …«

Sobald das Gespräch beendet ist, gehe ich nach oben und tue so, als würde ich schlafen.

Am nächsten Morgen fahren meine Eltern in die Stadt. Ich habe Ausgangsverbot. Das Hoftor ist abgesperrt, aber ich entwische durch die Gärten und verstecke mich irgendwo draußen. Dann schlage ich mit einem großen Stein immer wieder auf meinen Bauch, damit das Blut kommt. Niemand hat mir erklärt, wie die Babys im Bauch der Mutter wachsen. Ich weiß nur, dass sie sich irgendwann bewegen. Ich habe meine Mutter oft schwanger erlebt, ich weiß, wie lange es dauert, bis ein Kind zur Welt kommt, aber sonst weiß ich nichts. Ab wann ist ein Kind lebendig? Für mich erst bei der Geburt, weil ich gesehen habe, wie meine Mutter in diesem Augenblick darüber entschied, ob sie das Kind am Leben ließ oder nicht. Verzweifelt wünsche ich mir, dass das Blut wiederkommt, obwohl ich seit dreieinhalb oder vier Monaten schwanger bin. Ich kann an nichts anderes mehr denken. Und ich ahne nicht, dass dieses Kind in meinem Bauch bereits ein menschliches Wesen ist.

Dann weine ich vor Wut und aus Angst, weil das Blut nicht kommt. Weil meine Eltern bald nach Hause kommen werden und ich vor ihnen zurück sein muss.

Diese Erinnerung ist sehr schmerzlich ... Ich fühle mich so schuldig. Natürlich kann ich sagen, dass ich keine Ahnung hatte und panische Angst vor dem, was auf mich zukam. Trotzdem ist die Vorstellung ein Albtraum, dass ich so auf meinen Bauch eingehämmert habe, damit dieses Kind nicht existiert.

Am nächsten Tag mache ich weiter, schlage auf meinen Bauch ein, mit allem, was ich finde und wann immer es geht. Meine Mutter wartet. Von dem Tag an, als sie verlangte, meine Brüste zu sehen, hat sie mir einen Monat gegeben. Ich weiß, dass sie die Tage zählt und dass ich so lange nicht aus dem Haus darf. Ich werde eingesperrt und darf nur noch Hausarbeit machen. »Du gehst nicht durch die Tür! Du hütest nicht mehr die Schafe, du holst nicht mehr das Heu«, hat meine Mutter gesagt.

Über den Hof und die Gärten kann ich entkommen, aber wohin? Noch nie bin ich allein Bus gefahren, ich habe kein Geld, und der Busfahrer würde mich sowieso nicht einsteigen lassen.

Ich muss im fünften Monat sein. Ich habe gespürt, dass sich etwas in meinem Bauch bewegt, und stürze mich wie eine Irre auf eine Mauerkante. Ich kann nicht mehr lügen, kann meinen Bauch und Busen nicht länger verstecken, es gibt keinen Ausweg mehr.

Die einzige Möglichkeit, die mir noch bleibt, ist die, aus dem Haus zu fliehen und bei der Schwester meiner Mutter Zuflucht zu suchen. Sie wohnt im gleichen Dorf wie wir. Ich kenne ihr Haus. Als meine Eltern wieder einmal auf den Markt gefahren sind, laufe ich durch den Garten, gehe am Brunnen vorbei, springe die Böschung hinunter und schleiche mich zu ihr. Ich habe nicht viel Hoffnung, weil sie böse und aus mir unbekannten Gründen eifersüchtig auf meine Mutter ist. Aber vielleicht würde sie mich gerade deshalb bei sich behalten und eine Lösung finden. Als sie mich allein kommen sieht, erkundigt sie sich zuerst nach meinen Eltern. Warum sie nicht bei mir sind.

»Du musst mir helfen, Tante.«

Dann erzähle ich ihr alles, von der geplanten und aufgeschobenen Hochzeit, von dem Kornfeld.

»Wie heißt er?«

»Er heißt Faiez, aber er ist nicht mehr im Dorf, er hatte mir versprochen ...«

»Gut, ich werde dir helfen.«

Sie legt ihren Schleier um und nimmt mich bei der Hand: »Komm mit, wir machen einen Spaziergang.«

»Aber wohin? Was hast du vor?«

»Komm schon, gib mir die Hand, man soll nicht sehen, dass du allein herumläufst.«

Ich stelle mir vor, dass sie mich zu einer anderen Frau bringen will, einer Nachbarin, die geheime Mittel kennt, mit denen man das Monatsblut wieder kommen lassen oder verhindern kann, dass das Kind in meinem Bauch weiter wächst. Oder dass sie mich irgendwo versteckt, bis ich davon befreit bin.

Aber sie bringt mich nach Hause zurück. Wie einen bockigen Esel zieht sie mich hinter sich her.

»Warum bringst du mich nach Hause? Hilf mir bitte, ich flehe dich an!«

»Das mache ich, weil du hierher gehörst, sie sollen sich um dich kümmern, nicht ich.«

»Ich flehe dich an, lass mich nicht allein! Du weißt doch, was mich erwartet!«

»Hier ist dein Platz! Hast du mich verstanden? Und lauf ja nicht noch einmal von zu Hause weg!«

Sie zwingt mich ins Haus, ruft meine Eltern, macht auf dem Absatz kehrt und geht weg, ohne sich noch einmal umzusehen. Ich habe die Schadenfreude und die

Verachtung in ihrem Blick gelesen. »Meine Schwester hat eine Schlange im Haus, dieses Mädchen hat die Familie entehrt«, wird sie sich gedacht haben.

Mein Vater schließt die Tür hinter mir, und meine Mutter wirft mir einen bösen Blick zu. »*Charmuta*... Schlampe ... Wie konntest du es wagen, zu meiner Schwester zu gehen!«, bedeutet sie mir mit Gesten. Die beiden Schwestern können sich nicht ausstehen. Widerfährt der einen ein Unglück, freut sich die andere.

»Ja, ich war bei ihr, ich dachte, sie könnte mir helfen, mich verstecken ...«

»Verschwinde! Geh hinauf!«

Ich zittere am ganzen Körper, meine Beine können mich nicht mehr tragen. Ich weiß nicht, was passieren wird, wenn ich erst einmal in dem Zimmer eingesperrt bin. Ich kann keinen Schritt machen.

»Souad! Du gehst jetzt nach oben!«

Meine Schwester spricht nicht mehr mit mir. Schämt sie sich für mich? Und auch aus dem Haus geht sie nicht mehr. Meine Mutter erledigt ihre Arbeit, meine kleinen Schwestern kümmern sich um die Tiere, und ich bleibe eingesperrt wie eine Aussätzige. Manchmal kann ich ihre Gespräche belauschen. Sie befürchten, jemand könnte mich im Dorf gesehen haben, die Leute könnten reden. Als ich meine Haut zu retten versuchte, indem ich zu meiner Tante flüchtete, habe ich vor allem meiner Mutter Schande gemacht. Die Nachbarn werden es erfahren, bestimmt gibt es Gerede.

Von diesem Tag an komme ich nicht mehr nach draußen. An meiner Zimmertür hat mein Vater ein neues

Schloss angebracht, das wie ein Gewehrschuss knallt, wenn er es abends verriegelt. Das Gartentor macht das gleiche Geräusch.

Wenn ich den Hof putze, schaue ich dieses Tor manchmal an und habe das Gefühl, ich müsse ersticken. Niemals käme ich dort hinaus. Mir ist nicht einmal bewusst, wie lächerlich diese Tür eigentlich ist, weil der Garten mit seiner Steinmauer kein unüberwindliches Hindernis darstellt. Bereits mehr als einmal bin ich auf diesem Weg entwischt. Aber für ein Mädchen in meiner Lage ist das Gefängnis ein sicherer Ort. Draußen wäre es nur noch schlimmer. Draußen bedeutet Schande und Verachtung, Steinwürfe und Nachbarinnen, die mir ins Gesicht spucken oder mich an den Haaren nach Hause zerren würden. An draußen denke ich nicht. Und die Wochen vergehen. Niemand fragt mich etwas, keiner will wissen, wer mir das angetan hat, wie und warum. Selbst wenn ich Faiez beschuldigen sollte, würde mein Vater ihn nicht holen, damit er mich heiraten muss. Es ist mein Fehler, nicht seiner. Ein Mann, der einer Frau ihre Jungfräulichkeit nimmt, ist unschuldig, sie ist schuldig, weil sie es so wollte. Noch dazu hat sie ihn gefragt! Sie hat den Mann dazu provoziert, weil sie eine schamlose Hure ist. Ich kann nichts zu meiner Verteidigung vorbringen. Meine Naivität, meine Liebe zu ihm, sein Versprechen, mich zu heiraten, selbst dass er einmal bei meinem Vater vorgesprochen hatte – das zählt alles nicht. Bei uns heiratet ein Mann, der etwas auf sich hält, nicht das Mädchen, das er selbst vor der Ehe defloriert hat.

Hat er mich geliebt? Nein. Wenn ich einen Fehler begangen habe, dann den, zu glauben, ich könnte ihn an mich binden, indem ich ihm nachgab. Aber ich war verliebt. Ich hatte Angst, er könnte eine andere finden. Das ist keine Verteidigung ... Es ergibt nicht einmal mehr für mich einen Sinn.

Eines Abends treffen sie sich wieder: meine Eltern, meine große Schwester und Hussein, ihr Mann. Mein Bruder ist nicht im Haus, seine Frau wird bald niederkommen, und er ist bei ihr, bei seinen Schwiegereltern.

Voller Angst lausche ich an der Wand.

Meine Mutter spricht mit Hussein: »Unseren Sohn können wir nicht fragen, er ist dazu nicht in der Lage, außerdem ist er zu jung.«

»Ich kann mich um sie kümmern.«

Jetzt meldet sich mein Vater zu Wort: »Wenn du es übernimmst, musst du es so tun, wie es sich gehört. Woran denkst du?«

»Mach dir keine Gedanken, mir fällt schon etwas ein.«

Und wieder meine Mutter: »Du musst dich um sie kümmern, aber du musst sie ein für allemal loswerden.«

Meine Schwester weint und sagt, dass sie so etwas nicht hören und nach Hause will.

Hussein bedeutet ihr zu warten und sagt noch zu meinen Eltern: »Ihr geht weg. Geht aus dem Haus, ihr solltet nicht da sein. Wenn ihr zurückkommt, ist die Sache erledigt.«

Mit meinen eigenen Ohren habe ich mein Todesurteil vernommen, dann schleiche ich mich die Treppe hinauf, weil meine Schwester gehen will. Den Rest habe ich nicht gehört. Etwas später geht mein Vater durchs Haus, und die Tür zum Mädchenzimmer fällt ins Schloss.

Ich schlafe nicht. Ich kann nicht begreifen, was ich eben gehört habe. Ich frage mich, ob es nur ein Traum gewesen ist. Ist das ein Albtraum? Wollen sie das wirklich tun? Wollen sie mir nur Angst einjagen? Und wenn doch, wann wird es passieren? Und wie? Schneiden sie mir die Kehle durch?

Vielleicht lassen sie mich dieses Kind bekommen und töten mich erst dann? Werden sie es behalten, wenn es ein Junge ist? Wird es meine Mutter ersticken, wenn es ein Mädchen ist?

Oder werden sie mich vorher töten?

Am nächsten Tag tue ich so, als hätte ich nichts gehört. Ich bin auf der Hut, aber zeitweise kann ich es einfach nicht glauben. Doch dann beginne ich wieder zu zittern und halte es für möglich. Die Frage ist nur: Wann und wo? Das lässt sich nicht sofort machen... Außerdem ist Hussein gegangen. Und irgendwie kann ich mir einfach nicht vorstellen, dass Hussein mich wirklich töten will!

An diesem Tag sagt meine Mutter im gleichen Ton wie sonst zu mir: »Du machst jetzt die Wäsche, dein Vater und ich fahren in die Stadt.«

Da weiß ich, dass es so weit ist. Sie gehen aus dem Haus, so wie Hussein es ihnen geraten hat.

Als mir kürzlich das Verschwinden meiner Schwester Hanan wieder einfiel, bemerkte ich die Parallelen. Die Eltern waren ausgegangen, die Mädchen allein mit ihrem Bruder zu Hause. Der einzige Unterschied zu meinem Fall war, dass Hussein noch nicht im Haus war.

Ich sehe mich im Hof um, er ist groß, ein Teil gefliest, der Rest mit Sand bedeckt. Rundherum ist eine Mauer mit einem viel zu hohen, spitzen Zaun. Und in einer Ecke die graue Tür, eisern, zur Hofseite vollkommen glatt, ohne Schloss und Schlüssel. Nur außen ist ein Türgriff angebracht.

Meine Schwester Kaïnat hilft mir nie bei der Wäsche, dazu müssen wir nicht zu zweit sein.

Ich weiß weder, welche Arbeit man ihr aufgetragen hat, noch wo sie mit den Kleinen ist. Sie spricht nicht mehr mit mir. Wenn sie neben mir schläft, dreht sie mir den Rücken zu, seit ich versucht habe, zu meiner Tante zu fliehen.

Meine Mutter wartet, bis ich die schmutzige Wäsche eingesammelt habe. Es ist eine ganze Menge, weil wir für gewöhnlich nur einmal in der Woche waschen. Wenn ich um zwei oder drei Uhr nachmittags anfange, werde ich kaum vor sechs Uhr abends damit fertig sein.

Zuerst hole ich Wasser aus dem Brunnen, ganz hinten im Garten. Ich mache Feuer, stelle den großen Waschkessel darüber und fülle ihn zur Hälfte mit Wasser. Dann hocke ich mich auf einen Stein und warte, dass es heiß wird.

Meine Eltern verlassen das Haus und schließen die Haustür hinter sich ab.

Ich bin auf der anderen Seite, in diesem Hof. Immer wieder fache ich die Glut an. Das Feuer darf nicht schwächer werden, das Wasser muss sehr heiß sein, ehe ich die Wäsche hineinlegen kann. Dann reibe ich die Flecken mit Olivenölseife aus und gehe wieder zum Brunnen, um Spülwasser zu holen.

Das Wäschewaschen ist eine langwierige und ermüdende Arbeit, die ich schon seit Jahren erledige, aber in diesem Augenblick fällt sie mir besonders schwer.

Da sitze ich, barfuß, in einem grauen Leinenkleid auf meinem Stein und bin erschöpft von all der Angst. Ich weiß nicht einmal mehr, seit wann ich eigentlich schwanger bin – mit dieser Angst im Bauch. Auf jeden Fall länger als sechs Monate. Immer wieder sehe ich zu der Tür am anderen Ende des riesigen Hofes. Magisch zieht sie meine Blicke an.

Er kann nur durch diese Tür kommen.

Das Feuer

Auf einmal höre ich, wie die Tür zuschlägt. Er ist da, er kommt auf mich zu.

Ich sehe diese Bilder, die fünfundzwanzig Jahre zurückliegen, als wäre die Zeit stehen geblieben. Hier endet die Erinnerung an meine frühere Existenz, dort unten in meinem Dorf im Westjordanland. Wie in einem Film sehe ich diese Bilder in Zeitlupe, und sie kommen immer wieder. Ich möchte sie auslöschen, sobald das erste Bild erscheint, aber ich kann den Film nicht anhalten. Wenn die Tür zuschlägt, ist es zu spät, um ihn anzuhalten, dann muss ich diese Bilder wiedersehen, weil ich immer wieder zu verstehen suche, was ich nicht verstanden habe: Wie hat er es gemacht? Hätte ich ihm entkommen können, wenn ich geahnt hätte, was er vorhat?

Er kommt auf mich zu. Es ist Hussein, mein Schwager, in Arbeitskleidung, einer alten Hose und einem T-Shirt. Er kommt zu mir und sagt mit einem Lächeln: »Hallo, wie geht's?« Er kaut auf einem Grashalm herum, während er weiter lächelt. »Ich will dir helfen.«

Dieses Lächeln... Er will mir helfen, damit habe ich

nicht gerechnet. Ich lächle ebenfalls ein wenig, zum Dank, wage kein Wort zu sagen.

»Du hast einen dicken Bauch gekriegt, was?«

Ich blicke zu Boden, ich schäme mich, ihn anzusehen. Ich beuge den Kopf noch weiter hinunter, meine Stirn berührt die Knie.

»Du hast da einen Fleck. Hast du absichtlich Henna hingeschmiert?«

»Nein, ich habe Henna in die Haare getan, ich habe es nicht absichtlich gemacht.«

»Doch, du hast es absichtlich gemacht, um den Fleck zu verstecken.«

Ich starre auf die Wäsche, die ich gerade spülen wollte, und meine Hände zittern.

Das ist das letzte Bild, das ich klar und deutlich sehe. Die Wäsche und meine zitternden Hände. Die letzten Worte, die ich von ihm höre, sind: »Doch, du hast es absichtlich gemacht, um den Fleck zu verstecken.«

Dann sagt er nichts mehr; vor Scham sehe ich nicht auf und bin ein wenig erleichtert, dass er nicht weiterfragt.

Plötzlich spüre ich etwas Kaltes über meinen Kopf fließen. Und dann brenne ich auch schon lichterloh. Ich habe begriffen, dass ich brenne, der Film läuft jetzt schneller, auf den Bildern geht alles ganz schnell. Ich laufe barfuß in den Garten, ich schlage mit den Händen auf meinen Kopf, ich schreie und spüre, dass mein Kleid hinter mir herweht. Hat auch mein Kleid gebrannt?

Ich rieche das Petroleum, und ich laufe. Mit meinem

Kleid kann ich keine großen Schritte machen. Instinktiv versuche ich, aus dem Hof zu kommen. Vor Angst. Ich laufe zum Garten, es gibt keinen anderen Ausweg. Aber danach kann ich mich beinahe an nichts mehr erinnern. Ich weiß nur, dass ich brenne und laufe und heule. Wie konnte ich entkommen? Ist er hinter mir hergelaufen? Oder hat er darauf gewartet, dass ich stürze und er zusehen kann, wie ich verbrenne?

Ich muss über die Gartenmauer geklettert sein und dann entweder in einem Nachbargarten oder auf der Straße gelandet sein. Da waren Frauen, zwei, glaube ich, also war es bestimmt auf der Straße. Sie schlagen auf mich ein. Ich nehme an, mit ihren Schleiern.

Sie schleppen mich zum Dorfbrunnen, und plötzlich ergießt sich Wasser über mich, während ich vor Angst schreie. Ich höre sie schreien, diese Frauen, aber ich sehe nichts mehr. Mein Kopf ist an die Brust gepresst, und ich spüre, wie das kalte Wasser über mich läuft, es hört nicht auf, und ich schreie vor Schmerzen, weil mich dieses kalte Wasser verbrüht. Ich bin zusammengeschrumpft, ich rieche verbranntes Fleisch, Rauch. Ich werde ohnmächtig. Ich sehe nicht mehr viel. Nur noch ein paar verschwommene Bilder, Geräusche, wie im Lieferwagen meines Vaters. Aber es ist nicht mein Vater. Ich höre Frauenstimmen, die mich beweinen. »Die Arme, die Arme...« Sie trösten mich. Ich liege in einem Auto. Ich spüre die Schlaglöcher. Ich höre mich wimmern.

Dann nichts mehr, und dann wieder den Lärm des Autos und die Stimmen der Frauen. Ich habe das Gefühl, noch immer zu brennen. Ich kann den Kopf nicht heben, ich kann kein Körperteil bewegen, nicht einmal meine Arme, ich brenne, ich brenne immer noch ... Ich rieche das Benzin, ich werde nicht klug aus dem Motorenlärm, dem Jammern der Frauen, ich weiß nicht, wohin sie mich bringen. Wenn ich die Augen einen Spalt weit öffne, sehe ich nur ein kleines Stück von meinem Kleid oder meiner Haut. Es ist schwarz, es stinkt. Ich brenne noch, obwohl ich nicht mehr in Flammen stehe. Aber ich brenne trotzdem. Mir kommt es so vor, als würde ich noch immer in Flammen stehen und laufen.

Ich werde sterben, und das ist gut. Vielleicht bin ich auch schon tot. Endlich ist es vorbei.

Sterben

Ich liege in einem Krankenhausbett, mit angezogenen Beinen zusammengekrümmt unter einer Decke. Eine Schwester ist gekommen und hat mir mein Kleid vom Körper gerissen. Sie hat so brutal an dem Stoff gezogen, dass ich von dem Schmerz wie gelähmt war. Ich kann fast nichts mehr sehen, mein Kinn klebt an meiner Brust, ich kann es nicht heben. Und ich kann meine Arme nicht bewegen. Der Schmerz ist auf meinem Kopf, meinen Schultern, meinem Rücken und meiner Brust. Ich rieche schlecht. Diese Schwester ist so gemein, dass ich Angst kriege, wenn ich sie kommen höre. Sie spricht nicht mit mir. Sie reißt ein paar Stücke von mir ab, legt eine Kompresse auf und geht wieder. Wenn sie mich töten könnte, würde sie es bestimmt tun. Ich bin ein schlechtes Mädchen und habe verdient, dass ich verbrannt werden sollte, weil ich schwanger wurde, obwohl ich nicht verheiratet bin. Ich weiß genau, was sie denkt.

Dunkelheit. Koma. Seit wann schon, seit wie vielen Tagen und Nächten ... ?

Niemand will mich anfassen, keiner kümmert sich um

mich, man gibt mir weder zu essen noch zu trinken, sie warten darauf, dass ich sterbe.

Und ich würde nur zu gern sterben, so sehr schäme ich mich dafür, noch am Leben zu sein. So sehr leide ich. Ich bewege mich nicht, das macht diese böse Frau, die mich umdreht, um weitere Stücke von mir zu reißen. Sonst nichts. Ich wünschte mir Öl auf meiner Haut, um die Verbrennungen zu lindern, ich möchte, dass jemand die Decke wegnimmt, damit mich die Luft ein wenig kühlt. Ein Doktor kommt. Ich sehe Hosenbeine und ein weißes Hemd. Er sagt etwas, aber ich verstehe es nicht. Immer wieder kommt und geht die böse Frau. Ich kann meine Beine bewegen und hebe damit ab und zu die Decke hoch. Mein Rücken schmerzt, meine Seiten auch. Ich schlafe, mein Kopf klebt noch immer an meiner Brust. Ich halte den Kopf gesenkt wie in dem Augenblick, als das Feuer kam.

Meine Arme sind ganz seltsam, sie stehen etwas vom Körper weg und sind beide gelähmt. Meine Hände habe ich noch, aber ich kann nichts mit ihnen anfangen. Ich würde mich so gern kratzen, mir die Haut herunterreißen, um nicht mehr leiden zu müssen.

Man zwingt mich aufzustehen. Ich gehe mit dieser Schwester mit. Ich kann kaum etwas sehen. Ich sehe meine Beine, die Arme, die rechts und links an mir herunterhängen, den Fliesenboden. Ich hasse diese Frau. Sie bringt mich in einen Saal und nimmt einen Brause, um mich damit zu waschen. Sie sagt, dass ich so stinke, dass sie sich am liebsten übergeben würde. Ich stinke, ich weine, ich bin ein ekelhaftes Stück Dreck, wie Schmutz, auf den man einen Eimer Wasser kippt. Wie die Kacke im Klo, man betätigt die Spülung, und die Sache ist erledigt. Stirb. Das Wasser reißt mir die Haut vom Leib, ich schreie, ich weine, ich flehe, das Blut läuft mir an den Fingern herunter. Sie zwingt mich, stehen zu bleiben. Mit dem kalten Wasserstrahl reißt sie Stücke schwarzer Haut, Reste meines verbrannten Kleides und stinkenden Schmutz von mir – in der Dusche bildet sich ein Häufchen davon. Ich rieche derart faulig, nach verbrannter Haut und Rauch, dass sie eine Maske trägt und immer wieder hustend und fluchend den Raum verlässt.

Ich verabscheue sie. Ich sollte wie ein Hund krepieren, aber nicht in ihrer Nähe. Warum macht sie mich nicht fertig? Ich lege mich wieder ins Bett, mir ist heiß und eiskalt, und sie deckt mich zu, damit sie mich nicht sehen muss. Verreck endlich!, sagt ihr Blick. Verreck, damit man dich wegschaffen kann.

Mein Vater kommt mit seinem Stock. Er ist wütend, er haut mit dem Stock auf den Boden, er will wissen, wer mich geschwängert hat, wie das passiert ist. Er hat ganz rote Augen. Er weint, der alte Mann, trotzdem macht er mir noch immer Angst mit seinem Stock, und ich kann ihm nicht einmal antworten. Ich werde einschlafen oder sterben oder aufwachen, mein Vater war da, er ist nicht mehr da.

Aber das habe ich nicht geträumt, ich höre noch das Echo seiner Stimme: »Rede!«

Es ist mir gelungen, mich ein wenig aufzurichten. So spüre ich nicht mehr, wie meine Arme an dem Laken kleben, mein Kopf wird von einem Kissen gestützt. Nichts bringt mir Erleichterung, aber jetzt kann ich sehen, wer auf dem Flur vorbeigeht, die Tür steht einen Spalt offen. Ich höre jemanden, ich sehe nackte Füße, ein langes schwarzes Kleid, eine Gestalt, die so klein ist wie ich, dünn, beinahe mager. Das ist nicht die Schwester. Es ist meine Mutter.

Ihre beiden von Olivenöl glänzenden Zöpfe, ihr schwarzer Schleier, ihre merkwürdige Stirn, deren Wölbung zwischen den Augenbrauen in die Nase übergeht, so dass sie wie ein Raubvogel aussieht. Sie macht mir Angst. Mit ihrem schwarzen Korb setzt sie sich auf einen Schemel. Sie beginnt zu schluchzen und zu schniefen und wischt sich die Tränen mit einem Taschentuch ab, wobei sie den Kopf hin und her wiegt.

Sie weint aus Kummer über die Schande. Sie weint um sich und die ganze Familie. Und ich sehe den Hass in ihren Augen.

Sie drückt ihre Tasche an sich und fragt mich aus. Ich kenne diese Tasche, sie ist mir vertraut. Sie hat sie immer bei sich, wenn sie aus dem Haus geht, zum Markt oder aufs Feld. Sie hat Brot drin, eine Plastikflasche mit Wasser, manchmal auch Milch. Ich habe Angst, aber wie immer weniger als in der Gegenwart meines Vaters. Mein Vater könnte mich töten, sie nicht. Sie seufzt ihre Worte heraus, und ich schluchze.

»Sieh nur, meine Tochter ... So kann ich dich nie mehr nach Hause holen, du kannst nicht mehr nach Hause, hast du dich eigentlich gesehen?«

»Ich kann mich nicht anschauen.«

»Du bist verbrannt. Du hast Schande über die ganze

Familie gebracht. Jetzt kann ich dich nicht mehr mitnehmen. Wie bist du schwanger geworden? Von wem?«

»Von Faiez. Ich kenne seinen Familiennamen nicht.«

»Von unserem Nachbarn Faiez?«

Jetzt fängt sie wieder an, zu weinen und das Taschentuch auf ihre Augen zu pressen, als wollte sie es in ihren Kopf drücken.

»Wo hast du das gemacht? Wo?«

»Auf dem Feld.«

Sie verzieht ihr Gesicht, sie beißt sich auf die Lippen und weint noch heftiger.

»Hör mir zu, meine Tochter, ich möchte, dass du stirbst, es ist besser, wenn du stirbst. Dein Bruder ist noch so jung, wenn du nicht stirbst, bekommt er Schwierigkeiten.«

Mein Bruder bekommt Schwierigkeiten. Was für Schwierigkeiten? Ich verstehe sie nicht.

»Die Polizei hat die Familie zu Hause verhört. Die ganze Familie. Deinen Vater und deinen Bruder, deine Mutter, und deinen Schwager, die ganze Familie. Wenn du nicht stirbst, bekommt dein Bruder Schwierigkeiten mit der Polizei.«

Vielleicht hat sie das Glas aus ihrer Tasche geholt, weil es bei mir nichts zu trinken gibt. Keinen Tisch neben dem Bett, ich sehe nichts. Nein, sie hat nicht in ihrer Tasche gesucht, sie hat es vom Fensterbrett genommen, es ist ein Krankenhausglas. Aber ich habe nicht gesehen, womit sie es gefüllt hat.

»Wenn du das trinkst, wird dein Bruder keine Schwierigkeiten bekommen, die Polizei war bei uns.«

Hat sie das Glas gefüllt, während ich vor Scham, Schmerz und Angst weinte? Ich habe über vieles geweint, mit gesenktem Kopf und geschlossenen Augen.

»Trink dieses Glas leer ... Ich gebe es dir.«

Niemals werde ich dieses große Glas vergessen, das bis zum Rand mit einer durchsichtigen Flüssigkeit gefüllt ist, die wie Wasser aussieht.

»Du trinkst das jetzt, dann bekommt dein Bruder keine Schwierigkeiten. Es ist besser so, es ist besser für dich, für mich und für deinen Bruder.«

Und sie hat geweint. Und ich auch. Ich weiß noch, dass mir die Tränen über die Verbrennungen an meinem Kinn und meinem Hals liefen und mir die Haut zerfraßen.

Ich kann meine Arme nicht heben. Sie hat ihre Hand unter meinen Kopf geschoben, sie hält meinen Kopf und führt ihn zu dem Glas, das sie in der anderen Hand hält. Bis dahin hat mir niemand etwas zu trinken gegeben. Sie führt dieses große Glas an meinen Mund. Ich will wenigstens meine Lippen benetzen, so durstig bin ich. Ich versuche, mein Kinn zu heben, aber es gelingt mir nicht.

Plötzlich erscheint der Arzt, und meine Mutter fährt erschrocken hoch. Er reißt ihr das Glas aus der Hand, knallt es aufs Fensterbrett und ruft laut: »Nein!«

Ich sehe, wie sich auf dem Fensterbrett eine Pfütze bildet. Die Flüssigkeit läuft an dem Glas herunter, durchsichtig und klar wie Wasser.

Der Arzt packt meine Mutter am Arm und bringt sie aus dem Zimmer. Ich starre die ganze Zeit dieses Glas an, ich hätte den Inhalt auch noch vom Boden getrunken, ich hätte es wie ein Hund aufgeschleckt. Ich habe solchen Durst. Ich will nur trinken und sterben.

Der Doktor kommt zu mir zurück und sagt: »Da hast du aber Glück gehabt, dass ich gerade noch rechtzeitig gekommen bin. Erst dein Vater, und jetzt auch noch deine Mutter! Keiner aus deiner Familie kommt mehr hier rein!« Er nimmt das Glas und wiederholt: »Da hast du aber Glück gehabt ... Ich will hier keinen mehr aus deiner Familie sehen!«

»Aber mein Bruder Assad, ich würde so gern meinen Bruder sehen, er ist nett.«

Ich weiß nicht mehr, was er darauf geantwortet hat. Mir war ganz seltsam, und in meinem Kopf drehte sich alles. Meine Mutter hatte von der Polizei gesprochen und von meinem Bruder, der Probleme bekommen würde? Warum denn er, wo mich doch Hussein angezündet hatte? Mit diesem Glas sollte ich umgebracht werden. Auf dem Fensterbrett war noch immer eine Lache. Meine Mutter wollte, dass ich sterbe, und ich wollte es auch. Trotzdem meinte der Arzt, ich hätte Glück gehabt. Beinahe hätte ich dieses unsichtbare Gift getrunken. Ich fühlte mich erlöst, so als hätte mich der Tod in seinem Bann gehabt, und der Arzt hatte ihn innerhalb einer Sekunde verscheucht. Meine Mutter war eine ausgezeichnete Mutter, die beste aller Mütter, sie tat nur ihre Pflicht, als sie mir den Tod bringen wollte. Das war besser für mich. Man hätte mich nicht vor dem Feuer retten, hierher bringen, leiden lassen und so viel Zeit bis zum Sterben vergehen lassen sollen, um mich schließlich von meiner Schande und der Schande meiner Familie zu erlösen.

Mein Bruder kam drei oder vier Tage später. Nie vergesse ich die durchsichtige Plastiktüte, in der ich Orangen und eine Banane sah. Seit ich hier war, hatte ich weder etwas gegessen noch getrunken. Allein konnte ich es nicht, und helfen wollte mir niemand. Sogar der Arzt wagte es nicht. Ich begriff, dass man mich sterben ließ, weil man sich nicht in meine Geschichte einmischen durfte. Jeder hielt mich für schuldig. Ich erlitt das gleiche Schicksal wie alle Frauen, die die Ehre der Männer beschmutzen. Man hatte mich nur gewaschen, weil ich die Luft verpestete, nicht um mich zu pflegen. Man behielt mich dort, weil das ein Krankenhaus war, in dem ich sterben sollte, ohne meinen Eltern und meinem ganzen Dorf weitere Probleme zu verursachen.

Hussein hatte seine Arbeit schlecht gemacht, er hatte mich mit dem Feuer weglaufen lassen.

Assad stellte mir keine Fragen. Er hatte Angst und wollte möglichst schnell zurück ins Dorf.

»Ich werde über die Felder gehen, damit mich niemand sieht. Wenn die Eltern erfahren, dass ich dich besucht habe, bekomme ich großen Ärger.«

Ich hatte mir gewünscht, dass er kommt, dennoch wurde ich jetzt unruhig, als er sich über mich beugte. In seinen Augen sah ich, dass ich ihn mit meinen Verbrennungen anekelte. Kein Mensch, nicht einmal er, hatte auch nur eine Ahnung davon, wie sehr ich litt. Meine Haut schälte sich, faulte und eiterte und zerfraß allmählich wie Schlangengift meinen ganzen Oberkörper, meinen kahlen Kopf, meine Schultern, meinen Rücken, meine Arme und meine Brüste.

Ich musste sehr weinen. Habe ich so geweint, weil ich wusste, dass ich ihn nie wiedersehen würde? Habe ich so geweint, weil ich so gern seine Kinder gesehen hätte? Seine Frau sollte in Kürze niederkommen. Später erfuhr ich, dass sie zwei Jungen bekommen hat. Die ganze Familie muss sie bewundert und beglückwünscht haben.

Ich habe das Obst nicht essen können. Allein war es mir unmöglich, und die Tüte war irgendwann verschwunden.

Ich habe meine Familie nie wiedergesehen. Wenn ich an sie denke, sehe ich meine Mutter mit dem Glas voll vergiftetem Wasser. Meinen Vater, der wütend mit dem Stock auf den Boden schlägt. Und meinen Bruder mit der Tüte voller Obst.

Auch als die Schmerzen schier unerträglich waren, versuchte ich noch zu verstehen, warum ich nichts gesehen habe, als das Feuer über mich kam. Neben mir hatte ein Benzinkanister gestanden, der aber mit einem Korken verschlossen war. Ich habe nicht gesehen, dass Hussein ihn geöffnet hat. Ich senkte den Kopf, als er zu mir sagte, dass er mir »helfen« wolle. Ein paar Sekunden lang fühlte ich mich gerettet, wegen seines Lächelns und weil er so gelassen auf seinem Grashalm kaute. In Wirklichkeit wollte er mich nur in Sicherheit wiegen, damit ich ihm nicht entwischte. Am Abend zuvor hatte er alles bis ins Detail mit meinen Eltern geplant. Aber woher hatte er das Feuer? Aus der Glut? Ich habe nichts gesehen. Hat er ein Streichholz benutzt, dass es so schnell ging? Ich hatte immer eine Schachtel Streichhölzer in

Reichweite, aber ich habe auch das nicht gesehen. Vielleicht hatte er ein Feuerzeug in der Tasche… Kaum hatte ich die kalte Flüssigkeit auf meinen Haaren gespürt, stand ich auch schon in Flammen. Zu gern hätte ich gewusst, warum ich nichts gesehen habe.

Ich liege ausgestreckt auf diesem Bett, und die Nacht ist ein endloser Albtraum. Um mich herum ist es vollkommen schwarz, ich sehe Vorhänge um mich, das Fenster ist verschwunden. Ein unbekannter Schmerz trifft mich wie ein Messerstich in den Bauch, meine Beine zittern… Ich sterbe. Ich versuche mich aufzurichten, aber es gelingt mir nicht. Meine Arme sind noch immer steif, zwei ekelhafte Wunden, die mir ihren Dienst verweigern. Es ist niemand da, ich bin ganz allein, wer also hat mir das Messer in den Bauch gestochen?

Zwischen meinen Schenkeln spüre ich etwas Fremdes. Erst ziehe ich ein Bein an, dann das andere, ich taste mit den Füßen, allein versuche ich dieses Ding wegzuschieben, das mir Angst macht. Zuerst ist mir nicht bewusst, dass ich gerade niederkomme. Mit beiden Füßen taste ich in der Dunkelheit. Ohne es zu wissen, schiebe ich den Körper des Kindes langsam unter die Decke. Erschöpft von dieser Anstrengung halte ich inne. Dann drücke ich meine Beine zusammen und spüre an beiden Innenseiten der Oberschenkel das Baby. Es bewegt sich. Ich halte den Atem an. Wie konnte es so schnell kommen? Ein Faustschlag in den Bauch, und schon ist es da? Ich will weiterschlafen, das kann nicht sein, das Kind kann nicht ganz allein und ohne Vorankündigung zur Welt gekommen sein. Es muss ein Albtraum sein.

Aber ich träume nicht, weil ich es spüre, zwischen meinen Beinen, an der Haut. Meine Beine haben nicht gebrannt, mit dieser Haut und mit meinen Füßen kann ich etwas spüren. Ich wage mich nicht mehr zu bewegen. Dann streichle ich vorsichtig mit einem Fuß, so wie ich es sonst mit der Hand gemacht hätte, einen winzigen Kopf, Arme, die sich schwach bewegen.

Ich muss geweint haben. Ich weiß es nicht mehr. Der Arzt betritt das Zimmer und zieht die Vorhänge auf, aber ich bin noch immer im Dunklen. Draußen muss es Nacht sein. Ich sehe nur durch die geöffnete Tür ein Licht auf dem Gang. Der Arzt beugt sich herunter, zieht die Decke weg und nimmt das Kind mit, ohne es mir auch nur zu zeigen.

Jetzt ist nichts mehr zwischen meinen Beinen. Jemand zieht die Vorhänge zu. Ich kann mich an nichts anderes erinnern. Wahrscheinlich habe ich das Bewusstsein verloren, wahrscheinlich habe ich sehr lange geschlafen, ich weiß es nicht mehr. An den folgenden Tagen bleibt mir nur die Gewissheit, dass das Kind meinen Bauch verlassen hat.

Ich wusste damals nicht, ob es tot oder lebendig war, keiner sprach mit mir darüber, und ich habe die böse Schwester nicht zu fragen gewagt, was aus diesem Kind geworden ist.

Es möge mir verzeihen, aber ich war nicht in der Lage, ihm eine Zukunft zu geben. Ich wusste, dass ich entbunden hatte, aber ich hatte es nicht gesehen, man hatte es mir nicht in die Arme gelegt, ich wusste nicht einmal, ob es ein Mädchen oder ein Junge war. Damals war ich keine

Mutter, sondern ein zum Tode verurteiltes menschliches Wrack. Und die Schande war stärker als alles andere.

Später sagte mir der Arzt dann, dass ich im siebten Monat ein ganz kleines Baby entbunden habe, das lebendig und in Sicherheit sei. Ich verstand nur schlecht, was er zu mir sagte, weil mir meine verbrannten Ohren so schrecklich wehtaten! Mein ganzer Oberkörper war eigentlich nur ein einziger Schmerz, ich wechselte zwischen Koma und Halbschlaf, ohne die Tage und Nächte vorbeiziehen zu sehen. Alle hofften, dass ich endlich sterben würde, und warteten darauf.

Und ich fand, dass mich Gott nicht schnell genug sterben ließ. Tage und Nächte verschwammen in ein und demselben Albtraum, und in meinen seltenen klaren Momenten war ich wie besessen von dem Zwang, mir mit den Fingernägeln diese kaputte und stinkende Haut vom Körper reißen zu wollen, die mich weiter zerfraß. Leider gehorchten mir meine Arme nicht mehr.

Jemand betrat mein Zimmer, irgendwann in diesem Alb. Ich habe es gespürt, nicht gesehen. Eine Frauenhand glitt wie ein Schatten über mein Gesicht, ohne es jedoch zu berühren. Eine Frauenstimme sagte auf Arabisch mit einem komischen Akzent zu mir: »Ich helfe dir … Hab keine Angst, ich helfe dir. Kannst du mich verstehen?«

Ich sagte ja, ohne daran zu glauben, so elend ging es mir in diesem Bett, in dem ich der Verachtung der anderen ausgeliefert war. Ich verstand nicht, wie mir zu helfen war, und schon gar nicht, wer die Macht haben sollte, es auch zu tun.

Mich zu meiner Familie zurückbringen? Sie wollten nichts mehr von mir wissen. Eine Frau, die verbrannt wird, weil sie ihre Familie entehrt hat, muss ganz und gar verbrennen. Jemand wollte mir helfen, dass ich nicht länger leiden musste, mir beim Sterben helfen, eine andere Lösung konnte ich mir nicht vorstellen.

Aber ich sagte ja zu dieser Frauenstimme, und ich wusste nicht, wem sie gehört.

Jacqueline

Mein Name ist Jacqueline. Ich hielt mich damals im Mittleren Osten auf, wo ich für die Hilfsorganisation Terre des Hommes arbeitete. Ich gehe von einem Krankenhaus zum nächsten und suche nach verlassenen, behinderten oder unterernährten Kindern. Ich arbeite zusammen mit dem CICR (Comité International de la Croix-Rouge), dem Internationalen Roten Kreuz, und einigen anderen Organisationen, die sich um Palästinenser und Israelis kümmern. Ich arbeite also für beide Völker und stehe mit beiden in engem Kontakt. Ich lebe mit ihnen.

Aber erst nachdem ich mich bereits sieben Jahre im Mittleren Osten aufgehalten habe, höre ich von ermordeten jungen Mädchen. Ihre Familien werfen ihnen vor, sie hätten sich mit einem Mann getroffen oder mit einem Mann gesprochen. Oft werden sie verdächtigt, ohne dass es einen einzigen Beweis gibt, lediglich weil irgendjemand etwas behauptet hat. Manchmal hatten diese Mädchen auch tatsächlich etwas mit einem jungen Mann, was in ihrer Kultur absolut undenkbar ist – hier entscheiden die Väter, wer wen heiratet. Ich habe gehört ... Man hat mir erzählt ... Bis dahin war ich aber noch nie mit einem derartigen Fall konfrontiert worden.

Für unser westliches Verständnis ist die Vorstellung unglaublich, dass Eltern oder Brüder ihre Tochter oder Schwester umbringen, nur weil sie sich verliebt hat – und das heutzutage. Bei uns befreien sich die Frauen, sie gehen zur Wahl, entscheiden sich allein für Kinder ...

Aber ich bin nun schon seit sieben Jahren hier und glaube es sofort, auch wenn ich zum ersten Mal davon höre und es noch nie erlebt habe. Um über ein derartiges Tabu zu sprechen, noch dazu mit einer Ausländerin, die das nichts angeht, ist ein außerordentlich vertrauensvolles Klima notwendig. Eine Frau hat sich dazu entschlossen, es mir gegenüber anzusprechen. Eine befreundete Christin, mit der ich sehr viel zu tun habe, weil sie sich um Kinder kümmert. Auf diese Weise lernt sie viele Mütter aus allen möglichen Ländern und Städten kennen. Und in ihrer Gegend ist sie fast so etwas wie ein *moukhtar*, das heißt, sie lädt die Frauen zu einem Tee oder Kaffee ein, unterhält sich mit ihnen und erfährt so, was in ihren Dörfern vorgeht. Das ist hier ein wichtiges Kommunikationsmittel. Jeden Tag trinkt man gemeinsam Tee oder Kaffee und tratscht, das ist so Brauch und eine gute Gelegenheit für diese Frau, neue Fälle von Kindern in Not ausfindig zu machen.

Eines Tages erfährt sie von einer Gruppe von Frauen ein neues Gerücht: »In dem und dem Dorf gibt es ein junges Mädchen, das sich sehr schlecht benommen hat, weshalb ihre Eltern es verbrennen lassen wollten. Man sagt, sie ist hier irgendwo in einem Krankenhaus.«

Meine Freundin hat ein gewisses Charisma, man respektiert sie, und sie beweist viel Mut, wovon ich mich später überzeugen kann. Eigentlich kümmert sie sich nur um Kinder, aber hier bleibt ihr Mutterherz nicht unbeteiligt. Meine Freundin sagt also etwa am 15. September zu mir: »Hör zu, Jacqueline, in einem Krankenhaus hier liegt ein junges Mädchen im Sterben. Der Sozialdienst hat mir berichtet, dass sie von jemandem aus ihrer Familie verbrannt wurde. Glaubst du, du kannst da irgendetwas unternehmen?«

»Was weißt du noch darüber?«

»Nicht viel, es ist ein junges Mädchen, das schwanger wurde, und in ihrem Dorf heißt es jetzt: ›Sie haben gut daran getan, sie zu bestrafen, jetzt stirbt sie eben im Krankenhaus.‹«

»Das ist ja ungeheuerlich!«

»Ja, ich weiß, aber hier ist es eben so. Sie ist schwanger, also muss sie sterben. So einfach ist das. Es ist völlig normal. Sie sagen: ›Die armen Eltern!‹ Die werden bedauert, das Mädchen nicht. Und nach allem, was ich gehört habe, wird sie wirklich sterben.«

Eine solche Geschichte löst bei mir Alarm aus. Damals arbeitete ich intensiv für Terre des Hommes, eine Organisation, die von Edmond Kaiser, einem erstaunlichen Mann, geleitet wird. Meine oberste Mission gilt den Kindern. Mit gutem Grund habe ich mich bisher nie an derartige Fälle gewagt, doch dann sage ich mir: »Jacqueline, altes Mädchen, das musst du dir aus der Nähe anschauen!«

Ich mache mich auf den Weg zu diesem Krankenhaus,

das ich kaum kenne, weil ich erst sehr selten dort war. Aber ich habe keine Probleme, weil mir Land und Leute vertraut sind, ich mit der Sprache einigermaßen zurechtkomme und bereits ziemlich viel Zeit in den Krankenhäusern hier verbracht habe. Ich bitte einfach darum, dass man mich zu dem Mädchen bringt, das verbrannt wurde. Ohne weiteres geleitet man mich zu einem großen Zimmer, in dem ich zwei Betten und zwei Mädchen sehe. Bei mir entsteht sofort der Eindruck, dass es sich hier um einen Ort der Verbannung handelt. Ein Zimmer für die Fälle, die man nicht zeigen darf.

Es ist ein ziemlich dunkles Zimmer mit vergitterten Fenstern, zwei Betten und sonst nichts.

Weil es zwei Mädchen sind, frage ich die Schwester: »Ich suche die junge Frau, die ein Baby bekommen hat.«

»Aha, das ist die hier!«

Das ist alles. Die Schwester geht. Sie bleibt nicht einmal auf dem Flur stehen, sie fragt nicht, wer ich bin, nichts! Nur eine vage Geste zu dem einen Bett hin: »Das ist die hier!«

Das eine Mädchen hat kurze krause Haare und ist fast kahl, das andere hat halblange glatte Haare. Die Gesichter von beiden Mädchen sind ganz schwarz, voller Ruß. Sie sind beide zugedeckt. Ich weiß, dass sie schon eine ganze Weile hier sind, meinen Informationen nach seit etwa vierzehn Tagen. Es ist ganz klar, dass sie nicht sprechen können. Zwei Menschen, die im Sterben liegen. Das Mädchen mit dem glatten Haar liegt im Koma. Das andere Mädchen, das ein Kind bekommen hat, bewegt manchmal fast unmerklich die Augenlider.

Niemand kommt in diesen Saal, keine Schwester und kein Arzt. Ich wage nicht, sie anzusprechen, noch weniger sie zu berühren. Es herrscht ein unerträglicher Gestank. Ich bin wegen einer gekommen, jetzt stehe ich vor zwei, ganz offensichtlich schrecklich verbrannten Mädchen, um die sich niemand kümmert. Ich gehe und suche außerhalb dieses Verbannungsorts nach einer Schwester. Als ich eine finde, sage ich zu ihr: »Ich möchte zum Chefarzt des Krankenhauses.«

Krankenhäuser sind für mich vertrautes Gelände, hier kenne ich mich aus. Der Chefarzt empfängt mich. Er ist nicht unsympathisch.

»Bei Ihnen im Haus liegen zwei verbrannte Mädchen. Wie Sie wissen, arbeite ich für eine Hilfsorganisation – vielleicht können wir helfen?«

»Davon rate ich Ihnen dringend ab. Ein Mädchen ist ins Feuer gefallen, bei dem anderen handelt es sich um eine Familienangelegenheit. Ich muss Ihnen wirklich dringend raten, sich nicht einzumischen.«

»Ich verstehe, Doktor, aber meine Arbeit besteht darin, anderen zu helfen, und zwar vor allem den Menschen, denen sonst niemand hilft. Können Sie mir noch mehr über die Sache erzählen?«

»Nein, nein, nein. Seien Sie doch vernünftig. Mischen Sie sich nicht in solche Geschichten ein!«

Allzu hartnäckig sollte man sich den Leuten gegenüber nicht verhalten. Ich lasse es also dabei bewenden, gehe aber noch einmal in den Saal der Verbannung hinunter und setze mich kurz. Ich warte und hoffe, dass sich das eine Mädchen, das manchmal die Augen ein wenig öffnet, irgendwie mit mir verständigen kann. Der Zustand des anderen Mädchens ist noch beängstigender.

Als draußen eine Schwester vorbeigeht, frage ich sie: »Das Mädchen, das noch Haare hat, das sich nicht rührt, was ist mit ihr passiert?«

»Sie ist ins Feuer gefallen, es geht ihr sehr schlecht, sie wird sterben.«

Diese Diagnose wird ohne jedes Mitleid abgegeben, es ist eine reine Feststellung. Aber ich lasse mich von der Formulierung »sie ist ins Feuer gefallen« nicht täuschen.

Die andere bewegt sich ein wenig. Ich gehe zu ihr und bleibe ein bisschen bei ihr, ohne etwas zu sagen. Ich betrachte sie und versuche etwas zu verstehen, ich höre Geräusche vom Flur und hoffe, dass noch einmal jemand kommt, an den ich mich wenden könnte. Aber die Schwestern laufen vorbei, sie kümmern sich kein bisschen um diese beiden Mädchen. Ganz offensichtlich werden sie nicht medizinisch versorgt. Vielleicht doch ein wenig, aber davon kann ich nichts sehen. Niemand kommt auf mich zu, niemand fragt mich etwas. Dabei bin ich Ausländerin und westlich gekleidet, wenn auch immer relativ verhüllt, aus Respekt vor den Traditionen des Landes, in dem ich arbeite. Das ist unerlässlich, wenn man empfangen werden will. Sie könnten mich immerhin fragen, was ich da mache, stattdessen ignorieren sie mich einfach.

Nach einer Weile beuge ich mich über das Mädchen, das mich zu hören scheint, aber ich weiß nicht, wo ich sie berühren sollte. Weil sie zugedeckt ist, kann ich nicht erkennen, wo sie überall verbrannt ist. Aber ich sehe, dass ihr Kinn an ihrer Brust klebt, beide Körperteile sind wie aus einem Stück. Außerdem sehe ich, dass ihre Ohren verbrannt sind und nicht viel von ihnen übrig ist. Ich bewege meine Hand über ihre Augen. Sie reagiert nicht. Ich kann weder ihre Hände, noch ihre Arme sehen und wage es nicht, die Decke anzuheben. Ich weiß wirklich nicht, was ich machen soll. Trotzdem muss ich sie an irgendeiner Stelle berühren, damit sie spürt, dass ich da bin. Wie bei einer Sterbenden, der man zu verstehen gibt, dass jemand bei ihr ist, dass sie seine Gegenwart spürt und Kontakt zu einem Menschen bekommt.

Sie hat ihre Beine unter der Decke mit den Knien nach oben angewinkelt, so wie die Frauen im Orient auf dem Boden sitzen, nur in der Waagrechten. Ich berühre mit meiner Hand ein Knie von ihr, und sie öffnet die Augen.

»Wie heißt du?«

Sie antwortet nicht.

»Ich möchte dir helfen, ja? Ich komme wieder und helfe dir.«

»*Aioua.*«

Ja auf Arabisch, sonst nichts. Sie schließt ihre Augen wieder. Ich weiß nicht einmal, ob sie mich überhaupt gesehen hat.

Das war meine erste Begegnung mit Souad.

Als ich sie verließ, war ich sehr aufgewühlt. Ich musste etwas unternehmen, das war gar keine Frage! Bei allem, was ich bisher getan habe, hatte ich immer das Gefühl, es machen zu müssen. Wenn man mir von einer Notlage berichtet, betrachte ich das als eine Aufforderung, der ich nachkomme, indem ich hingehe und etwas unternehme. Ich weiß noch nicht was, aber etwas wird mir schon einfallen.

Ich suche also noch einmal diese Freundin auf, die mir ein paar neue Details über den Fall dieses jungen Mädchens nennt, wenn man so sagen will.

»Das Kind hat ihr der Sozialdienst auf polizeiliche Anordnung hin bereits weggenommen. Du wirst kaum etwas machen können. Sie ist jung, im Krankenhaus wird dir niemand helfen. Glaub mir, Jacqueline, da kannst du nichts machen.«

»Wir werden ja sehen.«

Am nächsten Tag gehe ich wieder ins Krankenhaus. Sie ist nach wie vor kaum bei Bewusstsein, ihre Nachbarin liegt weiterhin im Koma. Und der fürchterliche Gestank ist unerträglich. Ich kann das Ausmaß der Verbrennungen nicht beurteilen, aber ich sehe, dass sie nicht desinfiziert wurden. Am übernächsten Tag ist eines der beiden Betten leer. Das Mädchen, das im Koma lag, ist in der Nacht gestorben. Voller Trauer betrachte ich das leere Bett, das noch niemand gereinigt hat. Es ist immer schrecklich, wenn man nicht helfen konnte. »Jetzt muss ich mich um die andere kümmern«, rede ich mir zu. Aber sie ist kaum bei Bewusstsein, sie fantasiert viel, und ich kann nicht verstehen, was sie mir sagen will.

Und dann geschieht ein Wunder. Es kommt in Gestalt eines jungen palästinensischen Arztes, dem ich zum ersten Mal begegne. Der Direktor des Krankenhauses hat mir bereits empfohlen: »Geben Sie es auf, sie wird sterben.« Jetzt frage ich diesen jungen Mediziner um Rat:

»Was sagen Sie dazu? Warum hat man ihr nicht längst das Gesicht gereinigt?«

»Man hat es versucht, so gut es geht, es ist nicht einfach. Diese Fälle sind für uns sehr schwierig, sehr kompliziert, wegen der Sitten, die hier herrschen, verstehen Sie?«

»Glauben Sie, dass man sie retten kann, dass wir etwas für sie tun können?«

»Nachdem sie noch nicht tot ist, vielleicht. Aber mit diesen Geschichten müssen Sie vorsichtig umgehen, sehr vorsichtig.«

An den Tagen darauf ist ihr Gesicht etwas sauberer, und ich entdecke hie und da Spuren von Mercurochrom. Der junge Arzt muss der Schwester Anweisungen erteilt haben. Allerdings übernimmt sie sich dabei nicht. Souad hat mir später erzählt, dass man sie an den Haaren über eine Badewanne gehalten hatte, um sie zu waschen, weil keiner sie anfassen wollte. Ich hüte mich davor, Kritik zu üben, das hätte nur meinen Beziehungen zu diesem Krankenhaus geschadet. Ich suche noch einmal den jungen arabischen Arzt auf, der mir als Einziger zugänglich erscheint.

»Ich arbeite für eine Hilfsorganisation, ich könnte etwas für sie tun, aber dazu müsste ich wissen, ob sie eine Überlebenschance hat.«

»Ich glaube schon. Man könnte es versuchen, aber ich fürchte, das wird in unserem Krankenhaus nicht möglich sein.«

»Könnte sie denn verlegt werden?«

»Ja, aber sie hat Familie, sie hat Eltern, sie ist minderjährig, das geht nicht einfach so! Man kann nicht intervenieren, ihre Eltern wissen, dass sie hier ist, ihre Mutter war bereits hier, außerdem darf sie keinen Besuch mehr bekommen ... Glauben Sie mir, es handelt sich hier um einen äußerst komplizierten Fall.«

»Bitte, Herr Doktor, ich möchte aber etwas für sie tun. Ich kenne die Vorschriften nicht, aber wenn Sie mir sagen, dass sie noch einen Funken Hoffnung hat zu überleben, kann ich sie nicht fallen lassen.«

Da sieht mich der junge Arzt an, erstaunt über meine Hartnäckigkeit. Bestimmt glaubt er, dass ich es nicht schaffe ... Wieder eine von diesen »Humanitären«, die keine Ahnung von seinem Land haben. Ich schätze, er ist etwa dreißig, und finde ihn ziemlich sympathisch. Er ist groß, schlank, brünett und spricht sehr gut Englisch. Er ist ganz anders als die Mehrzahl seiner Kollegen, die sich den abendländischen Forderungen meist verschließen.

»Wenn ich Ihnen helfen kann, werde ich es tun.«

Gewonnen. An den folgenden Tagen spricht er unaufgefordert mit mir über den Zustand der Patientin. Da er in England studiert hat und recht kultiviert ist, können wir uns gut verständigen. Ich komme mit meinen Nachforschungen über Souad ein Stück weiter und muss erfahren, dass sie tatsächlich nicht behandelt wird.

»Sie ist noch minderjährig, ohne die Erlaubnis ihrer Eltern darf man sie auf keinen Fall anfassen. Und für ihre Eltern ist sie tot, auf jeden Fall warten sie nur darauf.«

»Wenn ich sie nun in ein anderes Krankenhaus bringen wollte, in dem sie besser gepflegt und behandelt würde, glauben Sie, dass man mir das erlaubt?«

»Nein. Die Eltern sind die Einzigen, die das genehmigen können, und sie werden Sie nicht dazu autorisieren!«

Ich gehe wieder zu meiner Freundin, dem Anfang der Geschichte, und erzähle ihr von meinen Plänen: »Ich möchte sie in ein anderes Krankenhaus bringen lassen. Was hältst du davon? Ist das möglich?«

»Wenn die Eltern wollen, dass sie stirbt, kannst du nichts machen, du erreichst nichts! Für sie ist das in ihrem Dorf eine Ehrensache.«

Für solche Situationen bin ich eigensinnig genug. Ich gebe mich nicht mit negativen Bescheiden zufrieden, ich bearbeite sie so lange, bis ich eine positive Möglichkeit entdecke, und wenn sie noch so klein ist. Auf jeden Fall führe ich meine Pläne zu Ende.

»Glaubst du, ich kann in ihr Dorf fahren?«

»Da gehst du ein großes Risiko ein. Ich warne dich. Es handelt sich hier um einen unabwendbaren Ehrenkodex. Sie wollen, dass sie stirbt, weil die Ehre der Familie anders nicht reingewaschen werden kann, sie würden vom ganzen Dorf verstoßen werden. Sie müssten es entehrt verlassen, verstehst du? Du kannst einen Versuch machen und dich in die Höhle des Löwen wagen, aber ich fürchte, du riskierst viel, und am Ende kommt nichts dabei heraus. Ihr Urteil ist gefällt. Und wenn sie nach derart schweren Verbrennungen schon so lange keine medizinische Versorgung bekommen hat, wird sie sowieso sterben, die Arme.«

Trotzdem öffnet diese arme kleine Souad ein wenig die Augen, als ich sie besuche. Sie hört mir zu und antwortet, sogar trotz ihrer furchtbaren Schmerzen.

»Ich weiß, dass du ein Kind bekommen hast. Wo ist es?«

»Weiß nicht. Sie haben es mitgenommen. Weiß nicht …«

Nach allem, was sie mitmacht und was sie erwartet, der angekündigte Tod, wie die Leute sagen, kann ich gut verstehen, dass ihre größte Sorge nicht diesem Kind gilt.

»Du musst mir antworten, Souad, weil ich etwas unternehmen will. Wenn es mir gelingen sollte, dich hier rauszuholen und woanders hinzubringen, würdest du mit mir kommen?«

»Ja, ja, ja. Ich komme mit dir mit. Wohin gehen wir?«

»In ein anderes Land, ich weiß noch nicht, wohin, aber irgendwohin, wo von alledem keine Rede ist.«

»Gut, aber du weißt, meine Eltern …«

»Was mit deinen Eltern ist, werden wir schon sehen. Wir werden sehen. Einverstanden? Vertraust du mir?«

»Ja … Danke.«

Ausgerüstet mit diesem Vertrauen frage ich den jungen Arzt, ob er weiß, wo dieses besagte Dorf ist, in dem Mädchen, die sich verliebt haben, wie Fackeln angezündet werden.

»Sie kommt aus einem kleinen Dorf, ungefähr vierzig Kilometer von hier. Das ist ziemlich weit, weil es keine richtigen Straßen gibt und man nicht genau weiß, was dort vor sich geht. In dieser Gegend gibt es keine Polizei.«

»Ich frage mich, ob ich allein hinfahren kann …«

»O nein, auf keinen Fall, davon würde ich Ihnen dringend abraten. Außerdem würden Sie sich mindestens zehnmal verfahren, ehe Sie den kleinen Ort finden. So genaue Karten von der Gegend gibt es gar nicht …«

Ich bin zwar naiv, aber alles hat seine Grenzen. Mir ist bekannt, dass es in solchen Gebieten schon ein Problem sein kann, nach dem Weg zu fragen, wenn man Ausländer ist. Noch dazu befindet sich das Dorf auf von den Israelis besetztem Gebiet. Und ich, Jacqueline, könnte sehr gut für eine Israelin gehalten werden, die die Palästinenser ausspionieren will – egal ob ich zu Terre des Hommes gehöre, egal ob ich humanitäre Hilfe leiste, egal ob ich Christin bin oder nicht.

»Würden Sie mir einen großen Gefallen tun und mich begleiten?«

»Das ist doch Wahnsinn!«

»Bitte, Herr Doktor, wir könnten ein Leben retten… Sie haben selbst gesagt, dass eine Chance besteht, wenn wir sie von hier wegbringen …«

Ein Leben retten. Dieses Argument zählt für ihn, schließlich ist er Arzt. Aber er ist hier auch zu Hause, wie die Schwestern. Und die Schwestern finden, dass Mädchen wie Souad sterben müssen …

Eine hat es bereits nicht überlebt. Ich weiß nicht, ob sie die Chance gehabt hätte, es zu schaffen, auf jeden Fall wurde sie nicht behandelt. Eigentlich hätte ich dem sympathischen Arzt gern gesagt, dass ich es unerträglich finde, wenn man ein Mädchen »krepieren« lässt, nur weil es so Brauch ist! Aber ich werde mich zurückhalten, weil ich weiß, dass auch er diesem System angehört und sich vor dem Krankenhaus, seinem Vorgesetzten, den Schwestern und der ganzen Bevölkerung zu verantworten hat. Es ist schon sehr mutig von ihm, dass er überhaupt mit mir über dieses Thema spricht. Ehrenmord ist ein Tabu.

Schließlich gelingt es mir, ihn wenigstens teilweise zu überzeugen. Er ist wirklich ein sehr anständiger Mensch, ich bin gerührt, als er zögernd zu mir sagt: »Ich weiß nicht, ob ich den Mut aufbringe …«

»Wir können es doch wenigstens versuchen. Wenn es nicht geht, fahren wir zurück.«

»Also gut, aber sollte es irgendwelche Komplikationen geben, kehren wir auf der Stelle um. Das müssen Sie mir versprechen.«

Ich verspreche es. Dieser Mann, den ich Hassan nenne, wird mich also begleiten.

Ich bin eine junge Frau aus dem Westen, die im Mittleren Osten für Terre des Hommes arbeitet und sich um Kinder in Not kümmert, egal ob sie Moslems, Christen oder Juden sind. Das ist eine heikle Aufgabe, die viel Diplomatie erfordert. Als ich mit dem mutigen Arzt an meiner Seite losfahre, ist mir nicht in aller Tragweite bewusst, welches Risiko wir eingehen. Die Straßen sind unsicher, die Menschen misstrauisch, und ich verwickle diesen jungen arabischen Mediziner, der frisch von einer englischen Universität kommt, in ein Abenteuer, das selbst dann unglaublich schiene, wenn unser Ziel nicht so hoch gesteckt wäre. Er muss mich für komplett verrückt halten.

Ehe wir dann morgens losfahren, ist Hassan vor Angst ein bisschen grün im Gesicht. Ich müsste lügen, würde ich behaupten, mir wäre es gut gegangen. Doch mit meinem damaligen jugendlichen Übermut und meiner Überzeugung, anderen helfen zu wollen, stürze ich mich in das Abenteuer. Keiner von uns beiden ist bewaffnet.

Für mich heißt es jetzt: Gott befohlen, für ihn *inch'-Allah!*

Sobald wir die Stadt verlassen, kommen wir durch eine typisch palästinensische Landschaft aus lauter Parzellen, die Kleinbauern gehören. Jede Parzelle ist von einer Trockensteinmauer umgeben, auf denen es nur so von Eidechsen und Schlangen wimmelt. Die Erde ist ockerrot, hie und da wachsen Feigenbäume.

Die Straße aus der Stadt ist eine ungeteerte Piste, aber befahrbar. Sie verbindet die benachbarten Weiler, kleine Dörfer und Märkte. Die israelischen Panzer haben sie zwar ziemlich planiert, aber es gibt immer noch genug Schlaglöcher, über die mein kleines Auto holpert. Je weiter wir uns von der Stadt entfernen, umso mehr kleine landwirtschaftliche Anwesen sehen wir. Wenn eine Parzelle groß genug ist, bauen die Bauern Getreide an, ist sie klein, lässt man Vieh weiden, ein paar Schafe und Ziegen. Wenn der Bauer reich ist, sind es mehr.

Die Töchter erledigen die Arbeit auf dem Feld und mit den Tieren. Selten, um nicht zu sagen nie, dürfen sie die Schule besuchen, und wenn doch, werden sie meist schnell wieder nach Hause geholt, um auf die kleinen Geschwister aufzupassen. Ich hatte bereits verstanden, dass Souad Analphabetin war.

Hassan kennt zwar diese Piste, aber wir sind auf der Suche nach einem kleinen Dorf, von dem er noch nie gehört hat. Hin und wieder fragen wir nach dem Weg, aber da mein Auto ein israelisches Nummernschild hat, bringt uns das eher in Gefahr. Wir befinden uns auf besetztem Territorium, und die Auskünfte, die man uns gibt, sind nicht sehr Vertrauen erweckend.

Nach einiger Zeit sagt Hassan zu mir: »Es ist und bleibt sehr unvernünftig, wir werden in diesem Dorf ganz allein sein. Ich habe die Familie zwar telefonisch von unserem Besuch verständigt, aber wer weiß, wie sie uns erwarten? Nur der Vater? Die ganze Familie? Oder das ganze Dorf? Sie werden Ihr Verhalten nicht verstehen!«

»Haben Sie ihnen denn gesagt, dass sie sterben wird und dass wir deshalb zu ihnen kommen?«

»Genau das werden sie nicht verstehen. Sie haben sie verbrannt, und vielleicht erwartet uns derjenige, der das getan hat, hinter der nächsten Wegbiegung. Wahrscheinlich werden sie sagen, dass ihr Kleid Feuer gefangen hat oder dass sie Kopf voraus in die Glut gefallen ist! Es ist sehr kompliziert für die Familien ...«

Das weiß ich. Seit ich vor etwa zehn Tagen von dieser Geschichte erfahren habe, sagt man mir immer wieder, dass das mit einer verbrannten Frau eine sehr komplizierte Sache ist, in die ich mich lieber nicht einmischen sollte. Aber es ist nun einmal so, ich mische mich ein.

»Ich versichere Ihnen nochmals, es wäre besser, wenn wir umkehren würden ...«

Wieder versuche ich, meinem wertvollen Reisebegleiter Mut zu machen. Vielleicht hätte ich mich auch ohne ihn auf den Weg gemacht, aber eine Frau fährt nicht allein durch diese Gegend.

Schließlich machen wir das besagte Dorf ausfindig. Der Vater empfängt uns vor seinem Haus, im Schatten eines gewaltigen Baums. Ich setze mich auf den Boden, Hassan rechts neben mich. Der Vater sitzt ganz bequem an den Baum gelehnt und hat ein Bein angewinkelt, auf dem sein Stock liegt. Er ist ein kleiner, rothaariger Mann, blass, mit seinen Sommersprossen wirkt er beinahe wie ein Albino. Die Mutter bleibt stehen, sehr aufrecht in ihrem schwarzen Kleid und mit einem schwarzen Schleier über dem Kopf. Ihr Gesicht ist unverhüllt. Ihr Alter lässt sich nicht bestimmen, ihre Züge sind wie versteinert, ihr Blick ist hart. Die palästinensischen Bauersfrauen haben oft diesen Blick. Wenn man bedenkt, was sie an Arbeit, Kinderkriegen und Sklaverei zu erdulden haben, ist das ganz normal.

Das Haus ist von eher durchschnittlicher Größe und typisch für diese Gegend, aber wir bekommen nicht viel davon zu sehen. Von außen wirkt es verschlossen. Auf jeden Fall ist sein Besitzer nicht arm.

Hassan stellt mich vor, wie es sich hier gehört.

»Diese Frau arbeitet für eine Hilfsorganisation …«

Das Gespräch wird in palästinensischem Dialekt geführt, zunächst unterhalten sich nur die beiden Männer.

»Was macht das Vieh? … Und wie ist die Ernte? … Verkaufen Sie gut? …«

»Es läuft schlecht … Seit diesem Winter machen uns die Israelis jede Menge Probleme …«

Erst einmal wird ziemlich ausführlich über den Regen und das gute Wetter gesprochen, ehe man zum Anlass unseres Besuchs kommt. Das ist normal. Er spricht nicht von seiner Tochter, also Hassan auch nicht, und ich erst recht nicht. Man lädt uns zum Tee ein. Als Fremde, die zu Besuch ist, kann ich diese übliche Gastfreundschaft nicht ablehnen – dann ist es Zeit zu gehen. Wir verabschieden uns.

»Wir besuchen Sie bald wieder ...«

Wir insistieren nicht und fahren ab. Weil es so sein muss, das wissen wir beide. Man muss langsam zur Sache kommen, sich nicht als Feind oder Ausfrager benehmen, dem anderen Zeit lassen, damit man wiederkommen darf.

Jetzt sind wir wieder auf der Piste Richtung Stadt, etwa vierzig Kilometer davon entfernt. Ich erinnere mich noch an mein erleichtertes Seufzen.

»Das ist ganz gut gegangen. In ein paar Tagen fahren wir wieder hin.«

»Sie wollen wirklich noch mal hin?«

»Natürlich, bisher haben wir ja noch nichts erreicht.«

»Aber was wollen Sie ihnen denn vorschlagen? Mit Geld brauchen Sie nicht zu kommen, das können Sie vergessen. Ehre ist Ehre.«

»Ich setze auf die Tatsache, dass sie im Sterben liegt. Das stimmt leider, wie Sie selbst gesagt haben ...«

»Ohne Notversorgung, die schon längst überfällig ist, hat sie tatsächlich kaum eine Chance.«

»Eben, und weil das dauern kann, werde ich ihnen sagen, dass ich sie zum Sterben an einen anderen Ort bringe … Vielleicht kann ich sie überzeugen, dass sie damit ihr Problem los wären?«

»Sie ist minderjährig und hat keine Papiere, man braucht dazu die Genehmigung der Eltern. Sie werden sich nicht um die Papiere kümmern, es wird Ihnen nicht gelingen …«

»Wir fahren trotzdem wieder hin. Wann kündigen Sie uns erneut an?«

»In ein paar Tagen, geben Sie mir etwas Zeit …«

Sie hat keine Zeit mehr, die kleine Souad. Aber Hassan ist eben nicht nur der Wunderdoktor für meine Expedition, er hat auch noch seine Arbeit im Krankenhaus und eine Familie. Und allein die Tatsache, dass er sich in einen Fall von versuchtem Ehrenmord einmischt, kann ernsthafte Schwierigkeiten für ihn mit sich bringen. Ich verstehe das immer besser und respektiere sein umsichtiges Vorgehen. Ein Tabu dieser Größenordnung anzugreifen, der Versuch, es um jeden Preis zu umgehen, ist für mich neu, und ich investiere meine ganze Energie in diese Sache. Doch er ist es, der Kontakt zu dem Dorf aufnimmt, um unseren nächsten Besuch anzukündigen, und ich kann mir lebhaft vorstellen, wie viel Überzeugungskraft für diese simple Aufgabe nötig ist …

Souad wird sterben

Mein Bruder ist aber nett. Er wollte mir Bananen mitbringen. Der Doktor hat zu ihm gesagt, er soll nicht wiederkommen.«

»Wer hat dir das angetan?«

»Mein Schwager, Hussein, der Mann meiner ältesten Schwester. Meine Mutter hat Gift in einem Glas mitgebracht...«

Allmählich erfahre ich mehr über Souads Geschichte. Sie kann besser mit mir sprechen, aber die Zustände in diesem Krankenhaus sind schrecklich für sie. Einmal hat man sie gebadet, indem man sie an den wenigen Haaren, die ihr geblieben sind, gehalten hat. Die Verbrennungen infizieren sich, eitern und bluten ständig. Ich konnte ihren Oberkörper sehen: Sie hält den Kopf immer noch wie zum Gebet gesenkt, das Kinn heftet an ihrer Brust. Sie kann ihre Arme nicht bewegen. Das Benzin oder Petroleum wurde von oben über ihren Kopf gegossen. Beim Herunterlaufen hat es Hals, Rücken, Arme und den oberen Teil ihrer Brust verbrannt. Danach muss sie sich wie eine seltsame Mumie zusammengekauert haben, vielleicht beim Transport. Mehr als vierzehn Tage später befindet sie sich immer noch in dieser Stellung. Dazu kommen noch die Entbindung im Beinahe-Koma und die Tatsache, dass dieses Kind verschwunden ist. Der Sozialdienst hat wohl das arme kleine Bündel in irgendeinem Waisenhaus abgegeben, aber in welchem? Und die Zukunft dieser unehelichen Kinder kenne ich nur zu gut. Sie ist hoffnungslos.

Mein Plan ist verrückt. Ich will Souad erst einmal nach Bethlehem bringen. Die Stadt wird zu diesem Zeitpunkt von den Israelis kontrolliert, aber wir haben beide Zugang zu ihr. Sie in eine andere Stadt zu bringen, kommt nicht in Frage. Mir ist klar, dass man dort nicht über die notwendigen Einrichtungen zur Behandlung von Schwerstverbrannten verfügt. Bethlehem kann also nur die erste Etappe sein. In einem zweiten Schritt könnte man ihr dort aber die medizinische Grundversorgung zukommen lassen. Der dritte Schritt meines Plans: die Abreise nach Europa mit Zustimmung der Hilfsorganisation Terre des Hommes, die ich noch nicht eingeholt habe.

Nicht zu vergessen das Kind, das ich inzwischen ausfindig machen will.

Als der junge Arzt für die zweite Fahrt zu den Eltern in meinem Auto Platz nimmt, ist er noch immer genauso beunruhigt. Der gleiche Empfang, wieder draußen unter dem Baum, am Anfang wieder die gleiche belanglose Unterhaltung, aber diesmal erwähne ich die Kinder, von denen wir keines sehen.

»Sie haben viele Kinder. Wo sind sie denn?«

»Sie sind auf dem Feld. Wir haben eine verheiratete Tochter, sie hat zwei Söhne, und einen verheirateten Sohn, der ebenfalls gerade zwei Söhne bekommen hat.«

So viele Söhne, das ist gut. Man kann das Familienoberhaupt nur beglückwünschen. Und auch bedauern.

»Sie haben eine Tochter, die Ihnen große Sorgen macht.«

»*Ya haram*! Es ist furchtbar, was uns zugestoßen ist! Was für ein Unglück!«

»Das ist sehr schlimm für Sie.«

»Ja, es ist schlimm. *Allah Karim*! Aber Gott ist groß.«

»Hier im Dorf ist es sehr ungünstig, wenn man so schwierige Probleme hat ...«

»Ja, es ist hart für uns.«

Die Mutter spricht nicht. Sie steht nur steif dabei.

»Auf alle Fälle wird sie bald sterben. Es geht ihr sehr schlecht.«

»Ja. *Allah Karim*!«

Und mein Doktor bekräftigt sehr professionell: »Es geht ihr wirklich sehr schlecht.«

Er hat verstanden, worauf ich bei der absurden Verhandlung über den ersehnten Tod eines Mädchens hinauswill. Er unterstützt mich, macht noch ergänzend dazu eindeutige Gebärden über den unvermeidlichen Tod von Souad, während wir doch eigentlich das Gegenteil erhoffen ... Er übernimmt die Gesprächsführung.

Schließlich offenbart ihm der Vater dann auch den Kernpunkt ihrer Besorgnis: »Ich hoffe, wir können im Dorf bleiben.«

»O ja, bestimmt. Sie stirbt mit Sicherheit.«

»Wenn es Gottes Wille ist. Das ist unser Schicksal, wir

können es nicht ändern.« Aber er erwähnt mit keinem Wort, was passiert ist.

Ich warte eine Weile, dann mache ich meinen nächsten Schachzug: »Aber es wäre schlimm für Sie, wenn sie hier sterben würde, nicht wahr? Wie wollen Sie das mit der Beerdigung machen? Und wo?«

»Wir beerdigen sie hier im Garten.«

»Wenn ich sie mitnehmen würde, könnte sie an einem anderen Ort sterben, und Sie hätten damit nicht noch mehr Probleme.«

Die Eltern können absolut nicht verstehen, was das heißen soll, dass ich sie mitnehme, damit sie woanders stirbt. So etwas haben sie noch nie gehört.

Hassan bemerkt das und insistiert: »Für Sie würde es wirklich weniger Schwierigkeiten bedeuten, und auch für das Dorf ...«

»Schon, aber wir begraben sie dann einfach, so Gott will, und dann sagen wir allen, dass wir sie begraben haben, und Schluss.«

»Ich weiß nicht, überlegen Sie doch mal. Sollte ich sie nicht doch mitnehmen, damit sie woanders stirbt? Wenn es für Sie von Vorteil wäre, könnte ich das machen ...«

Es ist furchtbar, aber in diesem morbiden Spiel kann ich nur auf den Tod setzen! Souad ins Leben zurückzuholen und von Behandlung zu sprechen, wäre für die Eltern blanker Horror. Jetzt bitten sie darum, die Sache unter vier Augen zu besprechen. Damit wollen sie uns zu verstehen geben, dass wir gehen sollen. Was wir auch tun, nachdem wir uns förmlich verabschiedet haben und versprechen, dass wir wiederkommen. Wie ist unser

Vorgehen zu diesem Zeitpunkt einzuschätzen? Haben wir korrekt verhandelt? Souad soll verschwinden, damit ihre Familie in ihrem Dorf wieder geehrt wird ...

Gott ist groß, sagt der Vater, man muss Geduld haben.

Während dieser Zeit besuche ich Souad täglich im Krankenhaus, damit sie wenigstens ein Minimum an Pflege erhält. Meine Anwesenheit verpflichtet, dann wird zum Beispiel etwas öfter desinfiziert. Ohne Schmerzmittel und spezielle Behandlung muss die Haut der armen Souad allerdings eine riesige, für sie unerträgliche Wunde bleiben. Ihr Anblick ist auch für die anderen nur schwer zu ertragen. Wie in einem Märchen muss ich oft an die Krankenhäuser in meiner Heimat Frankreich denken, in Navarra oder irgendeiner anderen Stadt, wo man Patienten mit schweren Verbrennungen so behutsam und effektiv wie möglich behandelt, um ihnen die Schmerzen erträglich zu machen ...

Und wir nehmen unsere Verhandlungen wieder auf, immer zu zweit, mein mutiger Doktor und ich. Man muss das Eisen schmieden, solange es heiß ist. Das Geschäft muss diplomatisch und gleichzeitig zuverlässig abgeschlossen werden.

»Es ist nicht gut, wenn sie hier im Land stirbt. Auch wenn sie da im Krankenhaus stirbt, ist das schlecht für Sie. Wir können sie weit wegbringen, in ein anderes Land. Dann ist die Sache ausgestanden; Sie könnten dem ganzen Dorf sagen, dass sie gestorben ist. Sie stirbt in einem fremden Land, und Sie hören nie wieder von ihr.«

Jetzt ist die Stimmung mehr als angespannt. Ohne die notwendigen Papiere nutzt mir ihr ganzes Einverständnis nichts. Ich stehe kurz vor dem Ziel. Sonst verlange ich nichts, ich will nicht wissen, wer es getan hat, noch wer der Vater des Kindes ist. Das spielt in diesem Handel keine Rolle. Mich interessiert nur, wie ich sie überzeugen kann, dass ihre Tochter sterben wird, aber nicht hier. Sie werden mich für verrückt halten, für eine exzentrische Ausländerin, die für sie aber letztlich doch von Nutzen ist. Weil ich ihnen »etwas vom Hals schaffe«!

Ich spüre, wie sich meine Idee durchsetzt. Wenn sie ja sagen, können sie, sobald wir weg sind, dem ganzen Dorf den Tod ihrer Tochter bekannt geben, ohne weitere Einzelheiten, ohne Beerdigung im eigenen Garten. Dann können sie sagen, was sie wollen, sogar, dass sie ihre Ehre auf ihre Weise gerächt haben. Nach westlichem Verständnis ist das Ganze verrückt ... Es ist wirklich verrückt, wenn man sein Ziel nur unter solchen Bedingungen erreicht. Dieser Handel bereitet ihnen kein moralisches Kopfzerbrechen. Hier herrscht eine eigene Moral. Sie ist gegen Mädchen und Frauen gerichtet, die einem Gesetz unterworfen werden sollen, das nur für die männlichen Mitglieder der Clans von Vorteil ist. Sogar die Mutter akzeptiert diese Moral, ohne mit der Wimper zu zucken, wenn sie sich den Tod und das Verschwinden ihrer eigenen Tochter wünscht. Sie kann nicht anders, insgeheim bedaure ich sie sogar manchmal. Anders könnte ich die verschiedenen Mentalitäten nicht verarbeiten. Überall, wo ich arbeite, in Afrika, Israel, Jordanien oder im Westjordanland, akzeptiere ich die jeweilige Kultur und respektiere die überlieferten Sitten und Gebräuche. Deren Opfern Hilfe zu bringen, ist mein einziges Ziel. Aber noch nie zuvor habe ich so über ein Menschenleben verhandelt. Endlich geben sie nach.

Der Vater, und auch die Mutter, verlangen von mir das Versprechen, dass sie ihre Tochter nie wiedersehen! NIE wieder?

»Nein! Nie wieder! NIE!«

Ich verspreche es. Aber um mein Versprechen zu halten und Souad ins Ausland zu bringen, muss sie Ausweispapiere haben.

»Ich habe noch eine Bitte … Es ist zwar etwas umständlich, aber ich werde Sie begleiten und Ihnen dabei helfen. Wir müssen gemeinsam zu dem Büro fahren, das die Ausweis- und Reisepapiere ausstellt.«

Dieses neue Hindernis beunruhigt sie natürlich sofort. Jeder Kontakt mit der israelischen Bevölkerung und vor allem mit der israelischen Verwaltung ist für sie ein Problem.

»Ich hole Sie mit dem Auto ab, Sie und Ihre Gattin, und wir fahren nach Jerusalem, weil Sie persönlich unterschreiben müssen.«

»Wir können aber nicht schreiben!«

»Das macht nichts, der Fingerabdruck genügt …«

»In Ordnung, wir kommen mit.«

Nun muss ich erst einmal die Verwaltung auf die Geschichte vorbereiten, ehe ich die Eltern abhole. Zum Glück habe ich gute Beziehungen zum Amt für Visa in Jerusalem. Ich profitiere davon, dass ich mich verständigen kann und die Beamten wissen, wie ich mich für Kinder einsetze. Schließlich geht es ja um ein Kind, das ich retten will. Souad hat mir gesagt, dass sie siebzehn ist, egal, sie ist noch ein Kind. Ich erkläre den Israelis, dass ich ihnen die Eltern einer schwer verletzten Palästinenserin bringen werde. Sie sollen sie auf keinen Fall stundenlang warten lassen, damit sie nicht etwa gehen, ohne unterschrieben zu haben. Diese Leute seien Analphabeten, die zum Ausfüllen der Formulare meine Hilfe benötigten. Ich werde zusehen, dass sie eine Geburtsurkunde mitbringen, falls sie eine besitzen, dann müsste die Verwaltung nur noch auf dem Passierschein das Alter ihrer Tochter bestätigen. Dreist füge ich noch hinzu, dass besagtes Mädchen mit einem Kind ausreisen wird. Dabei weiß ich immer noch nicht, wo dieses Baby ist und wie ich es finden soll.

Doch das ist jetzt nicht wichtig: Eins nach dem anderen. Ich muss mich erst einmal darum kümmern, dass sich die Eltern in Bewegung setzen und dass die kleine Souad ein bisschen gepflegt wird.

Natürlich fragt mich der israelische Beamte: »Du kennst aber den Namen des Kindsvaters?«

»Nein, den kenne ich nicht.«

»Dann müssen wir also *illegitim* schreiben?«

Ich finde diesen Ausdruck in einem amtlichen Schreiben fehl am Platz.

»Nein, wir schreiben nicht *illegitim*! Ihre Mutter würde das Mädchen erwürgen, Ihre Illegitimitätsgeschichten können Sie sich sparen!«

Die Passierscheine für Souad und das Kind sind keine Ausweise, sondern nur eine Genehmigung für die Ausreise von Palästina ins Ausland. Souad wird nie wieder hierher zurückkommen. Das heißt, sie wird für ihre Heimat nicht mehr existieren, von der Landkarte gestrichen werden, die kleine Verbrannte. Wie ein Phantom.

»Stellen Sie mir bitte zwei Passierscheine aus, einen für die Mutter und einen für das Kind.«

»Wo ist dieses Kind?«

»Das weiß ich nicht, aber ich finde es.«

Es dauert, aber nach einer Stunde gibt mir die israelische Verwaltung schließlich grünes Licht. Gleich am nächsten Tag hole ich die Eltern ab, diesmal allein. Schweigend setzen sie sich in mein Auto, wie zwei Masken, und dann sind wir auch schon in Jerusalem, im Amt für Visa. Einem feindlichen Territorium für diese Leute, auf dem sie normalerweise wie Luft behandelt werden.

Ich sitze neben ihnen und warte. Für die Israelis bin ich so etwas wie eine Garantie, dass die beiden keine Bombe dabeihaben. Seit ich für Palästinenser und Israelis arbeite, bin ich hier sehr bekannt.

Plötzlich winkt mich der Beamte, der die Papiere ausstellt, zu sich: »In der Geburtsurkunde steht, dass das Mädchen neunzehn ist! Du hast gesagt, sie sei siebzehn!«

»Das werden wir jetzt nicht diskutieren, es kann dir doch egal sein, ob sie siebzehn oder neunzehn ist…«

»Und wieso hast du sie nicht mitgebracht? Sie muss auch unterschreiben!«

»Ich konnte sie nicht mitbringen, weil sie in einem Krankenhaus im Sterben liegt.«

»Und was ist mit dem Kind?«

»Hör zu, lassen wir das. Ihr gebt mir den Passierschein für ihre Tochter, hier vor ihren Eltern, und sie unterschreiben, weil die Tochter minderjährig ist. Den anderen behaltet ihr hier, ich hole ihn später ab.«

Die israelischen Beamten verhalten sich mir gegenüber seit einigen Jahren sehr kooperativ. Als ich in ihr Land kam, haben sie mich erst einmal festnehmen lassen. Danach musste ich mich mit ihnen auseinander setzen. Sie haben alles, was ich tat, genauestens überprüft. Als sie erfuhren, dass ich mich auch für israelische Kinder einsetze, die wegen der in manchen Gemeinschaften üblichen Verwandten-Ehe schwer behindert sind, hat sich unser Verhältnis erheblich gebessert. Leider kommen immer wieder Kinder aus ultra-religiösen Familien, in denen Cousins untereinander heiraten, mongoloid oder schwer behindert zur Welt. Das Gleiche gilt auch für bestimmte arabische Familien, die ultrareligiös sind. Meine Arbeit konzentriert sich zur Zeit auf dieses Problem, und zwar in beiden Bevölkerungsgruppen. Dadurch konnte ich, vor allem zur Verwaltung, ein gewisses Vertrauensverhältnis aufbauen.

Das Amt für Visa liegt außerhalb der Stadtmauern, am Rande der Altstadt von Jerusalem. Nun verlasse ich es mit dem kostbaren Dokument und den immer noch schweigenden Eltern zu Fuß, und wir gehen, bewacht von zahlreichen, bis an die Zähne bewaffneten israelischen Soldaten, zu meinem Auto zurück. So wie ich sie abgeholt habe, werde ich sie auch wieder in ihr Dorf bringen. Den kleinen rothaarigen Mann mit den blauen Augen, seinem weißen *keffieh* und seinem Stock und seine Frau, ganz in schwarz, den Blick auf ihr Kleid gesenkt.

Die Fahrt von Jerusalem in das Dorf dauert mindestens eine Stunde. Bei meiner ersten Begegnung mit ihnen hatte ich große Angst, wenn ich es mir auch nicht anmerken ließ. Jetzt fürchte ich mich nicht mehr vor ihnen, ich verurteile sie auch nicht, ich denke mir nur: »Arme Menschen.« Jeder hat sein eigenes Schicksal.

Weder auf der Hin- noch auf der Rückfahrt sagen sie ein einziges Wort. Sie befürchten, man könne ihnen dort, bei den Israelis, Schwierigkeiten machen. Ich versichere ihnen, dass sie keine Angst haben müssen und alles gut gehen werde. Abgesehen von wenigen wesentlichen Sätzen habe ich mich nicht wirklich mit ihnen unterhalten. Ich habe weder den Rest der Familie noch das Innere ihres Hauses kennen gelernt. Wenn ich sie so ansehe, kann ich mir nicht vorstellen, dass sie ihre Tochter töten wollten. Doch auch wenn der Schwager die Tat ausgeführt hat, waren sie es, die die Entscheidung getroffen haben ... Die gleiche Empfindung habe ich später, nach dieser ersten Erfahrung, bei der Begegnung mit anderen Eltern unter den gleichen Umständen. Ich kann sie nicht als Mörder betrachten. Diese hier weinen nicht, aber ich habe auch schon erlebt, dass sie geweint haben, weil sie gezwungen sind, so zu handeln, weil auch sie selbst Gefangene dieses schrecklichen Brauchs, des Ehrenmords, sind.

Vor ihrem Haus, hinter dem sich immer noch Geheimnis und Unglück verbergen, steigen sie aus dem Auto, ohne ein Wort zu sagen, und ich fahre weg. Wir werden uns nicht wiedersehen.

Mir bleibt noch viel zu tun. Vor allem muss ich mit meinem »Chef« sprechen.

Edmond Kaiser hat Terre des Hommes gegründet. Ich habe ihm noch nicht von meinem verrückten Plan erzählt, weil ich zuerst den administrativen Teil »zum Abschluss bringen« muss, wenn ich das einmal so nennen darf. Also melde ich mich bei Edmond Kaiser, der bis zu dieser Zeit noch nichts von derartigen Vorkommnissen gehört hat, und schildere ihm die Situation: »Ich habe hier ein junges Mädchen, das verbrannt wurde und das ein Baby hat. Ich möchte die beiden mit nach Europa nehmen, ich weiß allerdings noch nicht, wo das Kind ist. Bist du mit der Sache einverstanden?«

»Natürlich bin ich einverstanden.«

So ist das mit Edmond Kaiser. Ein wunderbarer Mann. So unkompliziert kann man mit ihm reden.

Ich kann es nicht erwarten, Souad aus ihrer Abstellkammer herauszuholen, wo sie wie ein Hund leidet, wo sie und ich aber auch den Vorteil genießen, in der Person von Doktor Hassan große Unterstützung zu finden. Ich glaube kaum, dass mein Plan ohne seinen Mut und seine Freundlichkeit gelungen wäre.

Gemeinsam haben wir beschlossen, Souad nachts ganz unauffällig auf einer Trage aus dem Haus zu bringen. Darüber haben wir uns mit dem Direktor des Krankenhauses geeinigt, damit sie niemand sieht. Ich weiß es nicht genau, aber ich vermute, man behauptet, sie wäre in dieser Nacht gestorben.

Ich lege sie auf den Rücksitz, es ist drei oder vier Uhr morgens, und wir brechen Richtung Bethlehem auf. Es gibt noch nicht so viele Straßensperren wie nach der Intifada. Die Fahrt verläuft ohne Zwischenfälle, und ich komme bei Tagesanbruch in dem Krankenhaus an, wo bereits alles vorbereitet ist. Der Chefarzt ist informiert, außerdem habe ich darum gebeten, dass man ihr keine Fragen zu ihrer Familie, ihrem Dorf oder ihren Eltern stellt.

Das Haus ist wesentlich besser ausgestattet und vor allem viel sauberer, was nicht zuletzt daran liegt, dass es vom Malteser Orden unterstützt wird. Souad bekommt ein eigenes Zimmer. Dort werde ich sie jeden Tag besuchen, solange ich auf die Visa für Europa warten und natürlich nach ihrem Kind suchen muss.

Mir gegenüber erwähnt sie das Baby nicht. Anscheinend reicht es ihr zu wissen, dass es irgendwo am Leben ist, und diese scheinbare Gleichgültigkeit ist nur zu verständlich. Schmerzen, Erniedrigung, Angst und Depression: Sie ist psychisch und physisch außerstande, sich als Mutter zu fühlen. Dazu muss man wissen, dass die Voraussetzungen für das uneheliche Kind einer Mutter, die für schuldig erklärt und deshalb zur Rettung der Ehre verbrannt wird, so ungünstig sind, dass man es besser von seiner Gemeinschaft trennen sollte. Wenn ich wüsste, dass dieses Baby unter guten Bedingungen in seiner Heimat aufwachsen könnte, würde ich mich dazu entschließen, es hierzulassen. Für Mutter und Kind wäre diese Lösung am einfachsten. Doch das ist leider unmöglich. Dieses Kind würde sein Leben lang, unter dem Schatten der vermeintlichen Schande seiner Mutter leidend, irgendwo in einem Waisenhaus vor sich hin vegetieren und nur verachtet werden. Ich muss das Kind hier rausholen, genau wie Souad.

»Wann fahren wir?«

Sie denkt an nichts anderes und stellt mir die Frage bei jedem Besuch.

»Wenn wir die Visa bekommen. Und wir bekommen sie, mach dir keine Sorgen.«

Sie beklagt sich, dass die Schwestern so grob sind, wenn sie ihre Verbände wechseln, schreit jedes Mal, wenn sich ihr jemand nähert, und fühlt sich misshandelt. Ich fürchte, dass ihre Versorgung, wenn auch hygienischer, so doch nicht ideal ist. Aber was gäbe es für andere Möglichkeiten, nachdem die Visa noch nicht fertig sind? Und mit solchen Papieren dauert es erfahrungsgemäß immer lange.

Inzwischen bemühe ich mich, das Baby zu finden, indem ich meine Beziehungen spielen lasse.

Die Freundin, die mir von Souads Fall erzählt hat, nimmt etwas widerstrebend Kontakt mit einer Sozialarbeiterin auf, die sich noch abweisender zeigt. Der Bericht meiner Freundin ist unmissverständlich: »Sie weiß, wo sich das Kind befindet, und dass es ein Junge ist. Aber man kann ihn nicht einfach so holen, das ist unmöglich. Sie findet es nicht gut, dass du dich mit dem Kind belasten willst. Außerdem hat sie Recht: Es stellt eine zusätzliche Belastung für dich und natürlich auch für die Mutter dar!«

Also frage ich Souad nach ihrer Meinung.

»Wie soll dein Sohn heißen?«

»Marouan.«

»Hast du ihm diesen Namen gegeben?«

»Ja. Der Arzt hat mich danach gefragt.«

Zeitweilig kann sie sich an nichts erinnern, dann wieder hat sie klare Momente – eine Situation, mit der ich nicht immer zurechtkomme. Die schrecklichen Umstände ihrer Entbindung hat sie vergessen, so wie die Tatsache, dass man ihr gesagt hatte, es sei ein Sohn. Auch hatte sie mir nie von seinem Namen erzählt. Und dann bekomme ich auf einmal auf eine einfache Frage eine klare Antwort. Ich mache in diesem Stil weiter: »Was meinst du? Ich finde, wir können nicht ohne Marouan gehen. Ich werde ihn finden, wir können ihn nicht einfach hier lassen ...«

Sie schaut gequält nach unten, weil ihr Kinn noch immer an ihrer Brust haftet.

»Glaubst du wirklich?«

»Ja. Du wirst gehen, du wirst gerettet werden, aber ich weiß, unter welchen Umständen Marouan hier wird leben müssen, das ist die Hölle.«

Er ist für immer der Sohn einer *charmuta*. Ein Hurensohn. Ich spreche es nicht aus, aber sie muss es eigentlich wissen. Mir genügt, wie sie »glaubst du wirklich« betont hat. Sie hat zugestimmt.

Also suche ich weiter nach dem Kind. Zunächst gehe ich in einige Waisenhäuser auf der Suche nach einem Baby, das etwa zwei Monate alt sein muss und mit Vornamen Marouan heißt. Aber ich kann es nicht entdecken und habe es auch nicht besonders leicht, dieses Kind zu finden. Die Sozialarbeiterin mag Mädchen wie Souad nicht. Sie ist Palästinenserin und kommt aus einer angesehenen Familie, trotzdem ist sie der Tradition verhaftet. Und ohne ihre Hilfe habe ich keine Chance. Weil ich nicht nachgebe und vor allem weil sie meiner Freundin einen Gefallen tun will, nennt sie mir endlich die Einrichtung, wo der Junge untergebracht wurde. Das war damals eher ein Rattenloch als ein Waisenhaus. Und ihn dort herauszuholen, ist sehr schwierig. Er ist Gefangener des Systems, das ihn dort abgestellt hat.

Ich probiere es über zahlreiche Ansätze, deren Mäander etwa zwei Wochen später endlich zum Ziel führen. Ich treffe mich mit den unterschiedlichsten Mittelsleuten: Die einen wären sehr dafür, das Kind das gleiche Schicksal wie seine Mutter erleiden zu lassen, andere hätten einfach gern ein Problem und einen hungrigen Mund weniger. Manche dieser Kinder sterben, ohne dass es dafür eine Erklärung gibt. Schließlich treffe ich aber auch jene, die ein gutes Herz haben und meine Hartnäckigkeit verstehen. Was bei der Sache herauskommt: Ich stehe da mit einem zwei Monate alten Baby im Arm, das einen winzigen, leicht birnenförmigen Kopf hat und auf der Stirn eine kleine Beule, die darauf zurückzuführen ist, dass es zu früh geboren wurde. Aber das Kind ist gesund, was es sich selbst zu verdanken hat, weil es weder behütet wurde noch Zärtlichkeit kennen gelernt hat. Man sieht lediglich die Spuren einer leichten Gelbsucht, die für Neugeborene typisch ist. Ich hatte Angst, es könnte ernste gesundheitliche Probleme haben. Seine Mutter brannte mit dem Kind im Bauch wie eine Fackel und brachte es unter albtraumartigen Umständen zur Welt. Er ist mager, aber nicht zu sehr, sieht mich mit großen, runden Augen an, weint nicht und ist ganz still.

Wer ich bin? Zorro? Wie dumm von mir, er kennt Zorro doch nicht …

Ich bin den Umgang mit unterernährten Kindern gewöhnt. Damals haben wir sechzig von ihnen in einem Heim untergebracht. Aber ich nehme ihn mit zu mir, wo ich alles für ihn da habe. Bereits vor ihm habe ich Kinder »herausgeholt«, um sie in Europa behandeln zu lassen. Zum Schlafen lege ich Marouan in einen Korb, er ist gewickelt, angezogen und satt. Ich habe die Visa. Alles ist bereit. Edmond Kaiser erwartet uns in Lausanne, Ziel Universitätsklinikum, Abteilung für schwere Verbrennungen.

Morgen reisen wir ab. Auf einer Trage müssen wir die Mutter zum Flughafen von Tel Aviv transportieren. Souad lässt wie ein kleines Mädchen alles mit sich geschehen. Sie leidet schreckliche Qualen, aber wenn ich sie frage: »Wie geht es dir? Hoffentlich ist es nicht zu schlimm?«, antwortet sie nur: »Doch, es ist schlimm.« Weiter nichts.

»Vielleicht wäre es besser, wenn du dich ein bisschen ausstreckst?«

»Ja, das ist besser. Danke.«

Ständig bedankt sie sich. Danke für den Rollstuhl am Flughafen, ein Gerät, das sie noch nie gesehen hatte. Danke für einen Kaffee mit Strohhalm. Danke, dass ich sie in einer ruhigen Ecke unterbringe, während ich die Tickets bestätigen lasse. Ich trage das Kind, das mich bei den umständlichen Formalitäten stört. Also sage ich zu

Souad: »Pass auf, ich gebe dir jetzt den Kleinen, bleib einfach still sitzen…«

Sie wirkt erschrocken. Wegen ihrer Verbrennungen kann sie ihn nicht in den Arm nehmen. Es gelingt ihr aber immerhin, die Arme – starr vor Angst – rechts und links an den Körper des Babys zu legen. Mit einer Geste zeigt sie mir, dass sie Angst hat, als ich ihr das Kind gebe. Für sie ist das sehr schwierig.

»Bleib einfach so. Ich komme gleich wieder.«

Ich bin gezwungen, ihre Hilfe in Anspruch zu nehmen, weil ich nicht alles auf einmal machen kann: Den Rollstuhl schieben, das Kind tragen, an allen Schaltern im Flughafen vorsprechen, an denen ich Pass, Visa und Passierscheine vorzeigen und Erklärungen über meine merkwürdige Reisegesellschaft abgeben muss.

Es ist ein Albtraum, weil die Reisenden, die ihr begegnen, sich wie alle Leute benehmen, wenn sie ein kleines Baby sehen: »Oh, das ist aber ein hübsches Baby! Und noch so klein!«

Sie würdigen die vollkommen entstellte Mutter, die sich über ihr Kind beugt, keines Blickes. Über ihren Verbänden trägt sie einen Krankenhauskittel – es war zu schwierig, sie anzuziehen –, eine Wolljacke von mir und darüber noch eine Decke. Sie kann den Kopf nicht heben, um sich bei den Passanten zu bedanken, und ich weiß, wie sehr sie dieses Kind mit Panik erfüllt, das die Leute so niedlich finden.

Während ich sie allein lasse, um die notwendigen Formalitäten zu erledigen, kommt mir die ganze Szene sehr surrealistisch vor! Diese verbrannte Frau mit dem Kind auf dem Schoß. Sie ist durch die Hölle gegangen, und das Kind auch, aber die Leute gehen lächelnd an ihnen vorbei und sagen: »Oh, was für ein hübsches Baby!«

Als wir an Bord gehen wollen, ergibt sich ein weiteres Problem: Wie soll Souad ins Flugzeug kommen? Ich habe schon einmal einen Rollstuhl eine Gangway hinaufgeschoben, aber hier weiß ich wirklich nicht weiter. Die Israelis kennen einen Ausweg. Sie holen einen riesigen Kran, und Souad wird in einer Art Kabine an diesen Kran gehängt. Die Kabine fährt langsam nach oben, sie erreicht die Höhe der Einstiegstür, und zwei Männer holen sie ins Flugzeug.

Ich habe vorne drei Plätze nebeneinander reserviert, damit sie sich hinlegen kann, und die Stewardessen haben einen Vorhang angebracht, damit sie vor den Blicken der Mitreisenden geschützt ist. Marouan liegt in einer Wiege der Fluggesellschaft. Direktflug nach Lausanne.

Souad beklagt sich nicht. Ich versuche ihr zu helfen, damit sie hin und wieder eine andere Haltung einnehmen kann, aber nichts bedeutet für sie wirkliche Erleichterung. Die Schmerzmittel helfen kaum. Sie ist ein wenig verängstigt und schläfrig, aber zuversichtlich. Sie wartet. Ich kann sie nicht dazu bringen, etwas zu essen, nur dabei helfen, dass sie mit einem Strohhalm etwas trinkt. Also kümmere ich mich um das Baby und wickle es – sie will es nicht anschauen.

Vieles ist so kompliziert für sie, und so neu – sie hat keine Ahnung, was die Schweiz ist, das Land, in das ich sie bringe. Sie war noch nie in einem Flugzeug, hat noch nie einen Kran gesehen, und auch nicht so viele verschiedene Leute in der für einen internationalen Flughafen üblichen Hektik. Ich habe so etwas wie eine kleine »wilde« Analphabetin bei mir, die noch viele Dinge zu entdecken hat, die ihr jetzt wahrscheinlich Angst einjagen. Und ich weiß auch, dass ihre Schmerzen noch lange dauern werden. Es wird sehr lange dauern, ehe dieses Überleben zu einem erträglichen Leben werden kann. Ich weiß nicht einmal, ob sie operiert werden kann oder ob Transplantationen überhaupt noch möglich sind. Nicht zuletzt muss sie sich im Westen integrieren, eine neue Sprache erlernen und was sonst noch alles dazu gehört. Wenn wir ein Opfer »herausholen«, wissen wir, dass wir lebenslange Verantwortung übernehmen, wie Edmond Kaiser es ausdrückt.

Souad liegt mit dem Kopf neben einem Fenster. Ich kann mir nicht vorstellen, dass sie in ihrem Zustand darüber nachdenkt, was sie erwartet. Sie hofft auf etwas, ohne genau zu wissen worauf.

»Kannst du das sehen? Das sind Wolken.«

Sie schläft jetzt. Einige Passagiere beschweren sich über den Geruch, trotz der Vorhänge um sie herum. Seit ich Souad zum ersten Mal an diesem Ort der Verbannung und des Todes besucht habe, sind zwei Monate vergangen. Jeder einzelne Zentimeter der Haut auf ihrem Oberkörper und ihren Armen hat sich in eine ausgedehnte, eitrige Wunde verwandelt. Die Passagiere können sich die Nase zuhalten und der Stewardess mit Grimassen zeigen, wie sehr sie sich ekeln, das ist mir völlig egal. Ich habe eine verbrannte Frau und ihr Kind bei mir – eines Tages werden sie wissen, warum. Sie werden auch erfahren, dass es mehr von diesen Opfern gibt, die schon gestorben sind oder im Sterben liegen, in allen Ländern, in denen das Gesetz der Männer den Ehrenmord eingeführt hat. Im Westjordanland, aber auch in Jordanien, der Türkei, im Iran, Irak und im Jemen, in Indien, in Pakistan und auch in Israel – sogar in Europa. Sie werden erfahren, dass die wenigen Frauen, die überlebt haben, sich ihr Leben lang verstecken müssen, damit ihre Mörder sie nicht wieder finden, egal wo sie sich aufhalten. Weil sie immer wieder auf ihre Spur kommen. Sie sollen wissen, dass sich die meisten Hilfsorganisationen nicht um diese Frauen kümmern, weil sie ganz individuelle gesellschaftliche, »kulturspezifische« Fälle darstellen! Und dass die Gesetze mancher Länder ihre Mörder schützen. Diese Vorfälle rufen keine großen Kampagnen wie die gegen Hunger oder Krieg, für Flüchtlinge oder die Opfer großer Epidemien hervor. Das verstehe ich und akzeptiere es auch. Jeder hat seine eigene Rolle in diesem tristen Weltgeschehen. Und die Erfahrung, die ich soeben gemacht habe, zeigt, wie schwierig es ist und wie viel Zeit es braucht, um Überlebende dieser Taten ausfindig zu machen und ihnen auf eigene Rechnung und Gefahr zu helfen.

Souad ist meine erste »Rettung« dieser Art, aber die Arbeit ist damit nicht zu Ende. Ihren Tod zu verhindern, war eine Sache, für ihr Überleben zu sorgen, ist eine andere.

In der Schweiz

Ich lag im Flugzeug und konnte sein hübsches kleines Gesicht sehen, dunkel und schmal unter der weißen Mütze. Ich hatte jegliches Zeitgefühl verloren und glaubte, Marouan könnte höchstens drei Wochen alt sein, obwohl er schon zwei Monate alt war. Jacqueline hat gesagt, dass wir am 20. Dezember in Genf landeten.

Ich hatte Angst, als sie ihn mir auf den Schoß legte. Meine Arme konnten ihn nicht halten. Außerdem war ich vor Scham und Schmerzen so verwirrt, dass ich gar nicht richtig begriff, was vor sich ging.

Ich schlief sehr viel. Deshalb kann ich mich nicht einmal mehr daran erinnern, wie ich das Flugzeug verlassen habe und in den Helikopter gelangt bin, der mich ins Krankenhaus flog. Erst am nächsten Tag verstand ich, wo ich war.

Von diesem einzigartigen Tag habe ich eigentlich nur Marouans Gesicht und die Wolken in Erinnerung behalten. Ich wunderte mich über diese komischen weißen Dinger hinter dem Fenster, woraufhin mir Jacqueline erklärte, dass wir uns in der Luft befänden. Ich hatte zwar verstanden, dass wir auf dem Weg in die Schweiz waren, konnte mir aber damals nichts darunter vorstellen. Ich dachte, ich käme in ein jüdisches Land, weil alles, was außerhalb meines Dorfes liegt, Feindesland war.

Damals hatte ich keine Ahnung von der Welt, von fremden Ländern und ihren verschiedenen Namen. Ich kannte nicht einmal mein eigenes Land. Während ich aufwuchs, wusste ich nur eines: Es gibt meine Heimat und den Rest der Welt. Dort ist der Feind, sagte mein Vater, und er isst Schweinefleisch!

Ich sollte also in einem feindlichen Land leben, war aber ganz zuversichtlich, weil diese Frau mich begleitete.

Die Leute im Krankenhaus wussten nichts von meiner Geschichte. Jacqueline und Edmond Kaiser hatten nichts erzählt. Ich war eine Patientin mit Verbrennungen dritten Grades, etwas anderes zählte für das Personal nicht.

Gleich am nächsten Tag wurde ich für eine Notoperation vorbereitet, mit der mein Kinn von der Brust getrennt werden sollte, damit ich den Kopf wieder heben konnte. Darunter war nichts als nacktes Fleisch, ich bestand aus vierunddreißig Kilo Verbrennungen und Knochen und noch etwas Haut. Jedes Mal, wenn ich die Schwester mit ihren Instrumenten und dem Verbandszeug kommen sah, brach ich schon im Voraus in Tränen aus. Dabei bekam ich Beruhigungsmittel, und die Schwester war sehr behutsam. Sie schnitt die abgestorbene Haut ab, indem sie sie vorsichtig mit einer Pinzette anhob. Sie gab mir Antibiotika und cremte mich ein. Der Horror von Bethlehem hatte ein Ende, wo man mich unter die Dusche gezwungen und mir die Wundgaze rücksichtslos abgerissen hatte. Schließlich gelang es ihnen, meine Arme zu entkrampfen, damit ich sie wieder bewegen konnte. Am Anfang hingen sie noch wie Puppenarme an mir herunter.

Ich lernte wieder aufzustehen, ging die Flure auf und ab, benutzte meine Hände und begann, diese neue Welt zu erforschen, deren Sprache ich nicht kannte. Da ich auch auf Arabisch weder lesen noch schreiben konnte, verbarg ich mich hinter vorsichtigem Schweigen, bis ich mir endlich einen kleinen Grundwortschatz erworben hatte.

Verständigen konnte ich mich nur mit Jacqueline und Hoda, die beide Arabisch sprachen. Edmond Kaiser war wunderbar. Ich verehrte ihn wie keinen anderen Mann zuvor. Er war mein *wahrer* Vater, wie ich jetzt weiß, weil er mir das Leben gerettet hatte, indem er Jacqueline zu mir schickte.

Als ich zum ersten Mal mein Zimmer verließ, um Marouan auf der Kinderabteilung zu besuchen, war ich entsetzt, wie frei sich die jungen Frauen gaben. Sie waren geschminkt und frisiert, trugen kurze Röcke und unterhielten sich mit den Männern. »Sie reden mit den Männern, also werden sie sterben!«, dachte ich mir. Ich war derart schockiert, dass ich bei der nächsten Gelegenheit mit Jacqueline und Edmond Kaiser darüber sprach.

»Sieh nur, das Mädchen da, sie redet mit einem Mann! Man wird sie töten.« Und ich machte eine eindeutige Handbewegung.

»Nein nein, wir sind hier in der Schweiz, das ist hier

nicht so wie bei dir, dafür schneidet ihr keiner den Kopf ab, das ist vollkommen normal.«

»Aber da, man sieht ihre Beine, man darf doch nicht ihre Beine sehen.«

»Doch, Souad, das ist ganz normal, sie trägt einen Schwesternkittel.«

»Und ihre Augen, ist es nicht schlimm, wenn man sie schminkt?«

»Nein, wirklich nicht, bei uns schminken sich die Frauen, sie gehen aus, sie dürfen einen Mann haben. Es ist anders als bei dir. Du bist hier nicht zu Hause, du bist in der Schweiz.«

Ich konnte es einfach nicht verstehen, ich brachte es nicht in meinen Kopf hinein. Wahrscheinlich habe ich Edmond Kaiser fast verrückt gemacht, weil ich ihm immer wieder die gleichen Fragen stellte. Beim ersten Mal sagte ich: »Dieses Mädchen sehe ich nicht wieder. Weil sie sterben wird.«

Am nächsten Tag musste ich feststellen, dass sie noch da war und freute mich sehr für sie. »Zum Glück ist sie noch am Leben. Sie trägt denselben weißen Kittel wie gestern, und man sieht ihre Beine, also hatten sie Recht, dafür stirbt man nicht«, dachte ich mir. Ich hatte geglaubt, dass es überall so wie bei mir zu Hause wäre. Wenn ein Mädchen mit einem Mann redet und dabei ertappt wird, ist sie tot.

Außerdem schockierte mich das Auftreten dieser jungen Frauen. Sie lächelten ständig, waren fröhlich und bewegten sich frei wie Männer ... Und es gab sehr viele blonde Frauen.

»Warum sind sie blond? Warum sind sie nicht so dunkel wie ich? Weil die Sonne hier weniger scheint? Wenn es wärmer wird, bekommen sie dann alle schwarze, krause Haare? Oh, sie trägt kurze Ärmel! Sieh nur, da, die beiden Frauen lachen! Bei uns lacht keine Frau mit einer anderen, keine Frau trägt jemals kurze Ärmel ... Und sie haben alle Schuhe an!«

»Warte nur, du hast längst noch nicht alles gesehen!«

Ich weiß noch genau, wie ich allein mit Edmond Kaiser das erste Mal in die Stadt gefahren bin. Jacqueline war bereits wieder zu ihrer Mission aufgebrochen. Ich sah Frauen, die im Restaurant saßen und rauchten, mit bloßen Armen und schöner weißer Haut. Ich sah ausschließlich Blondinen mit weißer Haut, sie faszinierten mich. Ich fragte mich, woher sie alle kamen. Bei uns sind blonde Frauen so selten, dass die Männer sehr hinter ihnen her sind, meines Erachtens mussten sie deshalb in Gefahr sein. Edmond Kaiser gab mir meine erste Stunde in Geografie.

»Sie sind mit dieser weißen Haut geboren, in anderen Ländern kommt man mit einer anderen Hautfarbe zur Welt. Aber bei uns in Europa gibt es Schwarze, Weiße, Rothäutige mit Flecken im Gesicht ...«

»Solchen Flecken wie meine?«

»Nein, nicht von Verbrennungen. Sie haben ganz kleine Flecken auf ihrer weißen Haut, Sommersprossen, das kommt von der Sonne!«

Ich suchte vergeblich nach einer Frau wie mir und fragte Edmond Kaiser dann: »Gott möge mir verzeihen, aber ich würde wirklich gerne mal eine andere verbrannte Frau sehen, mir ist noch keine begegnet. Warum bin ich denn die einzige verbrannte Frau?«

Heute noch habe ich das Gefühl, ich bin die einzige verbrannte Frau auf der ganzen Welt. Wenn ich einen Unfall gehabt hätte, wäre es etwas anderes gewesen. Aber es war nun einmal mein Schicksal, und mit dem Schicksal darf man nicht hadern.

Nachts hatte ich Albträume, in denen das Gesicht meines Schwagers vor mir auftauchte. Ich spürte, wie er auf mich zukam, und hörte ihn sagen: »Ich will dir helfen ...«

Dann lief ich brennend davon. Oft musste ich auch tagsüber ganz plötzlich daran denken und bekam große Lust zu sterben, damit das Leid ein Ende hätte.

Mein Leben lang werde ich mich verbrannt fühlen, anders. Mein ganzes Leben lang werde ich mich verstecken und lange Ärmel tragen müssen, obwohl ich von den kurzen Ärmeln träume, wie sie die anderen Frauen tragen, hochgeschlossene Blusen anziehen müssen, obwohl ich von den weit ausgeschnittenen träume. Sie haben diese Freiheit. Ich bin eine Gefangene meiner Haut, auch wenn ich mich in derselben freien Stadt wie sie bewege.

Irgendwann überkam es mich, Edmond Kaiser zu fragen, ob ich einmal einen glänzenden Goldzahn bekommen würde. Lächelnd antwortete er mir: »Nein, erst einmal musst du gesund werden; dann können wir an deine Zähne denken.«

In meiner Heimat ist ein Goldzahn etwas Wunderbares. Alles, was glänzt, ist wunderbar. Aber ich muss ihn mit dieser seltsamen Frage sehr überrascht haben. Ich besaß nichts, ich lag fast die ganze Zeit, manchmal ging jemand zwischen den einzelnen Behandlungen mit mir spazieren, ich hatte wochenlang nicht duschen dürfen. Solange meine Wunden nicht verheilt waren, konnte ich nichts anziehen, über den Verbänden trug ich ein Krankenhaushemd. Ich konnte nicht lesen, weil ich es nicht gelernt hatte. Ich konnte nicht sprechen, weil mich die Schwestern nicht verstanden. Bevor Jacqueline abgereist war, hatte sie ihnen Zettel geschrieben, auf denen arabische Wörter in Lautschrift und dann auf Französisch standen. Essen, schlafen, Toilette, schlecht, gut – alles was wichtig sein konnte, wenn sie mich behandeln wollten. Wenn ich das Bett verließ, stand ich oft am Fenster. Ich betrachtete die Stadt, die Lichter und die Berge dahinter. Es war sehr schön. Ich bestaunte dieses Schauspiel mit offenem Mund. Ich wollte raus und spazieren gehen, so etwas Schönes hatte ich noch nicht gesehen.

Jeden Morgen besuchte ich Marouan. Um in die Säuglingsstation zu gelangen, musste ich das Gebäude verlassen. Mir war kalt. Ich hatte nur das Krankenhaushemd, das im Rücken geschlossen wurde, einen Morgenmantel und Schuhe, die dem Krankenhaus gehörten. Zusammen mit der Zahnbürste vom Krankenhaus stellte das meinen gesamten Besitz dar. Deshalb ging ich schnell, wie zu Hause, mit gesenktem Kopf. Die Krankenschwester bat mich, mich zu schonen, aber das wollte ich nicht. Ich wollte draußen prahlen, weil ich am Leben war, auch wenn ich noch Angst hatte. Dagegen waren Schwestern und Ärzte machtlos. Ich hatte den Eindruck, ich wäre die einzige verbrannte Frau der ganzen Welt. Ich fühlte mich erniedrigt und schuldig und konnte mich von diesem Gedanken nicht befreien. Wenn ich im Bett lag und allein war, dachte ich manchmal, ich sollte sterben, weil ich es nicht anders verdient hatte. Als Jacqueline mich von Bethlehem ins Flugzeug nach Lausanne gebracht hat, habe ich mich die ganze Zeit wie ein Müllsack gefühlt, das weiß ich noch. Sie hätte mich in eine Ecke werfen und verfaulen lassen sollen. Dieser Gedanke und die Scham darüber, so zu sein, wie ich war, überkamen mich immer wieder.

Schließlich fing ich an, mein früheres Leben zu vergessen, in diesem Land wollte ich jemand anderes sein. Wie diese freien Frauen, ich wollte mich integrieren und so schnell wie möglich dort zu leben lernen. Jahrelang habe ich meine Erinnerungen vergraben. Mein Dorf und meine Familie sollte es für mich nicht mehr geben. Aber Marouan war da und die Schwestern, die mir zeigten, wie ich ihm das Fläschchen geben musste, damit ich wenigstens für ein paar Minuten am Tag, soweit es mein körperlicher Zustand zuließ, Mutter sein durfte. Mein Sohn möge mir verzeihen, aber es fiel mir sehr schwer, das zu tun, was sie von mir verlangten. Irgendwie fühlte ich mich schuldig, dass ich seine Mutter war. Wer sollte das verstehen? Ich war nicht in der Lage, ihn anzunehmen, mir seine Zukunft zusammen mit mir und meinen Verbrennungen vorzustellen. Wie sollte ich ihm später einmal erklären, dass sein Vater ein Feigling war? Wie sollte ich verhindern, dass er sich vielleicht einmal selbst schuldig fühlen würde für das, was mir widerfahren war? Ein entstellter Körper, abscheulich anzusehen. Ich wusste nicht einmal mehr selbst, wie ich »vorher« ausgesehen hatte. Bin ich hübsch gewesen? War meine Haut zart? Sind meine Arme wohlgeformt, ist mein Busen verführerisch gewesen? Es gab Spiegel und die Blicke der anderen. In ihnen sah ich mich hässlich und erbärmlich – äußerlich wie innerlich. Ein Müllsack. Ich brauchte noch medizinische Behandlung. Man kümmerte sich um meinen Körper, verhalf mir zu neuen Körperkräften, aber in meinem Kopf funktionierte das alles nicht immer. Nicht nur, dass ich den Begriff »Depression« damals nicht hätte erklären können, er war mir vollkommen unbekannt. Erst Jahre später habe ich mich damit auseinander gesetzt. Ich dachte einfach, ich dürfte mich nicht beklagen, und habe deshalb zwanzig Jahre meines Lebens so tief vergraben, dass es mir noch immer sehr schwer fällt, bestimmte Erinnerungen hervorzuholen. Ich glaube, dass es keine andere Möglichkeit gab, um nicht verrückt zu werden.

Dann folgten monatelang die Transplantationen. Insgesamt waren es vierundzwanzig Operationen. Meine Beine, die nicht verbrannt waren, lieferten die Ersatzhaut. Nach jedem Eingriff musste gewartet werden, bis die Haut verheilt war, dann ging es weiter. Bis ich keine Haut mehr hatte, die ich hergeben konnte.

Die transplantierte Haut war sehr empfindlich, ich musste sie sehr aufwendig pflegen, damit sie geschmeidig wurde und blieb. Das muss ich heute noch.

Edmond Kaiser fand es an der Zeit, mir eigene Kleidung zu kaufen. Er brachte mich in ein Kaufhaus, das so groß und so voller Kleider und Schuhe war, dass ich überhaupt nicht wusste, was ich als Erstes anschauen sollte. Ich wollte keine bestickten Pantoffeln, wie man sie bei mir zu Hause trägt. Außerdem wollte ich eine richtige Hose, keinen *saroual*. Ich hatte schon früher Mädchen in solchen Hosen gesehen, als ich mit meinem Vater zum Markt fuhr, um Obst und Gemüse zu verkaufen. Sie trugen modische Hosen, die unten sehr weit waren und die man »Charleston«-Hosen nannte. Aber das waren schlechte Mädchen, und ich durfte so etwas nicht tragen, dort zu Hause.

Ich habe meine »Charleston«-Hose nicht bekommen. Edmond Kaiser kaufte mir ein Paar schwarze Schuhe mit kleinen Absätzen, eine normale Jeans und einen schönen Pullover. Ich war enttäuscht. Seit neun Monaten sehnte ich mich nach diesen neuen Kleidern, ich hatte sogar davon geträumt. Aber ich habe gelächelt und mich bedankt. Ich hatte mir angewöhnt, alle Leute ständig anzulächeln, was sie sehr erstaunte, und mich ständig für alles zu bedanken. Das Lächeln war meine Antwort auf ihre Freundlichkeit, aber lange Zeit auch meine einzige Möglichkeit, mit anderen zu kommunizieren. Wenn ich weinen musste, versteckte ich mich – eine alte Angewohnheit. Das Lächeln gehörte zu einem anderen Leben. Hier lächelten alle Leute, sogar die Männer. Ich wollte so viel wie möglich lächeln. Und mich bedanken, das war das Mindeste, was ich tun konnte. Kein Mensch hatte sich früher bei mir bedankt, wenn ich wie eine Sklavin arbeitete, weder mein Vater, noch mein Bruder noch sonst jemand. Ich war an Schläge gewöhnt, nicht an Dank.

Deshalb bedeutete »danke« für mich große Freundlichkeit und großen Respekt. Und ich sagte es gerne, weil man es auch zu mir sagte. Danke für den neuen Verband, für die Schlaftablette, für die Creme, damit ich mir nicht die Haut vom Leib kratzte, für das Essen und vor allem für die Schokolade. Oft habe ich eine ganze Tafel Schokolade auf einmal verschlungen ... Sie schmeckt so gut und ist so tröstlich.

Also bedankte ich mich bei Edmond Kaiser für die Hose, die Schuhe und den Pullover.

»Hier bist du eine freie Frau, Souad, du kannst machen, was du willst. Aber ich rate dir, dich schlicht zu kleiden, Kleidungsstücke zu wählen, die dir stehen, die deine Haut nicht reizen und in denen du nicht auffällst.«

Natürlich hatte er Recht. In diesem Land, das mich so wohlwollend aufnahm, war ich noch immer eine kleine Schäferin aus dem Westjordanland, ungebildet, ohne Erziehung und ohne Familie, die von einem Goldzahn träumte!

Ein Jahr nach meiner Ankunft in der Schweiz wurde ich aus dem Krankenhaus entlassen und kam in ein Auffanglager.

Neue Transplantationen folgten. Ich kehrte ins Krankenhaus zurück, um dort wieder zu leiden. Psychisch ging es mir oft schlecht, aber ich überlebte. Mehr konnte ich eigentlich nicht verlangen. Allmählich lernte ich ein wenig Französisch, einzelne Wörter und Redewendungen, die ich wie ein Papagei nachplapperte, ohne überhaupt zu wissen, was ein Papagei ist!

Jacqueline hat mir später erklärt, dass Terre des Hommes zu der Zeit, als sie mich nach Europa holte, nicht die Mittel hatte, Französischunterricht für mich zu bezahlen. Erst einmal musste meine Haut gerettet werden, ehe an Schule zu denken war. Und ich dachte sowieso nicht daran. In meinem Dorf hatte es genau zwei Mädchen gegeben, die mit dem Schulbus in die Stadt fuhren, und über die hatte man sich lustig gemacht. Auch ich habe sie verspottet, weil ich genau wie meine Schwestern überzeugt war, sie würden nie einen Mann finden, weil sie zur Schule gingen!

Insgeheim schämte ich mich am meisten dafür, dass ich keinen Mann hatte. Ich dachte immer noch in der Mentalität meiner Heimat, dagegen konnte ich nicht an. Und ich war sicher, dass mich kein Mann haben wollte. Für eine Frau aus meiner Heimat gilt es aber als schreckliche Strafe, ohne Mann zu leben.

In dem Haus, in dem ich mit Marouan untergekommen war, dachte jeder, ich würde mich allmählich an diese doppelte Strafe gewöhnen: Hässlich anzusehen zu sein und von keinem Mann mehr begehrt zu werden. Sie dachten auch, ich würde für meinen Sohn sorgen können, wenn ich arbeiten könnte, um ihn großzuziehen. Jacqueline war als Einziger klar, dass ich dazu überhaupt nicht in der Lage war. Erstens weil es Jahre dauern würde, bis ich wieder ein menschliches Wesen sein und mich so auch akzeptieren würde. Und weil mein Kind in dieser Zeit unter ungünstigen Bedingungen aufwachsen müsste. Schließlich, weil ich trotz meiner zwanzig Jahre noch ein Kind war. Ich hatte keine Ahnung vom Leben, von Verantwortung oder Unabhängigkeit.

Da verließ ich die Schweiz. Meine Behandlung war abgeschlossen, ich konnte also auch anderswo leben. Jacqueline hat irgendwo in Europa eine Pflegefamilie für mich gefunden. Adoptiveltern, die ich sehr geliebt und wie Marouan Papa und Mama genannt habe. Die beiden haben viele Kinder bei sich aufgenommen, die ihnen von Terre des Hommes geschickt wurden. Manche blieben lange, andere wurden adoptiert. Die Familie war immer sehr zahlreich. Jeder kümmerte sich um die Kleinen, und ich half dabei, so gut ich konnte. Eines Tages sagte Mama zu mir, ich kümmerte mich zu viel um Marouan und zu wenig um die anderen Kinder. Das hat mich sehr überrascht, weil ich nicht das Gefühl hatte, dass ich nur für meinen Sohn da war. Dazu fühlte ich mich viel zu verloren. Die wenige Zeit, in der ich allein war, verbrachte ich damit, mit Marouan im Kinderwagen an einem Fluss spazieren zu gehen. Ich hatte das Bedürfnis zu gehen, im Freien zu sein. Ich wusste nicht, warum es mir so wichtig war, alleine draußen herumzulaufen. Vielleicht kam das noch vom Viehhüten. Wie damals nahm ich Wasser und etwas zu essen mit und schob den Kinderwagen schnell, aufrecht und stolz. Ich tat beides, ich ging schnell wie in meiner Heimat und aufrecht und stolz wie in Europa.

Ich gab mir alle Mühe, Mama zufrieden zu stellen, also ihr mehr bei der Betreuung der anderen Kinder zu helfen. Ich war die Älteste, da war das ganz normal.

Aber sobald ich in diesem Haus eingeschlossen war, verging ich fast vor Sehnsucht danach wegzulaufen, Leute zu sehen, zu reden und zu tanzen und einen Mann zu treffen, um zu erfahren, ob ich noch Frau sein konnte.

Diesen Beweis musste ich haben. Es war verrückt von mir, darauf zu hoffen, aber ich konnte nichts dagegen machen, ich wollte unbedingt versuchen zu leben.

Marouan

Marouan war fünf Jahre alt, als ich die notwendigen Papiere unterschrieb, damit ihn unsere Pflegefamilie adoptieren konnte. Ich hatte Fortschritte beim Erlernen ihrer Sprache gemacht – nach wie vor konnte ich weder lesen noch schreiben, wusste aber genau, was ich da unterschrieb. Ich habe ihn nicht ausgesetzt. Meine neuen Eltern würden den kleinen Kerl sehr gut großziehen. Als ihr Sohn würde er eine richtige Erziehung genießen und einen Namen bekommen, der ihn vor meiner Vergangenheit bewahrte. Ich war absolut nicht in der Lage, ihm Stabilität zu geben, für ihn zu sorgen oder ihm einen normalen Schulbesuch zu ermöglichen. Jetzt noch, Jahre später, fühle ich mich schuldig, weil ich mich so entschieden habe. Aber erst diese Jahre ohne Kind ermöglichten mir einen Neubeginn für mein Leben, an den ich nicht mehr geglaubt, aber auf den ich instinktiv noch gehofft hatte. Ich kann das kaum erklären, ohne in Tränen auszubrechen. Jahrelang habe ich versucht, mir einzureden, ich würde nicht unter dieser Trennung leiden. Doch man vergisst sein Kind nicht, und schon gar nicht dieses Kind.

Ich wusste ihn glücklich, und er wusste, dass es mich gab. Mit fünf Jahren musste er natürlich wissen, dass er eine leibliche Mutter hatte, weil wir ja zusammen bei seinen Adoptiveltern gelebt hatten. Man hat mir nicht gesagt, wie sie ihm mein Weggehen erklärt haben. Aber diese Familie nahm viele Kinder aus der ganzen Welt bei sich auf, und ich weiß noch, dass eine Zeit lang achtzehn Personen um den Tisch saßen. Die meisten von ihnen waren verlorene Kinder. Wir nannten das Ehepaar alle Mama und Papa. Diese wunderbaren Menschen bekamen von Terre des Hommes das Geld für die vorübergehende Unterbringung der Kinder, und wenn sie wieder weg mussten, war der Abschied immer sehr traurig. Ich habe oft erlebt, wie sie sich in die Arme von Mama oder Papa warfen, weil sie sich nicht von ihnen trennen wollten. Ihr Haus war aber für sie nur als Zwischenstation gedacht, um gesund zu werden – meistens kamen sie wegen einer wichtigen Operation zu unseren Eltern, die in ihrer Heimat nicht durchgeführt werden konnte. Danach kehrten sie in ihr Land zurück. Sie hatten also irgendwo eine richtige Heimat und eine richtige Familie. Wer nirgendwohin zurückkehren konnte, wie Marouan und ich, wurde adoptiert. Im Westjordanland galt ich offiziell als tot, und Marouan hatte dort überhaupt nicht angefangen zu existieren. Er wurde erst hier, wie ich, an einem 20. Dezember geboren. Und seine Eltern waren auch meine Eltern. Diese Situation war sicher etwas sonderbar, und als ich nach annähernd vier Jahren diese Familie wieder verließ, fühlte ich mich auch eher wie Marouans große Schwester. Ich war vierundzwanzig. Und ich konnte ihnen nicht länger zur Last fallen. Ich musste versuchen zu arbeiten, unabhängig und endlich erwachsen zu werden.

Hätte ich ihn nicht dort bleiben und adoptieren lassen können, wäre es mir auch nicht möglich gewesen, ihn alleine großzuziehen. Ich war eine depressive Mutter und hätte ihn nur mit meinem Elend und dem Hass meiner westjordanischen Familie belastet. Ich hätte ihm Dinge erzählen müssen, die ich so gern vergessen wollte! Ich konnte es einfach nicht, es ging über meine Kräfte. Ich hatte kein Geld, war krank, ein Flüchtling und gezwungen, den Rest meines Lebens unter falschem Namen zu leben, weil ich aus einem Dorf stamme, in dem die Männer feige und grausam sind. Und ich musste alles erst lernen. Für mich gab es nur eine Lösung: Ich wollte mich in dieses neue Land und seine Sitten und Gebräuche stürzen, um zu sehen, ob ich überleben konnte. Marouan wäre dann vor meinem persönlichen Kampf sicher. »Jetzt bin ich hier, also muss ich mich in diesem Land integrieren, mir bleibt gar nichts anderes übrig«, sagte ich mir. Ich wollte auf keinen Fall, dass ich von dem Land integriert würde, es war meine Aufgabe, mich zu integrieren, meine Aufgabe, mich wiederherzustellen. Mein Sohn sprach die Landessprache, er hatte europäische Eltern, einen Ausweis und eine ganz normale Zukunft vor sich – alles, was ich nie gehabt hatte.

Ich habe mich damals dafür entschieden, zu überleben und ihn leben zu lassen. Weil ich in dieser Familie gelebt hatte, wusste ich, dass sie gut für ihn war. Als zum ersten Mal von Adoption die Rede war, habe ich mich geweigert, weil es um andere mögliche Eltern ging: »Nein, keine andere Familie! Entweder bleibt Marouan hier, oder ich gebe ihn nicht zur Adoption frei. Ich habe bei euch gelebt, ich weiß, wie er hier erzogen wird, ich will auf keinen Fall, dass er zu einer anderen Familie kommt.«

Papa hat mir sein Wort gegeben. Ich war vierundzwanzig Jahre alt, meine geistige Entwicklung war auf dem Stand einer Fünfzehnjährigen stehen geblieben. Wegen zu viel Unglücks blieb ich in der Kindheit gefangen. Mein Sohn war Teil eines Lebens, das ich vergessen musste, um ein neues aufbauen zu können. Das alles sah ich damals allerdings durchaus nicht so klar und deutlich. Ich bewegte mich instinktiv und wie im Nebel von einem Tag zum nächsten. Eines wusste ich aber ganz genau: Mein Sohn hatte ein Recht auf Sicherheit und normale Eltern. Ich war keine normale Mutter. Ich verabscheute mich und weinte über meine Verbrennungen, diese schreckliche Haut, die mich mein Leben lang entstellen würde. Als ich in der Schweiz ins Krankenhaus kam, habe ich zuerst geglaubt, all diese wunderbaren Menschen würden mir meine Haut zurückgeben, und ich würde werden wie zuvor.

Als ich begriff, dass sie mir nur das Leben schenken konnten und dass ich den Rest meines Lebens in dieser albtraumhaften Hülle verbringen musste, brach ich innerlich zusammen. Ich war nichts mehr, ich war nur hässlich und musste mich verstecken, um die anderen nicht zu belästigen.

Als ich in den Jahren danach langsam wieder Geschmack am Leben fand, wollte ich Marouan vergessen und war mir sicher, dass er mehr Glück haben würde als ich. Er ging zur Schule, er hatte Eltern, Brüder und eine Schwester, er musste ganz einfach glücklich sein. Aber ich konnte ihn nicht vergessen, irgendwo in meinem Kopf hielt er sich versteckt.

Wenn ich die Augen schloss, sah ich ihn vor mir. Ging ich durch die Straßen, war er da – hinter mir, vor mir oder an meiner Seite, so als wäre ich auf der Flucht vor ihm und er wollte mich verfolgen. Immer sah ich dieses Bild vor mir, wie mir eine Krankenschwester das Kind auf den Schoß legt und ich es nicht in die Arme nehmen kann, weil ich in Flammen stehe und in den Garten laufe und mein Kind mit mir brennt. Ein Kind, das sein Vater nicht gewollt hatte, obwohl er genau wusste, dass er uns damit beide zum Tod verurteilte. Wenn man sich vorstellt, dass ich diesen Mann geliebt und mir so viel von ihm erhofft habe!

Ich hatte Angst, ich könnte keinen anderen Mann mehr finden. Wegen meiner Narben, meines Gesichts und meines Körpers und wegen meiner inneren Verfassung. Immer hatte ich das Gefühl, ich sei nichts wert, hatte ich Angst, ich könnte nicht gefallen und müsste wieder erleben, wie sich die Blicke von mir abwandten.

Zuerst habe ich auf einem Bauernhof gearbeitet. Dank Papas Hilfe fand ich dann Arbeit in einer Fabrik für Präzisionsteile. Ich musste Apparateteile kontrollieren. In dieser Firma gab es noch eine andere, interessante Abteilung, in der die Teile aber mit Hilfe von Computern überprüft wurden, wozu ich mich nicht in der Lage sah. Ich weigerte mich, diese Arbeit zu lernen, und gab vor, ich würde lieber im Stehen am Fließband arbeiten als am PC sitzen. Eines Tages rief mich die Abteilungsleiterin zu sich: »Kommen Sie bitte einmal mit mir mit, Souad.«

»Ja, natürlich.«

»Setzen Sie sich hier neben mich, und nehmen Sie einmal diese Maus, ich werde es Ihnen zeigen!«

»Aber das habe ich noch nie gemacht, und ich will es auch gar nicht lernen. Ich arbeite lieber am Fließband ...«

»Und was ist, wenn es eines Tages kein Fließband mehr gibt? Was machen wir dann? Dann gibt es einfach keine Arbeit mehr! Keine Arbeit mehr für Souad!«

Ich wagte nicht, ihr zu widersprechen. Obwohl ich Angst hatte. Jedes Mal, wenn ich etwas Neues lernen musste, bekam ich schweißnasse Hände, und meine Knie zitterten. Ich wurde völlig panisch, aber ich biss die Zähne zusammen. Jeden Tag, jede Stunde musste ich etwas Neues lernen, und das alles ohne irgendwelche Vorkenntnisse und ohne lesen oder schreiben zu können wie die anderen. Ich war Analphabetin und hatte von nichts eine Ahnung! Aber weil ich unbedingt arbeiten wollte, hätte ich wahrscheinlich alles gemacht, was diese Frau von mir verlangte, sogar den Kopf in einen Eimer gesteckt und aufgehört zu atmen.

Also lernte ich, wie man mit einer Maus und einem Bildschirm umgeht. Und nach ein paar Tagen funktionierte es. Sie waren alle sehr zufrieden mit mir. In den drei Jahren, die ich dort gearbeitet habe, fehlte ich nicht eine Minute, mein Arbeitsplatz war stets tadellos – ich räumte ihn immer auf, bevor ich ging –, und ich erschien jeden Tag pünktlich zur Arbeit, vor den anderen. Als Kind war ich mit Stockschlägen auf harte Arbeit und Gehorsam, Pünktlichkeit und Sauberkeit gedrillt worden. Es war mir zu einer zweiten Natur geworden – das einzige Überbleibsel aus meinem früheren Leben. Ich sagte mir: »Man kann nie wissen, ob nicht morgen ein Fremder kommt, und ich will nicht, dass er dann meinen Arbeitsplatz schmutzig vorfindet ...«

Was Ordnung und Sauberkeit betrifft, bin ich sogar ein bisschen schrullig geworden. Wenn man einen Gegenstand von seinem Platz genommen hat, stellt man ihn auch wieder dorthin zurück, man muss täglich duschen, die Zähne werden dreimal am Tag geputzt, zweimal pro Woche werden die Haare gewaschen, täglich werden die Nägel gefeilt und die Unterwäsche gewechselt ... Ich möchte überall Reinheit, das ist für mich sehr wichtig, auch wenn ich es nicht erklären kann.

Ich suche mir sehr gern etwas zum Anziehen aus – und da weiß ich auch, warum: Weil man mir das nie erlaubt hatte. So mag ich zum Beispiel besonders gern rot, weil meine Mutter gesagt hatte: »Hier ist ein Kleid für dich, zieh es an.« Es war hässlich und grau, und ich musste es tragen, obwohl es mir nicht gefiel.

Deshalb liebe ich heute rot und grün, blau und gelb, schwarz und braun, alle Farben, die mir früher verboten waren. Beim Schnitt habe ich keine Wahl. Rollkragen oder hochgeschlossen, langärmlige Bluse, Hosen. Und die Haare über die Ohren. Ich kann nichts von meiner Haut zeigen.

Manchmal setzte ich mich – Winter wie Sommer dick eingemummelt – in ein Café und beobachtete die Passanten. Die Frauen mit ihren Miniröcken und tiefen Dekolletés, die Arme und Beine den Männern zur Schau stellten. In ihren Blicken suchte ich nach einem, der mir gelten könnte, und weil ich keinen entdecken konnte, ging ich wieder nach Hause. Bis zu dem Tag, als ich vom Fenster meines Zimmers ein Auto mit einem Mann entdeckte, von dem ich nur die Hände und Knie sehen konnte.

Ich verliebte mich in ihn. Er war der einzige Mann, der für mich zählte. Ich sah nur noch ihn, und alles nur wegen dieses Autos und seiner Hände am Lenkrad.

Ich habe mich nicht in ihn verliebt, weil er schön, sympathisch oder zärtlich war, weil er mich nicht schlug oder weil ich mich bei ihm sicher fühlte. Ich habe mich in ihn verliebt, weil er ein Auto fuhr. Ich musste nur sehen, wie er sein Auto vor dem Haus einparkte, und das Herz schlug mir bis zum Hals. Ihn zu beobachten, wenn er sich in dieses Auto setzte oder daraus ausstieg, weil er zur Arbeit fuhr oder von dort kam … Ich weinte vor Glück! Jeden Morgen hatte ich Angst, er könnte abends nicht zurückkommen.

Dabei war mir überhaupt nicht bewusst, dass es genauso wie beim ersten Mal war. Erst als mich später jemand auf diese Parallele hinwies, habe ich sie bemerkt. Unter meinem Fenster ein Auto und ein Mann, der wegfährt und zurückkommt, den ich schon lange liebe, ehe ich es ihm gestehe, auf den ich sehnsüchtig warte und Angst habe, ich könnte das Auto nicht mehr zurückkommen sehen. Damals habe ich mir darüber keine Gedanken gemacht. Manchmal suchte ich in meinem Gedächtnis nach Antworten auf das Warum in meinem Leben, aber das ließ ich immer wieder schnell bleiben, es war mir einfach viel zu kompliziert.

Antonio hatte ein rotes Auto. Ich blieb am Fenster, bis ich es nicht mehr sehen konnte ... Dann schloss ich das Fenster.

Ich lernte ihn kennen, sprach mit ihm. Ich wusste, dass er eine Freundin hatte, die ich auch kannte – also wartete ich. Am Anfang waren wir nur Freunde. Und es hat mindestens zweieinhalb oder drei Jahre gedauert, ehe aus dieser Freundschaft etwas anderes wurde. Ich war in ihn verliebt, aber er ...? Ich wusste nicht einmal, was er von mir hielt. Ich wagte auch nicht, ihn danach zu fragen, aber ich tat alles, was in meiner Macht stand, damit er mich liebte, damit er mir gehörte. Ich wollte ihm alles geben, ihn bedienen, verwöhnen und ernähren, alles, damit er mich behalten würde!

Das war meine einzige Chance, eine andere sah ich nicht. Oder wie hätte ich ihn sonst verführen sollen? Vielleicht mit meinen schönen Augen? Meinen schönen Beinen? Oder meinem schönen Dekolleté?

Erst haben wir zusammengelebt, ohne zu heiraten, und es hat lange gedauert, bis ich mich dabei wohl fühlte. Ich habe mich immer im Dunklen ausgezogen, da durfte es nicht einmal Kerzen geben. Morgens schloss ich mich sofort im Bad ein und erschien erst wieder, wenn ich einen Bademantel anhatte, der mich von Kopf bis Fuß verhüllte. Und das hat sehr lange gedauert. Noch heute fühle ich mich in meiner Haut nicht wohl. Ich weiß, dass meine Narben nicht schön sind.

Am Anfang sind wir in eine kleine Stadtwohnung gezogen. Wir haben beide gearbeitet. Er verdiente sich seinen Lebensunterhalt und ich mir den meinen. Ich wartete darauf, dass er mir einen Heiratsantrag machte, aber er erwähnte das Thema nicht. Dabei träumte ich so sehr von einem Ehering und einer Hochzeitsfeier. Also machte ich für Antonio, was meine Mutter für meinen Vater, was jede Frau in meinem Dorf für ihren Mann tat: Extra wegen ihm stand ich morgens um fünf Uhr auf, wusch ihm Haare und Füße, legte ihm seine frisch gewaschenen und ordentlich gebügelten Sachen hin und sah ihm nach, wenn er zur Arbeit fuhr, winkte noch ein letztes Mal und schickte ihm durchs Fenster eine Kusshand …

Abends erwartete ich ihn dann mit einer fertigen Mahlzeit und musste mich manchmal bis halb eins oder, wenn nötig, sogar bis ein Uhr gedulden, damit ich gemeinsam mit ihm essen konnte. Auch wenn ich Hunger hatte, wartete ich wie die Frauen bei uns zu Hause. Allerdings mit dem großen Unterschied, dass ich mir diesen Mann ausgesucht, dass ihn mir niemand zugeteilt hatte, und dass ich ihn liebte. Mein Verhalten muss ihn sehr erstaunt haben. Ein westlicher Mann ist so etwas nicht gewöhnt. »Das ist super! Vielen Dank, damit gewinne ich viel Zeit und muss mich um nichts mehr kümmern«, hat er anfangs gesagt.

Er war glücklich. Wenn er abends heimkam, setzte

er sich in seinen Sessel, und ich zog ihm Schuhe und Strümpfe aus und reichte ihm seine Pantoffeln. Ich hatte mich vollkommen in seinen Dienst gestellt, um ihn zu halten.

Jeden Tag hatte ich Angst, er könnte eine andere Frau kennen lernen. Wenn er dann abends nach Hause kam und das Essen verspeiste, das ich für ihn zubereitet hatte, war ich erleichtert und glücklich – bis zum nächsten Morgen.

Doch Antonio wollte weder heiraten noch Kinder kriegen. Ich aber schon. Er war noch nicht so weit. Ich respektierte es zunächst und wartete darauf, dass er so weit sein würde. So habe ich beinahe sieben Jahre gewartet. Antonio wusste, dass ich ein Kind hatte und dass es adoptiert worden war. Das Wesentliche aus meinem Leben hatte ich ihm erzählen und ihm die Spuren der Brandwunden erklären müssen. Aber als es einmal gesagt war, haben wir nicht mehr darüber gesprochen. Antonio fand, dass ich die beste Lösung für Marouan gewählt hatte. Er gehörte zu einer anderen Familie, und ich hatte in seinem Leben nichts mehr zu sagen. Man hielt mich zwar ständig auf dem Laufenden, aber ich hatte Angst davor, ihn zu besuchen.

Während dieser ganzen Zeit habe ich ihn nur dreimal besucht und mich dabei immer sehr unwohl gefühlt. Schließlich habe ich mich irgendwie an dieses zusätzliche Schuldgefühl gewöhnt. Ich zwang mich so sehr, ihn zu vergessen, dass es mir sogar beinahe gelang.

Aber ich wollte unbedingt ein Kind. Voraussetzung dafür war, dass ich vorher heiratete. Ich musste unbedingt wieder Ordnung in mein Leben bringen: Ich wollte einen Mann und eine Familie.

Bei meiner heiß ersehnten Hochzeit war ich fast dreißig. Antonio war bereit, seine berufliche Situation hatte sich verbessert, wir konnten aus dem Studio in eine größere Wohnung umziehen. Und er wollte auch ein Kind. Es war meine erste Hochzeit, mein erstes elegantes Kleid, meine ersten schönen Schuhe.

Ein langer Lederrock und eine Lederbluse, eine Kostümjacke aus Leder und hohe Schuhe. Alles war weiß und aus Leder. Leder ist schmiegsam und außerdem teuer. Ich mochte das Gefühl von weichem Leder auf meiner Haut. In den Geschäften konnte ich nie an einem Kleidungsstück aus Leder vorbeigehen, ohne es zu berühren, zu betasten und seine Schmiegsamkeit zu prüfen. Ich wusste lange nicht warum, aber jetzt habe ich begriffen. Es ist, als würde ich meine Haut wechseln. Und ich verteidige mich damit auch, ich präsentiere den Leuten eine schöne Haut, nicht meine eigene. So wie auch das Lächeln, mit dem ich den anderen Glück wünsche, nicht unbedingt meines ist.

Diese Hochzeit war die größte Freude, die ich erlebt habe. Die einzige andere, die ich davor erleben durfte, war mein erstes Rendezvous mit dem Vater von Marouan. Aber daran dachte ich nicht mehr. Das war vergessen oder in einem anderen als meinem Kopf vergraben. Als ich diesmal schwanger wurde, war ich im siebten Himmel.

Laetitia war ein wirkliches Wunschkind. Ich sprach sehr viel mit ihr, als sie noch in meinem Bauch war. Ich trug absichtlich ganz enge Kleidung und zeigte meinen Bauch stolz aller Welt. Jeder sollte wissen, dass ich ein Kind erwartete, und jeder sollte meinen Ehering und meinen Ehemann sehen. Ich verhielt mich vollkommen anders als bei meiner ersten Schwangerschaft, aber das war mir gar nicht richtig bewusst. Ich hatte mich verstecken, lügen, flehen und sogar darum bitten müssen, dass er mich heiratete, damit das Kind in meinem Bauch nicht die Ehre meiner Familie befleckte. Und jetzt war ich am Leben, ich ging mit diesem neuen Bauch, diesem neuen Kind durch die Stadt. Ich dachte, mit diesem Glück hätte ich alles Unglück ausgelöscht. Ich wollte es glauben, weil ich es mir so sehr wünschte.

Irgendwo in meinem Kopf hatte sich Marouan versteckt, ganz klein. Eines Tages wäre ich vielleicht in der Lage, mich ihm zu stellen und ihm alles zu erzählen, aber damals war ich noch mit meiner Wiedergeburt beschäftigt.

Laetitia kam wie eine Blume zur Welt. Ich konnte gerade noch zu dem Arzt sagen: »Ich glaube, ich muss zur Toilette …«

»Nein, nein, das Baby kommt …«

Sie sah aus wie eine winzige Blume mit schwarzen Haaren und nicht ganz heller Haut, und sie war erstaunlich leicht aus meinem Bauch geschlüpft. »Für das erste Kind ist es unglaublich, das bekommt man selten so leicht …«, sagten alle um mich herum.

Ich habe sie siebeneinhalb Monate gestillt, und sie war ein äußerst unkompliziertes Baby. Sie aß alles, schlief gut und war immer gesund.

Zwei Jahre später wollte ich noch ein Kind, egal ob Junge oder Mädchen. Aber ich wünschte es mir so sehr, dass es nicht kam. Der Doktor empfahl Antonio und mir, in die Ferien zu fahren und nicht mehr daran zu denken. Aber ich wartete sehnsüchtig darauf und brach bei jeder Enttäuschung in Tränen aus – Monat für Monat. Bis sich endlich ein zweites kleines Mädchen ankündigte.

Wir freuten uns beide wie verrückt über die Geburt unserer Tochter Nadia.

Laetitia war noch ganz klein, als sie einmal meine Hand streichelte und mich fragte: »Was ist das für ein Aua, Mama? Was hast du da?«

»Ja, Mama hat da ein Aua, aber das erkläre ich dir, wenn du größer bist.«

Sie hat nicht mehr dazu gesagt. Nach und nach habe ich meine Ärmel für sie etwas höher gezogen, habe ich mich ein bisschen mehr gezeigt. Ich wollte sie nicht schockieren, wollte nicht, dass sie entsetzt war, deshalb ging ich Schritt für Schritt vor.

Als sie etwa fünf Jahre alt war, berührte sie mich am Arm: »Was ist das, Mama?«

»Mama wurde verbrannt.«

»Was hat dich denn verbrannt?«

»Ein Mann hat mich verbrannt.«

»Er ist sehr böse!«

»Ja, sehr böse.«

»Kann Papa mit dem Mann nicht das machen, was er mit dir gemacht hat?«

»Nein, dein Papa kann das nicht machen, was der Mann mit Mama gemacht hat, weil er weit weg ist, in dem Land, in dem ich geboren bin, und das ganze ist auch schon sehr lange her. Das wird dir Mama erklären, wenn du noch ein bisschen größer bist.«

»Aber mit was hat man dich denn verbrannt?«

»Also, in diesem Land gibt es keine Waschmaschinen wie bei uns, deshalb hat deine Mama Wasser geholt und Feuer gemacht …«

»Wie hast du Feuer gemacht?«

»Du weißt doch bestimmt noch, wie wir mit Papa in den Wald gegangen sind und Holz geholt haben, weil wir grillen wollten? Das hat Mama auch gemacht. Es gab eine Feuerstelle, um Wasser zu kochen. Mama machte die Wäsche, und ein Mann ist gekommen und hat etwas Scheußliches dabei gehabt, das alles verbrennt. Damit hätte er ein ganzes Haus verbrennen können. Und dann hat er das Zeug über Mamas Haare geschüttet und mit einem Streichholz angezündet. So wurde deine Mama verbrannt.«

»Er ist gemein! Ich hasse ihn! Ich will ihn töten!«

»Aber du kannst ihn doch nicht töten, Laetitia. Vielleicht hat ihn der gute Gott bereits bestraft. Mich hat er jedenfalls wirklich gestraft. Aber ich bin jetzt sehr glücklich, weil ich dich und Papa habe. Und weil ich dich liebe.«

»Warum hat er das gemacht, Mama?«

»Das kann ich dir jetzt nicht erklären. Dazu bist du noch zu klein …«

»Ich will es aber wissen.«

»Nein, Laetitia. Mama hat dir doch gesagt, dass sie dir das nach und nach erzählt. Das sind ernste Geschichten, die man nur schwer erklären kann und die du jetzt gar nicht verstehen würdest. Was dir Mama jetzt alles erzählt hat, reicht erst einmal.«

Am selben Abend saß ich nach dem Essen in einem Sessel, und sie stand vor mir. Sie strich mir zärtlich über die Haare und fing an, mir meinen Pullover auszuziehen. Ich konnte mir zwar vorstellen, was sie wollte, aber es machte mich nervös.

»Was machst du denn da, Laetitia?«

»Ich möchte deinen Rücken sehen.«

Ich ließ sie machen.

»Mama, deine Haut ist gar nicht weich. Schau mal, wie weich meine ist.«

»Ich weiß, deine Haut ist weich, weil es deine eigene Haut ist, aber Mamas Haut ist nicht weich, weil da eine große Narbe ist. Deshalb musst du sehr vorsichtig mit Streichhölzern umgehen. Sie sind nur für Papa da, weil er damit seine Zigaretten anzündet. Wenn du sie anfasst, wirst du dich wie Mama verbrennen. Versprochen? Das Feuer kann dich töten.«

»Stimmt's, Mama, du hast Angst vor Feuer?«

Diese Angst konnte ich nicht verbergen, sie zeigte sich bei jedem Anlass, wie harmlos er auch war. Und Streichhölzer gehörten zu meinen erklärten Feinden. Das ist auch heute noch so.

Laetitia bekam Albträume, ich hörte, wie sie sich herumwarf und »aua« schrie. Und ich sah, dass sie sich mit aller Kraft an ihr Bettzeug klammerte. Einmal ist sie dabei sogar aus dem Bett gefallen. Ich hoffte, sie würde sich wieder beruhigen, aber eines Tages sagte sie zu mir: »Weißt du, Mama, ich komme nachts und schaue, ob du schläfst.«

»Warum machst du das?«

»Ich will wissen, dass du nicht tot bist.«

Ich ging mit ihr zu meinem Arzt. Ich machte mir große Sorgen um sie und nahm es mir übel, dass ich ihr anscheinend zu viel erzählt hatte. Doch der Arzt war der Meinung, ich hätte Recht damit gehabt, wahrheitsgemäß zu antworten, nur musste man jetzt sehr vorsichtig sein.

Dann war Nadia an der Reihe, ziemlich genau im gleichen Alter. Aber sie reagierte ganz anders. Sie bekam keine Albträume und hatte auch keine Angst um mich, doch es ging ihr nicht gut. Ich hatte das Gefühl, dass sie alles für sich behielt. Wir saßen beieinander, und unvermittelt seufzte sie.

»Warum seufzt du denn so, mein Liebling?«

»Ich weiß nicht, einfach so.«

»Ein seufzendes Herz leidet an einem Schmerz. Was willst du Mama sagen und traust dich nicht?«

»Du hast so kleine Ohren! Sind deine Ohren so klein, weil du nicht genug gegessen hast?«

»Nein, mein Liebling. Mama hat kleine Ohren, weil sie verbrannt wurde.«

Ich erklärte es Nadia auf dieselbe Weise. Ich wollte, dass meine Töchter die gleichen Dinge erfuhren, dieselben Wörter hörten. Deshalb erzählte ich Nadia die Geschichte in der gleichen Sprache.

Das war schlimm für sie. Nadia sagte nicht wie ihre Schwester, dass sie den töten wollte, der das getan hatte, sondern sie wollte mich anfassen. Ich trug gerade Ohrringe, das mache ich oft, um das zu kaschieren, was mir von meinen Ohren geblieben ist.

»Fass sie ruhig an. Aber zieh bitte nicht an den Ohrringen, das tut weh.«

Vorsichtig berührte sie meine Ohren, ging in ihr Zimmer und schloss die Tür hinter sich.

Am schlimmsten muss es für die beiden in der Schule gewesen sein. Sie wurden älter, und Antonio konnte sie nicht immer abholen. Ich kann mir die neugierigen Fragen der anderen Kinder gut vorstellen. Warum sieht deine Mama so aus? Was hat sie denn, deine Mama? Warum hat sie im Sommer einen Pulli an? Warum hat sie keine Ohren?

Die Erklärungsphase, die nun folgte, war die härteste. Ich erleichterte sie mir etwas, indem ich Marouan nicht erwähnte. Ich log. Ich erzählte ihnen, ich hätte einen Mann kennen gelernt, den ich liebte und der mich liebte, was mir meine Eltern aber verboten. Deshalb hätten sie beschlossen, ich müsse verbrannt werden und sterben. Das sei so Brauch in meiner Heimat. Aber Jacqueline, die uns regelmäßig besuchte, habe mich nach Europa gebracht, damit ich wieder gesund werde.

Laetitia reagierte wie immer sehr heftig, Nadia still. Laetitia war etwa zwölf, als sie mir eröffnete, sie wolle dorthin fahren und alle umbringen. Und zwar fast mit den gleichen Worten wie ihr Vater, als ich ihm meine Geschichte und die Geburt von Marouan erzählt hatte:

»Hoffentlich verrecken sie alle für das, was sie dir angetan haben!«

Jetzt war ich mit Albträumen an der Reihe. Ich lag im Bett und schlief, da kam Mama mit einem glänzenden Messer in der Hand. Sie schwang es über meinem Kopf hin und her und sagte: »Ich töte dich mit diesem Messer!« Und das Messer leuchtet wie ein Licht ... Meine Mutter ist real, sie ist wirklich da, steht hier über meinem Kopf. Schweißgebadet und voller Angst wache ich auf.

Dieser Albtraum kam immer wieder. Ich erwachte immer in dem Augenblick, in dem das Messer am stärksten glänzte. Am unerträglichsten war es für mich, meine Mutter wieder zu sehen. Mehr als der Tod und mehr als das Feuer verfolgt mich dieses Gesicht. Sie wollte mich töten, sie hat ihre Babys umgebracht, sie ist zu allem fähig. Und das ist meine Mutter! Ich komme aus ihrem Bauch!

Weil ich so entsetzliche Angst davor hatte, ich könnte ihr ähnlich sein, entschloss ich mich irgendwann zu einer weiteren Operation, diesmal einer ästhetischen. Eine mehr oder weniger spielte keine Rolle ... Sie sollte mich von einer körperlichen Ähnlichkeit mit ihr befreien, die ich nicht mehr im Spiegel sehen konnte. Zwischen den Augenbrauen, an der Nasenwurzel, hatte ich eine kleine Wölbung, genau wie meine Mutter. Jetzt ist sie weg, und ich finde mich so hübscher. Trotzdem verfolgt mich der Albtraum weiter. Dagegen konnte auch der Arzt nichts machen. Wahrscheinlich hätte ich zu einem Psychiater gehen müssen, aber daran habe ich nie gedacht.

Irgendwann ging ich zu einer Wunderheilerin und schilderte ihr meinen Fall. Sie gab mir ein kleines, winziges Messer und sagte: »Legen Sie es zusammengeklappt unter Ihr Kopfkissen, dann sind Sie den Albtraum los.«

Ich habe ihren Rat befolgt, und das Messer hat mich nie wieder im Schlaf terrorisiert.

Trotzdem denke ich ständig an meine Mutter.

Woran es fehlt

Ich hätte gerne schreiben gelernt. Lesen kann ich zwar, aber nur Druckschrift. Einen handgeschriebenen Brief kann ich nicht entziffern, weil ich mit Zeitungen lesen gelernt habe. Und immer wieder passiert es mir, dass ich über ein Wort stolpere, das ich nicht kenne. Dann frage ich meine Töchter.

Am Anfang haben Edmond Kaiser und Jacqueline versucht, mir ein bisschen Unterricht zu geben. Ich wollte immer lernen, um so zu sein wie die anderen. Als ich mit vierundzwanzig Jahren anfing zu arbeiten, konnte ich einen Kurs besuchen, der sich über drei Monate erstreckte. Darüber war ich sehr glücklich. Es war schwierig, weil ich viel mehr dafür zahlen musste, als ich verdiente. »Das macht nichts, ich kann dir helfen«, bot mir Antonio an. Aber ich habe dankend abgelehnt: »Nein. Ich will meinen Kurs allein bezahlen.«

Es war mir wichtig, die Schulung von meinem eigenen Geld zu bezahlen. Als die drei Monate vorbei waren, hörte ich auf, aber der Unterricht hat mir trotzdem sehr geholfen. Wie einem Kindergartenkind brachte man mir bei, wie man einen Stift hält und wie ich meinen Namen schreiben musste. Ich konnte kein *a* und kein *s* schreiben, nichts. Also lernte ich zusammen mit der Sprache das Alphabet, einen Buchstaben nach dem anderen. Nach drei Monaten konnte ich in der Zeitung einige Wörter entziffern.

Dann fing ich an, Horoskope zu lesen, weil mir jemand gesagt hatte, ich sei Waage! Jeden Tag entzifferte ich meine Zukunft. Nicht immer war mir klar, was ich da herauslas, aber ich brauchte anfangs kurze Texte und kurze Sätze. Einen ganzen Artikel lesen konnte ich damals noch nicht. Zu den kurzen Texten gehörten auch die Todesanzeigen. Wohl kaum jemand hat sie so genau studiert wie ich! »Familie X hat die schmerzliche Pflicht, das Ableben von Frau X bekannt zu geben. Friede ihrer Seele!«

Ich las auch die Heiratsanzeigen und den Kfz-Markt, aber damit habe ich schnell wieder aufgehört, Abkürzungen waren nichts für mich! Ich hätte gern eine Tageszeitung abonniert, aber Antonio fand das überflüssig ... Also ging ich jeden Morgen vor der Arbeit in die Stadt, trank einen Kaffee und las Zeitung. Diese Augenblicke mochte ich sehr, so lernte ich am besten. Wenn sich die Leute über irgendein Ereignis unterhielten, konnte ich allmählich sagen, dass ich auch darüber informiert war, weil ich es in der Zeitung gelesen hatte. Die Menschen reisen, sie kommen und gehen, sie reden über das Meer, Restaurants, Hotels oder den Strand. Sie sprechen über Gott und die Welt, aber ich konnte nicht mitreden. Jetzt kann ich es.

Ein bisschen kenne ich mich inzwischen mit der Geografie Europas aus, ich kenne die großen Hauptstädte und einige kleinere Orte. Ich bin in Rom, Venedig und Portofino gewesen. Von Spanien kenne ich Barcelona, das ich mit meinen Adoptiveltern besucht habe. Dort blieb ich allerdings nur fünf Tage.

Es war in den Sommerferien und sehr heiß. Ich hatte das Gefühl, Papa und Mama verzichteten wegen mir auf den Strand und fühlten sich genötigt, sich genauso einzusperren wie ich. Also bin ich wieder heimgefahren, während sie noch länger blieben. Ich kann mir absolut nicht vorstellen, einen Badeanzug zu tragen. Dazu müsste ich schon einen Strand für mich allein haben, damit ich so unbeobachtet wie in meinem Badezimmer wäre.

Von der Welt habe ich nicht viel gesehen. Ich weiß, dass die Erde eine Kugel ist, aber man hat mir nie gezeigt, wie sie zu verstehen ist. Ich weiß zwar zum Beispiel, dass die Vereinigten Staaten Amerika sind, aber ich habe keine Ahnung, wo dieses Amerika auf der Kugel zu finden ist. Ich kann nicht einmal zeigen, wo das Westjordanland liegt.

Eine Zeit lang habe ich die Erdkundebücher meiner Töchter studiert, aber ich weiß nicht, wo ich anfangen soll, damit ich alle Länder kennen lerne. Ich habe überhaupt kein Gefühl für Entfernungen. Wenn zum Beispiel jemand zu mir sagt: »Wir treffen uns fünfhundert Meter von deinem Haus entfernt«, kann ich mir diese fünfhundert Meter einfach nicht vorstellen. Ich orientiere mich an einer Straße oder einem Geschäft, das ich kenne. Und die Erde kann ich mir schon gar nicht vorstellen. Wenn ich im Fernsehen den internationalen Wetterbericht sehe, versuche ich mir zu merken, wo England und Madrid, Paris und London, Beirut und Tel Aviv liegen.

Ich erinnere mich, dass ich mit meinem Vater einmal in der Nähe von Tel Aviv gearbeitet habe. Ich war noch klein, etwa zehn Jahre alt. Man hatte uns zur Blumenkohlernte dorthin gebracht. Wir machten das für einen Nachbarn, der uns bei der Getreideernte geholfen hatte. Ein Zaun schützte uns vor den Juden, wir befanden uns praktisch auf ihrem Gebiet. Damals habe ich geglaubt, dass man nur über diesen Zaun klettern musste, um jüdisch zu werden, was mich sehr geängstigt hat. Alle Erinnerungen an meine Kindheit stehen irgendwie in Zusammenhang mit Angst, das wird mir immer wieder bewusst.

Ich hatte gelernt, dass man sich den Juden nicht nähern durfte, weil sie *halouf* waren, »Schweine«. Man durfte sie nicht einmal anschauen. Deshalb war es für uns schrecklich, ihnen dort so nahe zu sein. Sie ernähren sich anders, sie leben anders als wir. Man kann uns nicht miteinander vergleichen, wir sind so verschieden wie Tag und Nacht, wie Wolle und Seide. So hat man es mir beigebracht. Die Juden sind die Wolle, wir Moslems die Seide. Ich weiß nicht, warum mir das eingetrichtert wurde, aber daran war nicht zu rütteln. Sobald wir auf der Straße einen Juden sahen – sie zeigten sich allerdings fast nie bei uns –, bewarfen wir sie mit Steinen und Holz. Man durfte ihnen nicht zu nahe kommen und schon gar nicht mit ihnen sprechen, sonst wurde man selbst jüdisch! Ich muss ein für allemal begreifen, was für ein Unsinn das ist. Diese Menschen haben mir nichts getan! In unserem Viertel gibt es zum Beispiel eine sehr gute Metzgerei, die von einem Juden geführt wird. Er hat ausgezeichnetes Fleisch, ich habe es bereits probiert, aber ich wage es nicht, diesen Laden allein zu betreten und dort selbst einzukaufen. Also gehe ich zum Tunesier, weil er Tunesier ist. Warum? Ich weiß es nicht. Oft rede ich mir gut zu: »Komm doch, Souad, du gehst jetzt in diese Metzgerei und kaufst von dem guten Fleisch. Das ist ganz normales Fleisch!«

Eines Tages wird es mir gelingen. Aber ich habe immer noch Angst. Zu oft hat man mir gesagt, dass man keinerlei Kontakt mit ihnen haben darf, dass man sie ignorieren muss, so tun, als gäbe es sie gar nicht. Das war mehr als nur Hass. Die Juden waren die Erzfeinde der Moslems.

Ich wurde als Mohammedanerin geboren und glaube noch immer an diesen Gott, ich bin immer noch Moslemin, aber von dem religiösen Brauchtum meiner Heimat ist nicht mehr viel übrig. Ich esse alles, ich liebe Fleisch und Wurst, und ich trinke gern ein Gläschen Wein. Und ich hasse den Krieg, ich verabscheue Gewalt. Wenn jemand mit mir Streit sucht, also zum Beispiel über die Religion der Moslems lästert, indem er schlecht von den Menschen in meiner Heimat spricht – das ist schon vorgekommen –, schlage ich mich nicht mit ihm, sondern rede und diskutiere und versuche den anderen zu überzeugen, indem ich ihn zwinge, mir zuzuhören, damit ich ihm verständlich machen kann, was er bisher nicht begriffen hat.

Meine Mutter prügelte sich regelmäßig mit ihren Nachbarinnen. Sie bewarfen sich gegenseitig mit Steinen oder rissen sich die Haare aus. Bei uns geht man dem anderen immer gleich an die Haare. Ich habe mich lieber hinter der Tür, im Brotofen oder bei den Schafen im Stall versteckt. Davon wollte ich nichts wissen.

Zu gern würde ich alles lernen, was ich nicht weiß. Alle Unterschiede verstehen, die es auf der Welt gibt. Ich hoffe, dass meine Kinder ihre Chance nutzen werden. Mein Unglück war ihr Glück, das Schicksal bewahrt sie vor der Gewalt in meiner Heimat, vor dem Krieg mit Steinen und der Gemeinheit der Männer. Auf keinen Fall will ich, dass man ihnen vermittelt, was mir eingetrichtert wurde und was ich so schwer loswerde. Hätten sie mir gesagt, ich habe blaue Augen und mir keinen Spiegel gegeben, hätte ich mein Leben lang geglaubt, blaue Augen zu haben. Der Spiegel steht für Kultur, Bildung und Wissen über sich selbst und die anderen. Wenn ich mich im Spiegel betrachte, denke ich mir zum Beispiel: »Du bist aber klein!«

Ohne Spiegel wäre mir das nicht bewusst, außer ich würde neben jemand Großem gehen. Und von dem Großen würde ich denken, ob er überhaupt weiß, dass er groß ist?

Allmählich begreife ich, dass ich nichts von den Juden weiß und ihre Geschichte nicht kenne. Wenn ich nichts ändere, werde ich meinen Kindern auch irgendwann sagen, dass ein Jude ein *halouf* ist! Ich würde ihnen Unsinn anstelle von Wissen vermitteln und ihnen die Möglichkeit nehmen, sich selbst ein Urteil zu bilden.

Antonio sagte einmal zu Laetitia: »Ich will nicht, dass du einen Araber heiratest.«

»Warum denn nicht, Papa? Ein Araber ist genauso ein Mensch wie du und ich.«

»Es kann ein Araber sein, ein Jude, ein Spanier oder ein Italiener ... Hauptsache, sie suchen sich jemanden, den sie lieben, und werden glücklich. Weil ich es nicht gewesen bin«, sagte ich daraufhin zu meinem Mann.

Ich liebe Antonio, aber ich weiß nicht, warum er mich liebt, ich hatte nie den Mut, ihn zu fragen, zu sagen: »Schau doch nur, woher ich komme und wie ich jetzt bin. Ich wurde verbrannt, wie kann es sein, dass du mich willst, ausgerechnet mich, wo es doch genug andere Frauen gibt?«

Ich habe kein Selbstvertrauen. Manchmal denke ich: »Verdammt, was mache ich, wenn er sich eine andere Frau sucht?«

Es ist schon seltsam. Wenn ich mit ihm telefoniere, stelle ich ihm immer die gleiche Frage: »Wo bist du gerade, Liebling?« Wenn er dann sagt, er sei zu Hause, bin ich erleichtert. Ein bisschen Angst habe ich immer. Angst vor dem Verlassenwerden, vor dem Mann, der nicht zurückkommt. Dass ich allein und voller Angst auf ihn warten muss, wie ich auf Marouans Vater gewartet habe.

In letzter Zeit habe ich ein paar Mal geträumt, Antonio sei mit einer anderen Frau zusammen gewesen.

Ein Albtraum mehr. Das erste Mal hatte ich ihn zwei Tage nach der Geburt von Nadia, meiner jüngeren Tochter. Antonio war mit einer anderen Frau zusammen. Sie umarmten sich und gingen zusammen weg. Ich sagte zu meiner Tochter Laetitia: »Schnell, hol Papa!« Weil ich selbst es nicht wagte. Und meine Tochter zerrte an ihrem Papa: »Nein, Papa! Geh nicht mit ihr weg! Komm zu uns!« Sie sollte ihn zu mir zurückbringen, sie zerrte mit aller Kraft an ihrem Vater! Dieser Albtraum hat keinen Schluss. Ich weiß nie, ob Antonio zurückkommt oder nicht. Beim letzten Mal bin ich nachts um halb vier aus dem Traum aufgewacht, und Antonio war nicht da. Ich bin aufgestanden, er saß nicht in seinem Sessel, der Fernseher war aus. Panisch bin ich ans Fenster gestürzt, um nachzusehen, ob sein Auto da war, bis ich schließlich sah, dass in seinem Arbeitszimmer Licht brannte und er an seiner Buchführung arbeitete.

Ich sehne mich so sehr nach Frieden, ich wünschte, die Albträume würden aufhören! Aber meine Gefühlswelt ist nie ausgeglichen: Mein Leben lang plagen mich Ängste und Zweifel, Eifersucht und Unruhe. Etwas ist in mir zerbrochen, aber das wird oft nicht bemerkt, weil ich immer höflich lächle, aus Respekt vor den anderen.

Doch wenn eine schöne Frau an mir vorbeigeht, mit schönem Haar, schönen Beinen und schöner Haut… Wenn der Sommer kommt, die Zeit fürs Schwimmbad und leichte Kleidung… Dann öffne ich meinen Schrank: lauter hochgeschlossene Kleider. Trotzdem kaufe ich auch andere Sachen, ausgeschnittene Kleider, Blusen ohne Ärmel. Nur so zum Vergnügen. Aber ich kann sie nur mit einer Jacke darüber tragen, die ebenfalls bis zum Hals geschlossen ist. Meine zweite Haut …

Wenn es Sommer wird, kriege ich immer eine große Wut. Ich weiß, dass das Schwimmbad am 6. Mai öffnet und am 6. September wieder schließt. Und das macht mich wahnsinnig. Ich wünschte, es würde ständig regnen und nie wärmer als fünfundzwanzig Grad werden. Gegen meinen Willen werde ich zur Egoistin. Wenn es sehr heiß ist, gehe ich nur noch früh am Morgen oder spät abends aus dem Haus. Ich höre den Wetterbericht und sage manchmal aus Versehen laut: »Sehr gut, morgen ist schlechtes Wetter.« Und die Kinder weinen!

»Das ist gemein von dir, Mama! Wir wollen doch ins Schwimmbad!«

Wenn es draußen über dreißig Grad hat, schließe ich mich in meinem Zimmer ein. Ich sperre die Tür ab und weine. Wenn ich einmal den Mut habe, mit meinen beiden Kleidungsschichten aus dem Haus zu gehen, der einen, die ich gern zeigen würde und der anderen, die mich verbirgt, fürchte ich mich vor den Passanten. Wissen sie, was mit mir los ist? Fragen sie sich, warum ich mich im Sommer genauso kleide wie im Winter?

Ich liebe den Herbst, den Winter und den Frühling. Zum Glück lebe ich in einem Land, in dem es nur drei oder vier Monate im Jahr heiß ist. In der Sonne könnte ich nicht leben – dabei bin ich dort geboren. Ich habe das Land vergessen, die Stunden, in denen die goldene Sonne die Erde verbrannte, die Momente, wenn sie blassgelb wurde an dem grauen Himmel, kurz bevor sie unterging und es Nacht wurde. Ich will keine Sonne.

Manchmal schaue ich mir das Schwimmbad von außen an, und ich hasse es. Es ist mein Unglück, dass es zum Vergnügen der Bewohner dieser Anlage gebaut wurde.

Das Schwimmbad ist schuld an meiner verdammten Depression.

Ich war damals vierzig. Der Sommer hatte gerade angefangen, ein heißer Juni kündigte sich an. Ich hatte unten im Haus meine Einkäufe erledigt und sah draußen, von meinem Fenster aus, diese halbnackten Frauen in ihren Badeanzügen. Eine meiner Nachbarinnen, ein hübsches Mädchen, kam eben vom Schwimmbad zurück, im Bikini, barfuß, einen Pareo um die Schultern geschlungen. Neben ihr ging ihr Liebhaber mit nacktem Oberkörper. Ich war allein, eingesperrt und besessen von dem Gedanken, dass ich mich nicht so benehmen konnte wie sie. Das war nicht gerecht, es war so heiß. Also habe ich meinen Schrank geöffnet und gesucht. Ich habe ich weiß nicht wie viele Kleider auf dem Bett ausgebreitet, ehe ich etwas Vernünftiges fand, aber ich fühlte mich immer noch nicht wohl in meiner Haut. Unten drunter kurze Ärmel, darüber noch eine Bluse. Das war zu warm. Eine durchsichtige Bluse anziehen, auch wenn sie hochgeschlossen ist, geht nicht. Ein Minirock geht nicht wegen meiner Beine, die als Hautreservoir gedient hatten. Dekolleté oder kurze Ärmel – geht nicht, wegen der Narben. Alles, was ich auf dem Bett ausgebreitet hatte, »ging nicht«.

Ich schwitzte, die Kleider klebten mir am Körper.

Ich habe mich aufs Bett geworfen und richtig geweint. Ich hielt es einfach nicht mehr aus, bei dieser Hitze eingesperrt zu sein, während alle anderen mit ihrer Haut draußen an der frischen Luft waren. Ich konnte weinen, so viel ich wollte, es nützte nichts, ich war allein, die Mädchen waren noch in der Schule. Schließlich habe ich mich im Spiegel meines Schlafzimmers betrachtet und mir gesagt: »Schau dich doch an! Warum gibt es dich überhaupt? Du kannst nicht mit deiner Familie an den Strand gehen. Und wenn du es doch machen würdest, würdest du sie um das Vergnügen bringen, ausgiebig zu schwimmen, weil man wegen dir wieder nach Hause müsste. Die Mädchen sind noch in der Schule, aber wenn sie nach Hause kommen, wollen sie ins Schwimmbad. Schön für sie, sie haben ein Recht darauf, aber du nicht! Du kannst nicht einmal das Restaurant im Schwimmbad besuchen und einen Kaffee oder eine Limonade trinken, weil du dich vor den Blicken der anderen fürchtest. Du bist so angezogen, dass man meinen könnte, es wäre Winter und hätte am Beckenrand zehn Grad. Man hält dich für eine Verrückte! Du bist zu nichts nutze! Es gibt dich zwar, aber nicht richtig. Du bist ein Gegenstand, der im Haus eingesperrt bleibt.«

Ich ging ins Badezimmer und nahm ein Fläschchen mit Schlaftabletten, die ich rezeptfrei in der Apotheke gekauft hatte, weil ich oft nicht schlafen konnte. Zu vieles ging mir im Kopf herum. Ich leerte die Packung aus und zählte die Tabletten. Es waren neunzehn, und ich habe sie alle geschluckt.

Nach ein paar Minuten fühlte ich mich komisch, alles drehte sich im Kreis. Ich öffnete das Fenster und weinte beim Anblick von Laetitias und Nadias Schule gegenüber. Ich öffnete die Wohnungstür und redete laut mit mir selbst, ich hörte meine Stimme wie vom Grund eines tiefen Brunnens. Ich wollte ins sechste Stockwerk, ich wollte vom Dach springen – ich ging hinauf und redete weiter mit mir selbst: »Was wird aus ihnen, wenn ich tot bin? Sie lieben mich. Warum habe ich sie dann in die Welt gesetzt? Damit sie leiden müssen? Reicht es nicht, dass ich selbst so viel gelitten habe? Ich will nicht, dass sie leiden. Entweder sterben wir alle drei zusammen oder keiner… Nein, sie brauchen mich. Antonio arbeitet. Er sagt jedenfalls, dass er arbeitet, vielleicht ist er aber auch am Strand, ich weiß nicht, wo er ist… Er weiß aber sehr gut, dass ich zu Hause bin, weil es heiß ist. Ich kann nicht aus dem Haus, ich kann mich nicht anziehen, wie ich will. Warum ist mir das zugestoßen? Was habe ich dem lieben Gott getan? Was habe ich denn verbrochen?«

Weinend ging ich durch den Flur. Ich wusste nicht mehr, wo ich war. Ich ging zurück in die Wohnung, um das Fenster zu schließen, und dann runter in die Eingangshalle, zu den Briefkästen, um dort auf die Mädchen zu warten. Dann kann ich mich an nichts mehr erinnern, bis ich im Krankenhaus wieder zu mir kam.

Von den Tabletten war ich ohnmächtig geworden. Man hatte eine Magenspülung gemacht und behielt mich zur Beobachtung im Krankenhaus. Am nächsten Morgen wachte ich in einer psychiatrischen Klinik auf. Eine Psychiaterin, eine sehr sympathische Frau, kam zu mir ins Zimmer.

»Guten Morgen, Madame …«

»Guten Morgen, Frau Doktor.«

Ich wollte höflich lächeln, brach aber stattdessen sofort in Tränen aus. Sie gab mir ein Beruhigungsmittel und setzte sich zu mir ans Bett.

»Erzählen Sie mir doch, wie das passiert ist, warum Sie diese Tabletten geschluckt haben. Warum Sie sich umbringen wollten.«

Ich habe es ihr erklärt, das mit der Sonne und dem Schwimmbad, mit dem Feuer und den Narben, dass ich lebensmüde war. Ich fing wieder an zu weinen. Ich konnte keine Ordnung mehr in meine Gedanken bringen. Das Schwimmbad, dieses dumme Schwimmbad war an allem schuld. Wollte ich wirklich wegen eines Schwimmbads sterben?

»Das ist jetzt schon das zweite Mal, dass man Sie umbringen wollte – erst Ihr Schwager, dann Sie selbst. Ich finde, das reicht. Wenn sich niemand um Sie kümmert, könnte sich das wiederholen. Ich möchte Ihnen helfen. Sind Sie damit einverstanden?«

Einen Monat lang habe ich bei ihr eine Therapie gemacht. Anschließend hat sie mich zu einer anderen Psychiaterin geschickt, zu der ich einmal pro Woche, immer am Mittwoch, ging. Zum ersten Mal seit dem Feuer hatte ich jemanden vor mir, der ausschließlich dazu da war, mir zuzuhören, wenn ich von meinen Eltern, meinem Unglück, wenn ich von Marouan sprach … Für mich war das nicht einfach. Manchmal wollte ich das Ganze abbrechen, aber ich zwang mich immer wieder dazu: Ich wusste, dass es mir gut ging, wenn ich von der Sitzung kam.

Nach einiger Zeit hatte ich das Gefühl, meine Therapeutin sei zu autoritär. Ich spürte, dass sie mir einen bestimmten Weg aufzwingen wollte. Als wollte sie mir sagen, ich müsste auf der rechten Straßenseite nach Hause gehen, obwohl ich wusste, dass ich ebenso gut auf der linken heimgehen konnte …

»Verdammt noch mal!«, sagte ich mir, »sie bestimmt über mich, sie ist doch nicht meine Mutter!« Allein schon, weil sie mich zwang, jeden Mittwoch zu ihr zu kommen. Ich wäre lieber zu ihr gegangen, wann ich wollte oder wenn ich es brauchte. Und es wäre mir auch lieber gewesen, wenn sie mir Fragen gestellt, mit mir gesprochen und mich dabei auch angesehen hätte. Stattdessen sprach ich immer gegen eine Wand, während sie schrieb. Ein Jahr lang sträubte ich mich gegen meinen Wunsch zu flüchten. Dabei habe ich begriffen, dass ich unrealistisch war, weil ich die Existenz meiner Kinder in Frage gestellt hatte, als ich sterben wollte. Es war egoistisch von mir, nur an mich zu denken, verschwinden zu wollen, ohne sich um den Rest zu scheren. »Ich will sterben.« Das sagt sich so einfach … Aber was ist mit den anderen?

Inzwischen geht es mir besser, aber manchmal ist es sehr mühsam. Irgendwann überkommt es mich wieder. Meistens im Sommer. Wir werden umziehen, weg von diesem Schwimmbad. Wir werden an einer Straße wohnen, aber auch dort wird es immer wieder Sommer. Selbst auf den Bergen oder in der Wüste wird es Sommer.

Manchmal denke ich: »Lieber Gott, lass mich morgen nicht aufwachen, ich will sterben und nicht mehr leiden müssen.«

Aber da ist meine Familie, und ich habe Freunde, deshalb bemühe ich mich. Ich schäme mich aber für mich. Wenn ich durch einen Unfall verbrannt oder gelähmt wäre, könnte ich meine Narben mit anderen Augen sehen. Dann wäre das Schicksal. Niemand wäre dafür verantwortlich, nicht einmal ich selbst.

Es war aber mein Schwager, der mich verbrannt hat, weil mein Vater und meine Mutter es so gewollt haben. Nicht Schicksal oder Verhängnis haben mich zu dem gemacht, was ich bin. Am meisten weh tut mir, dass sie mir meine Haut, mich selbst, gestohlen haben, und zwar nicht für einen Monat oder ein Jahr oder zehn Jahre, sondern für mein ganzes Leben.

Es kommt immer wieder. Zum Beispiel habe ich einmal einen Western angeschaut, mit vielen Schlägereien und einer Menge Pferden. Zwei Männer prügelten sich in einem Stall. Auf einmal war der eine so niederträchtig, ein Streichholz anzuzünden und ins Heu zu werfen, dem anderen vor die Füße. Der fing Feuer und lief brennend davon. Ich schrie und spuckte aus, was ich gerade im Mund hatte. Ich war wie verrückt vor Entsetzen.

»Nicht doch, Liebling«, sagte Antonio. »Das ist nur ein Film, das ist nur ein Film!« Er hat den Fernseher ausgemacht und mich in den Arme genommen. Um mich zu beruhigen, sagte er immer wieder: »Das ist doch nur im Fernsehen, Liebling. Es passiert nicht in Wirklichkeit, es ist nur ein Film.«

Das hat mich sehr weit zurückgeworfen, ich war wieder auf der Flucht vor den Flammen. In dieser Nacht habe ich kein Auge zugetan. Ich habe eine so entsetzliche Angst vor Feuer, dass mich schon die allerkleinste Flamme paralysiert. Wenn sich Antonio eine Zigarette anzündet, beobachte ich ihn und warte ab, bis das Streichholz oder die Flamme vom Feuerzeug ausgeht. Deshalb sehe ich auch nicht oft fern. Weil ich immer Angst habe, ich könnte dort jemanden oder etwas brennen sehen. Meine Töchter achten sehr darauf. Sobald sie etwas sehen, was mich erschrecken könnte, schalten sie das Gerät aus.

Ich will auch nicht, dass sie Kerzen anzünden. Bei uns zu Hause ist alles elektrisch. Weder in der Küche noch sonst wo im Haus will ich Feuer haben. Trotzdem hat einmal jemand in meiner Gegenwart mit Streichhölzern gespielt und mir lachend einen Trick gezeigt. Er hatte einen Finger in Alkohol getaucht und angezündet. Natürlich brannte die Haut nicht, es war ja nur ein Trick.

Vor Angst und Wut bin ich aufgesprungen: »Das machst du nicht hier bei mir! Ich bin verbrannt worden. Du hast überhaupt keine Ahnung davon!«

Ein Kaminfeuer macht mir keine Angst, wenn ich ihm nicht zu nahe komme. Wasser stört mich nicht, wenn es lauwarm ist. Ich habe vor allem Angst, was heiß ist: vor Feuer und heißem Wasser, vor dem Ofen, den Herdplatten und Töpfen, Kaffeemaschinen, die immer eingeschaltet sind, dem Fernseher, der brennen kann, vor kaputten Elektrosteckern, dem Staubsauger, vor vergessenen Zigaretten, einfach vor allem ... Vor allem, was Feuer verursachen kann. Meine Töchter fühlen sich durch mich auch schon terrorisiert. Schließlich ist es nicht normal, wenn ein vierzehnjähriges Mädchen wegen mir keine elektrische Herdplatte anmachen darf. Wenn ich nicht zu Hause bin, erlaube ich nicht, dass sie den Herd benützen, um sich Nudeln oder Teewasser zu kochen. Ich muss dabei sein, aufmerksam neben ihnen stehen, ihnen auf die Nerven gehen und sicher sein, dass ich selbst den Herd wieder ausschalte. Es vergeht kein Tag, an dem ich vor dem Zubettgehen nicht noch einmal kontrolliere, ob alle Herdplatten ausgeschaltet sind.

Mit dieser Angst lebe ich Tag und Nacht und weiß, dass ich damit den anderen das Leben schwer mache. Mein Mann ist zwar sehr geduldig, manchmal ärgert er sich aber doch über diese grundlose Panik. Und ich weiß auch, dass es möglich sein sollte, dass meine Töchter einen Kochtopf in die Hand nehmen können, ohne dass ich anfange zu zittern. Schließlich werden sie es eines Tages müssen.

Etwa mit vierzig kam noch eine weitere Angst hinzu. Der Gedanke daran, dass Marouan inzwischen erwachsen war. Ich hatte ihn seit zwanzig Jahren nicht mehr gesehen, und er wusste, dass ich verheiratet war und er irgendwo auf der Welt Schwestern hatte. Laetitia und Nadia dagegen wussten nichts von einem Bruder.

Über diese Lüge, die mich bedrückte, redete ich mit niemandem. Antonio hatte ganz am Anfang erfahren, dass es Marouan gab, aber wir sprachen nie über dieses Thema. Jacqueline wusste es natürlich auch, respektierte aber meine Lüge. Sie hatte mich gebeten, an Veranstaltungen teilzunehmen, um vor anderen Frauen über das Thema Ehrenmord zu reden. Jacqueline setzte ihre Arbeit fort: Von immer neuen Missionen kam sie mal siegreich, mal mit leeren Händen zurück. Ich war es mir schuldig, von meinem Leben als verbrannte Frau zu erzählen, als Überlebende Zeugnis davon abzulegen. Nach all den Jahren war ich praktisch die Einzige, die das konnte.

Und ich log weiter, ich gab Marouans Existenz nicht preis und betrog mich mit der Ausrede, ich würde so mein Kind vor diesem Horror bewahren. Aber er war ja inzwischen fast ein Mann. Die Frage war eigentlich, wen ich wirklich schützen wollte: mich selbst vor meiner persönlichen Schande, meiner Schuld, weil ich ihn hatte adoptieren lassen, oder Marouan.

Es hat lange gedauert, ehe ich die ganzen Zusammenhänge begriff. In meinem Heimatdorf gibt es keine Psychiater, den Frauen dort werden solche Fragen nicht gestellt. Wir machen uns bereits schuldig, indem wir Frauen sind.

Als meine Töchter älter wurden, empfand ich das ständige »Warum, Mama?« als immer grausamer.

»Aber warum hat man dich verbrannt, Mama?«

»Weil ich einen Mann heiraten wollte, den ich mir ausgesucht hatte, und weil ich ein Baby erwartet habe.«

»Was ist mit dem Baby? Wo ist es jetzt?«

»Er ist noch dort, in einem Waisenhaus.« Etwas anderes konnte ich ihnen nicht sagen.

Die Zeugenaussage einer Überlebenden

Jacqueline hatte mich also gebeten, für die Organisation *Surgir* als Zeugin aufzutreten. Sie hatte lange damit gewartet, bis sie mir schließlich zutraute, es zu verkraften – bis nach der Depression, die mich aus heiterem Himmel überfallen hatte. Bis es mir gelungen war, ein normales Leben zu führen. Bis ich mich mit Arbeit, einem Mann und Kindern in meine neue Heimat integriert hatte und in Sicherheit war. Es ging mir zwar besser, aber vor diesen europäischen Frauen fühlte ich mich immer noch schwach. Ich sollte ihnen von einer Welt erzählen, die ganz anders als ihre und für sie unvorstellbar grausam war.

Ich saß auf einem kleinen Podium, hatte ein Mikrofon vor mir und erzählte diesen Frauen meine Geschichte. Jacqueline war bei mir. Ich begann damit, alles von Anfang an zu berichten. Sie stellten mir Fragen: »Warum hat er Sie verbrannt?« … »Hatten Sie etwas verbrochen?« … »Er hat sie verbrannt, nur weil Sie mit einem Mann gesprochen haben?«

Ich sage nie, dass ich schwanger war. Erstens weil Klatsch und Tratsch oder ein Gerücht im Dorf genügen, damit man so bestraft wird – egal ob schwanger oder nicht. Jacqueline kennt das zur Genüge. Dann natürlich vor allem, um meinen Sohn zu schützen, der keine Ahnung von meiner und seiner Vergangenheit hat. Ich sage auch nicht meinen richtigen Namen, diese Anonymität dient meinem Schutz. Jacqueline hat mehr als einmal erlebt, dass es einer Familie gelungen ist, ein Mädchen ausfindig machen und zu töten, das Tausende von Kilometern entfernt war.

Eine Frau aus dem Publikum steht auf: »Sie haben ein hübsches Gesicht, Souad, wo sind denn diese Narben?«

»Ich verstehe, dass Sie mich das fragen, Madame, und ich habe mit dieser Frage gerechnet. Ich zeige Ihnen jetzt meine Narben.«

Ich bin vor all den vielen Menschen aufgestanden und habe meine Bluse geöffnet. Darunter trug ich etwas Ausgeschnittenes mit kurzen Ärmeln. Ich habe ihnen meine Arme und meinen Rücken gezeigt. Die Frau brach in Tränen aus. Die wenigen Männer im Publikum fühlten sich offensichtlich unbehaglich. Sie hatten Mitleid mit mir.

Wenn ich mich so zur Schau stelle, habe ich immer das Gefühl, ich bin ein Monstrum vom Jahrmarkt. Weil ich sozusagen im Zeugenstand stehe, stört mich das aber nicht so sehr, es ist wichtig, dass die Leute das alles erfahren. Ich muss ihnen begreiflich machen, dass ich eine Überlebende bin. Ich lag im Sterben, als Jacqueline in diesem Krankenhaus auftauchte. Ihr verdanke ich mein Leben. Um ihre mühsame Arbeit für *Surgir* fortführen zu können, braucht sie eine Zeugin, die überlebt hat und mit der sie die Öffentlichkeit für das Thema Ehrenmord sensibilisieren kann. Die meisten Menschen wissen nichts davon. Und zwar ganz einfach deshalb, weil es kaum Überlebende gibt. Und weil sie sich, zu ihrer Sicherheit, nicht öffentlich zeigen dürfen. Sie sind dem Ehrenmord dank dieser Hilfsorganisation entkommen, die es in mehreren Ländern gibt. Nicht nur Jordanien oder das Westjordanland sind davon betroffen, sondern der ganze Mittlere Osten, Indien, Pakistan...

Diesen Teil der Ausführungen übernimmt Jacqueline. Sie erklärt auch, dass es absolut unerlässlich ist, Sicherheitsvorkehrungen für all diese Frauen zu treffen.

Bei meinem ersten öffentlichen Auftritt bin ich seit etwa fünfzehn Jahren in Europa. Mein Leben ist völlig verändert, ich kann riskieren, was andere noch nicht können. Persönliche Fragen werden über mein neues Leben, vor allem aber über die Situation der Frauen in meiner Heimat gestellt.

Ein Mann stellt mir dazu eine Frage. Und ich, die ich oft nicht das treffende Wort finde, wenn es darum geht, mein eigenes unglückliches Leben zu schildern, bin nicht mehr zu bremsen, sobald es um andere geht.

»In meiner Heimat hat eine Frau kein Leben, Monsieur. Die Mädchen werden geschlagen, misshandelt, erwürgt, verbrannt und getötet. Für uns dort ist das völlig normal. Meine Mutter wollte mich vergiften, um die Arbeit meines Schwagers ›zu Ende zu bringen‹ – für sie war das nichts Besonders, so ist das nun einmal in ihrer Welt. Das ist das normale Leben für uns Frauen. Du wirst verprügelt – das ist normal; du wirst verbrannt – das ist normal; du wirst erwürgt – das ist normal; du wirst misshandelt – auch das ist normal. Die Kühe und Schafe stehen bei uns in höherem Ansehen als die Frauen, hat mein Vater gesagt. Will man nicht sterben, muss man schweigen, gehorchen, kriechen, sich jungfräulich verheiraten und Söhne gebären. Wenn ich damals nicht diesem Mann begegnet wäre, wäre das jetzt auch mein Leben. Meine Kinder wären so geworden wie ich, und meine Enkel wie meine Kinder. Würde ich noch dort leben, wäre ich normal geworden, so normal wie meine Mutter, die ihre eigenen Kinder erstickt hat. Vielleicht hätte ich meine Tochter getötet. Ich hätte sie verbrennen lassen können. Jetzt finde ich das alles ungeheuerlich! Aber wenn ich dort geblieben wäre, hätte ich es genauso gemacht! Als ich da unten in einem Krankenhaus im Sterben lag, habe ich immer noch geglaubt, das sei normal. Erst als ich nach Europa kam und die Leute um mich herum davon sprechen hörte, dass es Länder gibt, in denen die Frauen nicht verbrannt werden und die Mädchen genauso viel wert sind wie die Jungen, habe ich es begriffen. Mein Dorf war für mich die ganze Welt. Mein Dorf war wunderbar, es war die ganze Welt, bis zum Markt in der Stadt! Von dort an war nichts mehr normal, weil sich die Mädchen schminkten, kurze Röcke und tief ausgeschnittene Dekolletés trugen. Sie waren nicht normal. Meine Familie schon! Wir waren so rein wie Schafswolle, aber die anderen, gleich hinter dem Markt, waren unrein!

Mädchen hatten kein Recht, zur Schule zu gehen. Warum nicht? Damit sie die Welt nicht kennen lernen konnten. Am wichtigsten waren unsere Eltern. Was sie sagten, musste man machen. Alles Wissen, alle Regeln und die gesamte Erziehung kamen einzig und allein von ihnen. Deshalb gab es für uns keine Schule. Damit wir nicht mit dem Bus fuhren, uns anders anzogen und einen Schulranzen in die Hand nahmen. Wir sollten nicht lesen und schreiben lernen, das wäre zu klug und nicht gut für ein Mädchen gewesen! Mein Bruder war der einzige Junge zwischen lauter Mädchen. Er war gekleidet wie die Leute hier, wie die Menschen aus der Großstadt, er ging zum Friseur, zur Schule, ins Kino, er durfte einfach allein ausgehen, und warum? Weil er einen Pimmel hatte! Er hatte Glück und bekam zwei Söhne, aber das meiste Glück hatten seine Töchter. Sie hatten das gewaltige Glück, nicht geboren zu werden!

Die Stiftung *Surgir* und Jacqueline versuchen, diese Mädchen zu retten, was alles andere als einfach ist. Wir sitzen hier ganz bequem, ich erzähle Ihnen etwas, und Sie hören mir zu. Aber die Mädchen dort leiden! Deshalb sage ich als Betroffene für *Surgir* über den Ehrenmord aus, weil das sonst immer so weitergeht!

Ich lebe und bin wieder auf den Beinen, was ich dem lieben Gott, Edmond Kaiser, Jacqueline und *Surgir* zu verdanken habe. *Surgir* ist eine mutige Sache und bedeutet viel Arbeit, um diesen Mädchen zu helfen. Ich bewundere die Arbeit dieser Stiftung, dieser Menschen. Ich weiß nicht, wie sie das schaffen. Ich würde zum Beispiel lieber Essen und Kleidung zu Flüchtlingen oder Kranken bringen, als ihre Arbeit zu machen. Man darf keinem trauen. Man kann mit einer Frau sprechen, die einen sehr freundlichen Eindruck macht, dich aber verraten wird. Jacqueline begibt sich dabei auf feindliches Gebiet, sie ist gezwungen, sich wie sie zu benehmen, wie sie zu essen, zu gehen und zu sprechen. Sie muss in dieser Welt aufgehen, um anonym zu bleiben!«

»Danke, Madame!«

Am Anfang hatte ich Angst und wusste nicht, was ich sagen sollte, jetzt muss mich Jacqueline schon bremsen!

Direkt vor Publikum zu sprechen, hat mir nicht viel ausgemacht. Aber ich fürchtete mich vor dem Radio – wegen der Nachbarn, meiner Arbeitskollegen und wegen meiner Töchter, die etwas, aber nicht alles wussten. Sie waren damals etwa acht und zehn Jahre alt, hatten Freundinnen aus der Schule, und ich bat sie, zurückhaltend zu sein, wenn man ihnen Fragen stellen sollte.

»Super, Mama, ich würde so gern mitkommen!«

Laetitias Reaktion war einerseits beruhigend, andererseits auch etwas irritierend. Mama kommt im Radio, das ist super … Mir wurde klar, dass sie nicht begriffen, was dieses Bekenntnis für mich bedeutete, und dass sie außer meinen Narben fast nichts von meinem Leben wussten. Früher oder später, wenn sie erst größer waren, musste ich ihnen alles sagen – schon beim bloßen Gedanken daran ging es mir schlecht.

Zum ersten Mal sprach ich vor einem so großen Publikum.

Durch diese Radiosendung haben meine Töchter jedenfalls ein weiteres Kapitel meiner Geschichte kennen gelernt. Nach der Sendung reagierte Laetitia sehr heftig.

»Du ziehst dich jetzt an, Mama, du nimmst deinen

Koffer, wir fahren zum Flughafen, und dann fliegen wir da hin, in dein Dorf. Wir machen es mit ihnen genau so. Wir verbrennen sie! Wir nehmen Streichhölzer und zünden sie an, wie sie es mit dir gemacht haben! Ich kann das nicht aushalten.«

Sechs Monate lang wurde sie von einem Psychologen betreut, aber eines Tages erklärte sie mir: »Weißt du, Mama, du bist meine Therapeutin. Ich habe Glück, weil ich mit dir über alles reden kann. Du beantwortest alle meine Fragen. Ich will da nicht mehr hin.«

Ich wollte sie nicht zwingen. Ich habe den Arzt angerufen, und wir haben unser Vorgehen abgesprochen. Er war zwar der Meinung, sie bräuchte noch einige zusätzliche Sitzungen, wollte ihr aber die Wahl lassen. »Sollten Sie doch feststellen, dass es ihr schlecht geht, dass sie nicht offen darüber spricht oder deprimiert ist, wäre ich froh, wenn Sie sie wieder zu mir schicken würden.«

Ich fürchte, dass meine Geschichte auch in Zukunft sehr belastend für meine Töchter sein wird. Sie haben Angst um mich, und ich um sie. Ich warte ab, bis sie alt genug sind, um all das zu verstehen, was ich ihnen noch nicht gesagt habe: von meinem Leben vor diesem Ereignis, von dem Mann, den ich heiraten wollte, dem Vater von Marouan. Vor dieser Erklärung fürchte ich mich mehr als vor irgendeinem anderen Bekenntnis, das man von mir erwarten könnte. Ich muss ihnen auch dabei helfen, dass sie das Land nicht hassen, aus dem ich komme und das zur Hälfte auch ihre Heimat ist. Sie haben keine Ahnung, was dort geschieht. Wie soll ich verhindern, dass sie die Männer aus diesem Land hassen? Das Land ist schön, aber seine Männer sind schlecht. Im Westjordanland kämpfen Frauen um ein Recht, das nicht von Männern gemacht wird. Aber es sind die Männer, die die Gesetze verabschieden.

In diesem Land befinden sich zurzeit einige Frauen im Gefängnis. Es ist die einzige Möglichkeit, sie zu schützen und vor dem Tod zu retten. Nicht einmal im Gefängnis sind sie wirklich in Sicherheit. Und die Männer, die sie umbringen wollen, sind natürlich in Freiheit. Kein Gesetz bestraft sie für ihr Handeln. Oder aber die Strafe ist so mild, dass sie sehr schnell wieder in der Lage sind, zu würgen, zu verbrennen und ihre angebliche Ehre zu rächen.

Sollte einer in einem Dorf oder in einem Stadtviertel auftauchen und sie an ihren Verbrechen hindern wollen – er könnte sogar eine Maschinenpistole tragen –, stellen sich ihm zehn in den Weg, wenn er allein kommt, hundert, wenn sie zu zehnt kommen! Ein Richter, der einen Mann wegen eines Falls von Ehrenmord wie einen einfachen Mörder verurteilt, könnte sich nie wieder auf die Straße wagen, er könnte in dem Dorf nicht mehr leben, er müsste vor der Schande fliehen, einen »Helden« bestraft zu haben.

Manchmal frage ich mich, was wohl aus meinem Schwager geworden ist. Musste er wenigstens für kurze Zeit ins Gefängnis? Meine Mutter hatte damals die Polizei erwähnt und Schwierigkeiten, die mein Bruder und mein Schwager bekommen würden, wenn ich nicht sterben sollte. Wieso ist die Polizei nicht zu mir gekommen?

Ich war schließlich das Opfer, mit Verbrennungen dritten Grades! Aber ich bin noch am Leben und weiß, dass sie von weither kommen können, um mich zu töten. Sie brauchen nur zu pfeifen, so wie ich nach den Schafen gepfiffen habe, und Dutzende von Männern kommen und helfen ihnen, mich zu finden. Es gibt immer Mittel und Wege.

Ich kenne Mädchen, die vor Jahren so wie ich von weit her gekommen sind. Sie werden versteckt. Ein junges Mädchen aus Jordanien, das keine Beine mehr hat: Sie wurde von zwei Nachbarn überfallen, gefesselt und vor einen Zug gelegt. Und eine andere, die ihr Vater und ihr Bruder mit Messern massakriert und in einen Müllsack gesteckt haben. Und noch eine, die ihre Mutter und ihre beiden Brüder aus dem Fenster gestürzt haben: Sie ist gelähmt.

Und all die anderen, von denen nicht die Rede ist, die man zu spät gefunden hat, als sie bereits tot waren. Die Mädchen, denen die Flucht gelungen war, und die dann im Ausland ermordet worden sind.

Und die Frauen, die rechtzeitig fliehen konnten, mit oder ohne Kind, Jungfrauen oder Mütter, und sich versteckt halten.

Ich bin keiner Frau begegnet, die wie ich verbrannt worden ist – das hat keine überlebt. Und ich verstecke mich noch immer, ich sage meinen Namen nicht und zeige auch nicht mein Gesicht. Ich kann nur erzählen, das ist meine einzige Waffe.

Jacqueline

Meine Aufgabe heute und in den nächsten Jahren wird es sein, möglichst vielen Souads zu helfen. Das ist langwierig, kompliziert und natürlich auch kostspielig. Unsere Stiftung nennt sich *Surgir* (Auftauchen), weil wir im richtigen Augenblick auftauchen müssen, um diesen Frauen das Leben zu retten. Wir arbeiten auf der ganzen Welt, in Afghanistan, in Marokko oder im Tschad zum Beispiel, überall dort, wo wir helfen können. Aber diese Hilfe geht nur sehr langsam voran! Man nimmt an, dass es pro Jahr über sechstausend Fälle von Ehrenmord gibt, zu dieser Zahl kommen aber auch noch all die Selbstmorde, Unfälle usw., die nicht mitgerechnet sind …

In manchen Ländern bringt man die Frauen zu ihrem Schutz ins Gefängnis, wenn sie es wagen, sich zu beklagen. Einige von ihnen halten sich bereits seit fünfzehn Jahren dort auf! Denn die einzigen Personen, die sie dort herausholen dürfen, sind ihre Väter oder Brüder, eben diejenigen, die sie töten wollen. Bittet also ein Vater darum, seine Tochter aus dem Gefängnis holen zu dürfen, wird diese Bitte natürlich abgelehnt! Meines Wissens haben eine oder zwei Frauen dennoch das Gefängnis verlassen – und wurden umgebracht.

In Jordanien – und das ist nur ein Beispiel – gibt es, wie in vielen anderen Ländern auch, ein Gesetz, das besagt: Jeder Mord ist ein Verbrechen gegen das allgemeine Recht und mit mehreren Jahren Gefängnis zu bestrafen. Dann ist da aber noch ein winziger Artikel, der dieses Gesetz relativiert: »Wird das Verbrechen im Namen der Ehre begangen, soll der Richter Mitleid mit dem Mörder haben und ihn zu zwei bis sechs Monaten Gefängnis verurteilen ...« In der Praxis werden diese Strafen dann aber gar nicht vollzogen, weil die Verurteilten als Helden gelten.

Einer unserer Kämpfe bestand darin, diesen Zusatz aufheben zu lassen. Und was ist passiert? Das Oberhaus im jordanischen Parlament hat unseren Antrag akzeptiert, das Unterhaus hat ihn abgelehnt. Im Unterhaus sitzen vor allem Beduinen, die fest in ihren mittelalterlichen Traditionen verankert sind ...

Vor Ort arbeiten wir zusammen mit Frauenverbänden, die in ihren jeweiligen Ländern seit einigen Jahren Programme zur Gewaltprävention durchführen und Frauen begleiten, die Opfer von Gewalt wurden. Ihre Arbeit ist mühsam und wird oft von den ewig Gestrigen durchkreuzt ... Aber ganz allmählich gibt es doch Fortschritte. Im Iran ist es den Frauen gelungen, ihre Bürgerrechte zu verbessern. Im Mittleren Osten wissen sie inzwischen, dass es Gesetze gibt, die sie betreffen und die ihnen Rechte geben. Parlamente befassen sich damit, Gesetzesartikel werden geändert.

Nach und nach begreifen die Behörden, dass es sich dabei um Verbrechen handelt. Statistische Angaben werden in den Berichten der Menschenrechtskommission in Pakistan offiziell bekannt gegeben. Im Mittleren Osten informiert die Gerichtsmedizin der einzelnen Länder über die Zahl der bekannt gewordenen Fälle. Örtliche Untersuchungskommissionen prüfen die Gewaltverbrechen und stellen Recherchen an über die historischen und aktuellen Hintergründe dieses archaischen Brauchtums.

Sei es in Pakistan, das die Anzahl von getöteten Mädchen und Frauen offiziell erfasst, sei es im Mittleren Osten oder in der Türkei – entscheidend ist der Kampf gegen diese überlieferten Sitten, die blindlings weitergereicht werden.

Erst kürzlich haben sich anerkannte Persönlichkeiten wie König Hussein oder Prinz Hassan öffentlich gegen diese Delikte ausgesprochen und gesagt, es handle sich dabei nicht um »Verbrechen zur Ehrenrettung, sondern um unehrenhafte Verbrechen«. Imams und christliche Geistliche werden nicht müde darauf hinzuweisen, dass der »Ehrenmord« weder im Koran noch im Evangelium zu finden ist.

Wir bleiben mutig und hartnäckig. *Surgir* hat es sich zur Aufgabe gemacht, an jede Tür zu klopfen, auch auf die Gefahr hin, sie könnte uns vor der Nase zugeschlagen werden. Manchmal nützt es etwas.

Mein Sohn

Laetitia und Nadia waren noch klein, als ich meine Adoptivfamilie zum ersten Mal wieder besuchte, seit ich Marouan »verlassen« hatte. Ich hatte Angst vor der Reaktion meines Sohnes auf seine beiden kleinen Schwestern. Er war gerade dabei, erwachsen zu werden, und ich hatte mir ein anderes Leben aufgebaut, ohne ihn, und wusste nicht, ob er sich überhaupt an mich erinnern, ob er mir böse sein oder sich vielleicht gar nicht für uns interessieren würde. Jedes Mal wenn ich anrief, um meinen Besuch anzukündigen und meine Befürchtungen zum Ausdruck brachte, hieß es: »Nein, nein, kein Problem. Marouan ist über alles informiert, du kannst ruhig kommen.«

Aber er war nicht sehr oft da. Auf meine Frage nach Neuigkeiten versicherte man mir immer, es sei alles in Ordnung. In zwanzig Jahren habe ich ihn ganze drei Mal gesehen. Und jedes Mal ging es mir dabei schlecht, und ich musste auf dem Heimweg weinen. Meine beiden Töchter begegneten ihrem Bruder, ohne es zu wissen, während er informiert war. Er gab mir nichts zu verstehen, er forderte nichts ein, und ich schwieg. Die Besuche waren eine harte Prüfung – ich konnte nicht mit ihm sprechen, mir fehlte die Kraft dazu. Beim letzten Mal sagte Antonio dann zu mir: »Ich glaube, es ist besser, wenn du nicht mehr hingehst. Du weinst die ganze Zeit und bist deprimiert. Das hat doch keinen Sinn. Er hat sein eigenes Leben, Eltern, eine Familie, Freunde ... Lass ihn in Ruhe. Erkläre ihm das alles später einmal, wenn er dich danach fragt.«

Ich fühlte mich noch immer schuldig und wehrte mich gegen die Vergangenheit, umso mehr, da außer Jacqueline und meinem Mann niemand wusste, dass ich einen Sohn hatte. War er denn überhaupt noch mein Sohn? Ich wollte auf keinen Fall ein Familiendrama, das wäre unerträglich gewesen.

Als ich ihn das letzte Mal sah, war er ungefähr fünfzehn. Er hat sogar ein bisschen mit seinen Schwestern gespielt ... Unsere Begegnung beschränkte sich auf den Austausch einiger Banalitäten: »Guten Tag, wie geht es dir?« ... »Danke, gut, und dir?«

Es vergingen über zehn Jahre. Ich dachte, er hätte mich vergessen, und ich existierte in seinem Erwachsenenleben nicht mehr. Ich wusste, dass er Arbeit und eine kleine Wohnung hatte, in der er mit seiner Freundin lebte, wie alle jungen Leute in seinem Alter.

Laetitia war dreizehn, Nadia zwölf. Ich kümmerte mich um ihre Erziehung und war überzeugt, dass ich meine Pflicht tat. Wenn ich deprimiert war, sagte ich mir ganz egoistisch, dass ich vergessen musste, um zu überleben. Ich beneidete die glücklichen Menschen, denen in ihrer Kindheit kein Unglück widerfahren ist, die kein

Geheimnis haben und kein Doppelleben führen müssen. Ich weiß eigentlich nur, dass ich mein erstes Leben mit aller Macht begraben wollte, um zu sein wie sie. Doch immer wenn ich an einer Konferenz teilnahm und von diesem albtraumhaften Leben erzählte, wurde dieses Glück in seinen Grundfesten erschüttert und drohte einzustürzen wie ein schlecht gebautes Haus. Antonio bemerkte das sehr wohl, und Jacqueline auch. Ich war zerbrechlich, wollte es aber nicht zugeben.

Eines Tages sagte Jacqueline: »Du könntest der Stiftung einen großen Gefallen tun, indem du deine Lebensgeschichte in einem Buch erzählst.«

»Ein Buch? Aber ich kann doch kaum schreiben ...«

»Aber du kannst erzählen ...«

Ich hatte keine Ahnung, dass man ein Buch »erzählen« konnte. Bücher sind etwas so Wichtiges... Leider gehöre ich nicht zu den Menschen, die Bücher lesen. Meine Töchter lesen sie, Antonio manchmal auch. Ich halte mich lieber an die Tageszeitung. Die Idee von einem Buch, von einem Buch über mich, hat mich so beeindruckt, dass sie mir nicht mehr aus dem Kopf ging. Während ich meinen Töchtern zusah, wie sie größer wurden, wurde mir allmählich klar, dass ich ihnen irgendwann mehr erzählen musste. Und die Vorstellung, die ganze Geschichte ein für allemal in einem Buch festzuhalten, kam mir weniger beängstigend vor als der Gedanke, meinen Töchtern allein damit gegenübertreten zu müssen.

Bis zu diesem Zeitpunkt hatte ich ihnen nur in kleinen Portionen das Wesentliche über meinen körperlichen

Zustand berichtet. Früher oder später würden sie aber alles erfahren wollen, und all diese Fragen, die dann zu erwarten waren, bereiteten mir Kopfzerbrechen.

Noch fühlte ich mich nicht in der Lage, auf der Suche nach dem letzten, vergrabenen Rest in meiner Erinnerung zu wühlen. Zwingt man sich zu vergessen, vergisst man auch tatsächlich. Die Psychotherapeutin hatte mir erklärt, das sei ganz normal, nach dem Schock und den Schmerzen wegen mangelnder medizinischer Versorgung. Am schlimmsten war aber die Sache mit Marouan. Viel zu lange schon lebte ich mit einer Schutzlüge, und ich lebte schlecht damit.

Würde ich mich einverstanden erklären, mein Leben in einem Buch zu erzählen, musste ich von ihm sprechen. Hatte ich dazu überhaupt das Recht? Ich sagte nein. Ich hatte zu viel Angst. Meine und seine Sicherheit standen auf dem Spiel. Ein Buch konnte um die ganze Welt gehen. Und wenn mich dann meine Familie wieder finden würde? Wenn meine Verwandten Marouan etwas antun würden? Das war ihnen durchaus zuzutrauen. Andererseits reizte mich die Idee mit dem Buch. Zu oft hatte ich Wachträume, Träume von einer unmöglichen Rache. Ich träumte davon, dass ich in meine Heimat zurückkehren und im Schutz einer Tarnung nach meinem Bruder suchen würde. Das Ganze lief wie ein Film in meinem Kopf ab.

Ich würde zu seinem Haus gehen und sagen: »Kennst du mich noch, Assad? Wie du siehst, lebe ich noch! Schau dir einmal ganz genau meine Narben an. Das war dein Schwager Hussein, der mich verbrannt hat, aber jetzt bin ich hier! Erinnerst du dich noch an unsere Schwester Hanan? Was hast du mit unserer Schwester gemacht? Hast du sie den Hunden vorgeworfen? Und wie geht es deiner Frau? Warum wurde ich gerade an dem Tag verbrannt, als sie ihre Söhne bekam? Ich war damals schwanger. Musste auch mein Sohn verbrannt werden? Erklär mir doch, warum du nichts zu meiner Hilfe unternommen hast, obwohl du mein leiblicher Bruder bist? Das hier ist mein Sohn Marouan! Er kam zwei Monate zu früh zur Welt, aber jetzt ist er groß und schön und äußerst lebendig! Schau ihn dir nur an! Und was ist mit Hussein? Ist er alt geworden, oder ist er gestorben? Ich hoffe, er lebt noch, aber blind oder gelähmt, damit ich vor ihn treten kann! Hoffentlich muss er genauso leiden, wie ich gelitten habe! Und mein Vater und meine Mutter? Sind sie tot? Sag mir, wo sie sind, damit ich sie an ihrem Grab verfluchen kann!«

Diesen Rachetraum habe ich oft. Dann werde ich so gewalttätig wie sie es waren. Wie sie, bekomme ich Lust zu töten! Sie halten mich für tot, und ich würde ihnen so gern zeigen, dass ich lebe!

Fast ein Jahr lang sagte ich nein zu dem Buch – außer ich hätte meinen Sohn in dem Bericht weglassen können. Jacqueline akzeptierte meine Entscheidung. Es tat ihr zwar Leid, aber sie verstand mich.

Ich wollte kein Buch, in dem ich von mir erzählte und nicht von ihm. Ich konnte mich aber auch nicht zu einer Aussprache mit Marouan durchringen, um dieses Problem zu lösen. Das Leben nahm seinen Lauf, und ich wurde immer mutloser: »Mach es, nein, mach es nicht!«, sagte ich mir abwechselnd. Wie sollte ich Marouan ansprechen? Ich könnte ihn einfach irgendwann anrufen und nach all den vielen Jahren ohne Umschweife sagen: »Marouan, wir müssen reden.«

Und wie soll ich mich vorstellen? Als Mama? Wie sollte ich mich ihm gegenüber verhalten? Ihm die Hand schütteln? Oder ihn umarmen? Und wenn er mich vergessen hat? Das Recht dazu hat er, ich hatte ihn schließlich auch »vergessen«...

Jacqueline brachte mich auf einen Gedanken, der mich noch zusätzlich quälte: »Stell dir vor, Marouan begegnet eines Tages einer seiner Schwestern, und sie weiß nicht, dass er ihr Bruder ist? Stell dir vor, sie verliebt sich in ihn und bringt ihn mit nach Hause? Was würdest du dann tun?«

Daran hatte ich überhaupt noch nicht gedacht. Uns trennten lediglich zwanzig Kilometer. Laetitia wurde bald vierzehn, es würde nicht mehr lange dauern, dann hatte sie bestimmt ihren ersten Freund ... Bei Nadia war es auch bald so weit – zwanzig Kilometer sind nichts. Die Welt ist so klein! Doch trotz dieser unwahrscheinlichen, aber immerhin möglichen Gefahr konnte ich mich nicht entscheiden. So verging ein Jahr.

Schließlich regelten sich die Dinge ganz von selbst. Marouan rief bei uns zu Hause an. Ich war arbeiten, und Nadia nahm den Anruf entgegen. Er sagte ganz einfach: »Ich kenne deine Mutter, wir waren eine Zeit lang in derselben Pflegefamilie. Fragst du sie bitte, ob sie mich zurückrufen kann?«

Als ich dann nach Hause kam, konnte Nadia den Zettel nicht mehr finden, auf dem sie die Nummer notiert hatte. Sie suchte überall vergeblich, und ich wurde immer nervöser. Man hätte meinen können, das Schicksal wollte nicht, dass ich wieder Kontakt zu Marouan aufnahm. Ich wusste nicht, wo er wohnte und wo er zur Zeit arbeitete. Natürlich hätte ich seinen Adoptivvater anrufen und mich bei ihm danach erkundigen können, aber dazu fehlte mir der Mut. Ich war feige und hasste mich dafür. Lieber ließ ich dem Schicksal seinen Lauf als mich ihm zu stellen. Er war es, der dann an einem Donnerstag wieder anrief und sagte: »Wir müssen reden.« Wir verabredeten uns für den folgenden Mittag. Ich sollte meinen Sohn treffen, und ich wusste, was auf mich zukam. Die Frage würde in etwa lauten: »Warum wurde ich im Alter von fünf Jahren adoptiert? Warum hast du mich nicht behalten? Erklär mir das bitte.«

Ich wollte möglichst gut aussehen. Ich bin zum Friseur gegangen, habe mich geschminkt und schlichte Kleidung gewählt – Jeans, Turnschuhe und eine langärmlige, rote, hochgeschlossene Hemdbluse. Wir waren Punkt zwölf Uhr vor einem Restaurant in der Stadt verabredet.

Es ist eine enge Straße. Er kommt aus der Innenstadt, ich vom Bahnhof, wir können uns gar nicht verfehlen. Außerdem würde ich ihn unter Tausenden von Menschen erkennen. Ich sehe ihn schon von weitem, er hat einen grünen Rucksack dabei. In meiner Fantasie war er ein großer Junge, aber da lächelt mich ein richtiger Mann an. Meine Beine drohen zu versagen, meine Hände zittern, und mein Herz macht Luftsprünge, so als würde ich dem Mann meines Lebens begegnen. Hier treffen sich zwei, die sich lieben. Er ist groß und muss sich ziemlich bücken, als er mich einfach küsst, als hätten wir uns gestern erst gesehen. Ich erwidere seinen Kuss.

»Gut, dass du angerufen hast.«

»Ich hab vor zwei Wochen schon mal angerufen. Weil du nicht zurückgerufen hast, hab ich mir gedacht: Na ja, sie will mich eben nicht sehen …!«

Nein, so war das nicht. Ich erkläre ihm, dass Nadia den Zettel mit der Nummer verloren hat.

»Wenn ich gestern nicht noch mal angerufen hätte, hättest du mich angerufen?«

»Ich weiß nicht, nein, ich glaube nicht. Ich habe mich wegen deiner Eltern nicht getraut … Ich weiß, dass Mama gestorben ist …«

»Ja. Papa ist jetzt ganz allein, aber es geht schon irgendwie … Und wie geht es dir?«

Er weiß nicht, wie er mich ansprechen soll. Die Tatsache, dass ich meine Pflegeeltern am Anfang Papa und Mama genannt habe, erleichtert die Sache nicht gerade. Wer ist denn nun eigentlich Mama?

Ich mache einen Versuch: »Hör zu, Marouan, du kannst mich Mama nennen oder aber Souad, du kannst Kleine zu mir sagen oder Große, was du willst. So Gott will, werden wir uns jetzt jedenfalls kennen lernen.«

»Einverstanden. Wir essen etwas, und dabei können wir uns unterhalten.«

Wir setzen uns an einen Tisch, und ich verschlinge ihn mit den Augen. Er sieht seinem Vater ähnlich. Die gleiche Figur, die gleichen schnellen Bewegungen, der gleiche Blick – trotzdem ist er anders. Irgendwie sieht er auch meinem Bruder ähnlich, nur ruhiger, seine Gesichtszüge sind sanfter. Er macht den Eindruck, als würde er das Leben nehmen, wie es kommt, ohne große Komplikationen. Er wirkt direkt und geradlinig.

»Erzähl mir, wie du verbrannt wurdest.«

»Weißt du das nicht, Marouan?«

»Nein, kein Mensch hat mir irgendwas gesagt.«

Ich fange an zu erklären, und während ich spreche, sehe ich, wie sich sein Blick verändert. Als ich davon rede, wie ich in Flammen stand, legt er die Zigarette weg, die er sich eben angezündet hat.

»Ich war in deinem Bauch?«

»Ja, du warst in meinem Bauch. Ich habe dich ganz allein zur Welt gebracht. Wegen meiner Verbrennungen konnte ich dich nicht spüren. Ich habe dich nur gesehen, wie du da zwischen meinen Beinen lagst, mehr nicht. Danach warst du verschwunden. Jacqueline hat dich später gefunden und mit mir im Flugzeug mitgenommen. Die folgenden neun Monate haben wir gemeinsam in einem Krankenhaus verbracht, dann sind wir zu Papa und Mama gekommen.«

»Also bin ich an deinen Verbrennungen schuld?«

»Nein, das ist nicht deine Schuld! Auf keinen Fall! Daran sind die Sitten schuld, die bei uns leider Brauch sind. Die Männer in diesem Land machen sich ihre eigenen Gesetze. Verantwortlich sind meine Eltern und mein Bruder, du auf keinen Fall!«

Er betrachtet meine Narben, meine Ohren und meinen Hals, er berührt vorsichtig mit der Hand meinen

Arm. Ich merke, dass er sich den Rest vorstellen kann, aber er will nicht mehr sehen. Wagt er nur nicht zu fragen?

»Möchtest du es sehen ...?«

»Nein, bitte nicht. Die ganze Geschichte ist so schon bedrückend genug, lieber nicht. Wie ist er denn, mein Vater? Sehe ich ihm ähnlich?«

»Ja, deine Stirn ... Ich habe nicht genau gesehen, wie du gehst, aber du hältst dich wie er, aufrecht und stolz. Und dann dein Nacken, dein Mund und vor allem deine Hände. Du hast die gleichen Hände wie er, sogar die gleichen Fingernägel ... Er war etwas größer als du und auch so muskulös. Er sah sehr gut aus. Als ich eben deine Schultern sah, dachte ich einen Moment, ich hätte deinen Vater vor mir.«

»Da muss es dir ja ganz warm ums Herz werden. Du hast ihn doch trotz allem geliebt?«

»Ja, natürlich habe ich ihn geliebt. Er hat mir versprochen, wir würden heiraten ... Aber dann, als er gemerkt hat, dass ich schwanger war, ist er nicht zurückgekommen ...«

»Ich finde es widerlich, dass er dich so fallen gelassen hat! Dann bin ich aber doch schuld ...«

»Nein, Marouan. So etwas darfst du nie denken. Schuld sind die Männer in meiner Heimat. Wenn du das Land besser kennen lernst, wirst du das verstehen.«

»Ich würde ihn gern einmal treffen. Können wir nicht hinfahren, wir beide? Nur um zu sehen, wie es dort ist, und um ihn zu treffen ... Ich würde ihn wirklich sehr gern einmal sehen. Weiß er, dass es mich gibt?«

»Das glaube ich kaum. Ich habe ihn nie wieder gesehen ... Außerdem herrscht dort Krieg ... Eines Tages fahren wir hin, das verspreche ich dir. Ich habe gar keinen Pass ... Irgendwann fahren wir hin und gehen in das Dorf und zu dem Haus, in dem ich gewohnt habe, als du in meinem Bauch warst.«

»Stimmt es eigentlich, dass ich zwei Monate zu früh gekommen bin?«

»Ja, das stimmt. Du bist von ganz allein gekommen; ich habe dich nicht lange gesehen, aber du warst sehr klein ...«

»Wie viel Uhr war es da?«

»Wie viel Uhr? Das weiß ich nicht ... Es war am 1. Oktober, hat man mir später gesagt. Ich konnte das ja nicht wissen! Ich kann dir nicht sagen, um wie viel Uhr du geboren bist ... Wichtig ist doch, dass dir nichts gefehlt hat, als du zur Welt kamst!«

»Warum bist du zu uns gekommen, zu meinen Eltern, und hast nicht mit mir gesprochen?«

»Ich habe es nicht gewagt, in Gegenwart von Papa und Mama, deinen Adoptiveltern. Ich wollte ihnen nicht wehtun. Sie haben dich schließlich erzogen und sehr viel für dich getan.«

»Ich erinnere mich aber auch an dich. Zum Beispiel, wie wir in dem Zimmer waren und du mir einen Joghurt gegeben hast. Mir ist ein Zahn herausgefallen, und im Joghurt war lauter Blut. Ich wollte ihn nicht aufessen, aber du hast mich gezwungen. Daran kann ich mich noch genau erinnern.«

»Das habe ich vergessen ... Du musst aber wissen,

dass ich mich damals auch um die anderen Kinder kümmern musste; Mama hatte gesagt, ich solle mich um dich nicht mehr als um die anderen kümmern ... Außerdem erlaubten die Eltern nicht, dass wir Essen verderben ließen, dazu war es viel zu teuer für die vielen Kinder.«

»Als ich vierzehn oder fünfzehn war, hatte ich eine ziemliche Wut auf dich ... Ich war eifersüchtig.«

»Eifersüchtig auf wen?«

»Auf dich. Ich wollte, dass du immer bei mir bist.«

»Und jetzt, heute?«

»Ich wollte dich kennen lernen, ich wollte mehr über dich erfahren ...«

»Bist du mir böse, dass ich noch andere Kinder habe?«

»Nein, es ist super, Schwestern zu haben. Die möchte ich natürlich auch kennen lernen.«

Er schaut auf seine Uhr, ich muss zurück zur Arbeit.

»Schade, dass du schon gehen musst. Ich würde gern noch länger mit dir reden.«

»Ich auch, aber das geht nun einmal nicht. Möchtest du vielleicht morgen zu uns nach Hause kommen?«

»Nein, dafür ist es noch zu früh. Mir ist es lieber, wir treffen uns irgendwo anders.«

»Dann morgen Abend, um sieben Uhr, wieder hier. Ich bringe die Mädchen mit.«

Er ist glücklich. Ich habe nicht gedacht, dass es so einfach sein würde. Ich habe geglaubt, er nehme es mir bestimmt so übel, dass ich ihn zur Adoption freigegeben hatte, dass er mich nicht mögen würde. Dabei hat er mich nicht einmal danach gefragt. Er küsst mich, ich küsse ihn, wir verabschieden uns: »Bis morgen!«

Ich gehe wieder zur Arbeit, und mir dröhnt der Kopf. Eben bin ich eine gewaltige Last losgeworden. Was jetzt auch kommen mag, ich bin von dieser Angst befreit, die seit langem an mir nagte und die ich mir nicht eingestehen wollte. Es tut mir Leid, dass ich damals nicht in der Lage war, meinen Sohn bei mir zu behalten. Irgendwann muss ich mich noch einmal richtig bei ihm dafür entschuldigen, dass ich ihn bei der Planung meines neuen Lebens nicht berücksichtigt habe. Mein Kopf war tot, Leere anstelle von Gedanken, ich wusste nicht, was ich tat. Nichts war für mich wirklich. Ich ließ mich treiben. Dabei hätte ich es ihm sagen müssen, ich hätte ihm auch sagen müssen, dass ich seinen Vater, diesen Mann, der uns beide im Stich gelassen hatte, trotzdem liebte. Ich kann nichts dafür, dass er genauso ein Feigling war wie die anderen. Ich müsste ihm auch gestehen: »Ich hatte solche Angst, Marouan, dass ich auf meinen Bauch eingeschlagen habe…« Er muss mir das verzeihen. Ich glaubte damals, dass mich das Blut erlösen würde, ich hatte einfach keine Ahnung. In meinem Kopf war nichts außer dieser schrecklichen Angst! Wird er das verstehen und mir verzeihen? Kann ich diesem Sohn wirklich alles sagen? Und meinen Töchtern auch? Was werden die drei dann von mir halten?

Ich bin so durcheinander, dass ich die ganze Nacht nicht schlafen kann. Wieder einmal stehe ich in Flammen und laufe verrückt vor Angst in den Garten.

Antonio mischt sich nicht ein, er will sich zunächst

einmal aus der Sache heraushalten, aber er bemerkt sehr wohl, dass es mir schlecht geht.

»Hast du mit den Mädchen gesprochen?«

»Noch nicht. Morgen ... Wir gehen abends mit Marouan essen, es findet sich schon noch eine Gelegenheit, mit ihnen zu reden. Aber ich habe Angst, Antonio.«

»Du schaffst das schon. Jetzt kannst du keinen Rückzieher mehr machen.«

Morgens um drei Uhr siebenundfünfzig bekomme ich eine SMS von Marouan: »*Ich schreibe dir, damit du weißt, dass es mir gut geht. Bis morgen, Mama.*«

Da muss ich weinen.

Ich baue uns ein Haus

Antonio ist an diesem Abend mit einem Freund ausgegangen und hat mich mit den Kindern allein gelassen.

16. November 2002, Samstagabend, sieben Uhr.

Das Essen auswärts verläuft vergnügt. Sie haben Hunger und lachen über alles. Laetitia ist wie immer sehr redselig und plappert ohne Punkt und Komma. Marouan ist mit seiner Freundin gekommen. Meine Töchter glauben, dass er eines der vielen Kinder ist, mit denen ich in meiner Pflegefamilie gelebt habe. Er stört sie nicht, sie freuen sich, dass sie Samstagabend mit Mama und Freunden ausgehen dürfen.

Obwohl sie nicht zusammen aufgewachsen sind, wirken sie wie Komplizen. Ich habe befürchtet, dieser Abend könnte sehr schwierig werden. Ehe ich ging, sagte Antonio zu mir: »Ruf mich an, wenn du mich brauchst. Dann hole ich dich ab.«

Es ist seltsam, aber mir geht es gut, ich habe kaum noch Angst. Vielleicht mache ich mir noch ein wenig Sorgen wegen meiner beiden Töchter.

Marouan neckt die ältere: »Komm, Laetitia, setz dich hier neben mich.« Und drückt sie lachend an sich.

Sie dreht sich zu mir und flüstert: »Der ist aber nett, Mama!«

»Ja, stimmt.«

»Und er sieht super aus!«

Ich sehe mir die Gesichter der drei ganz genau an. Marouan ähnelt eher Laetitia, vielleicht haben sie die gleiche Stirn. Manchmal entdecke ich an ihm aber auch etwas von Nadia, die nachdenklicher und zurückhaltender ist als ihre Schwester. Laetitia zeigt ihre Gefühle immer, und ihre Reaktionen sind manchmal sehr impulsiv. Sie hat das italienische Temperament ihres Vaters geerbt. Nadia behält ihre Gefühle lieber für sich.

Können sie das alles verstehen? ... Ich neige wirklich viel zu sehr dazu, sie wie dreijährige Kleinkinder zu behandeln und übermäßig zu behüten. In Laetitias Alter war meine eigene Mutter bereits verheiratet und schwanger ...

»Und er sieht super aus«, hat sie gerade zu mir gesagt.

Sie hätte sich in ihren Bruder verlieben können! Und mein Schweigen hätte eine Reihe von Katastrophen auslösen können. Im Augenblick platzen sie fast vor Lachen, weil sie sich über einen Mann lustig machen, der offensichtlich betrunken ist.

Er schaut zu unserem Tisch und spricht Marouan von weitem an: »Na, du Trottel! Du hast vielleicht ein Glück, so viele Frauen! Gleich vier Frauen, und ich sitz hier ganz allein!«

Marouan ist stolz, aber anscheinend gereizt. »Ich steh jetzt auf und polier ihm die Schnauze«, knurrt er.

»Nein, bitte bleib sitzen!«

»Na gut ...«

Der Besitzer des Restaurants schafft den Störenfried freundlich hinaus, und wir beenden die Mahlzeit unter Scherzen und Gelächter.

Zum Abschied begleiten wir Marouan und seine Freundin zum Bahnhof. Er wohnt und arbeitet auf dem Land. Mein Sohn ist Gärtner und betreut Grünanlagen. Er scheint seinen Beruf zu mögen, beim Essen hat er ein bisschen davon erzählt. Laetitia und Nadia haben keine konkreten Berufspläne, dafür sind sie noch zu jung. Nadia möchte vielleicht in die Modebranche, Laetitia hat jeden Tag eine andere Idee. Auf dem Weg zum Bahnhof gehen die drei vor mir her, Marouan in der Mitte, Laetitia an seinem einen Arm, Nadia am anderen. So zutraulich habe ich sie noch nie erlebt. Ich habe noch immer nichts gesagt, und Marouan ist großartig, er lässt den Dingen seinen Lauf. Er albert mit seinen beiden Schwestern so ungezwungen herum, als würde er sie schon immer kennen. In meinem Leben gab es nicht viel Freude, bis ich Antonio geheiratet und meine Töchter bekommen habe. Marouan ist mitten ins Unglück geboren und hatte keinen Vater – die Mädchen kamen ins Glück und waren das ganze Glück ihres Vaters. Sie haben ganz verschiedene Schicksale, aber ihr Lachen macht sie einander sehr ähnlich. Ein unbekanntes Gefühl überkommt mich – ich bin stolz auf sie. An diesem Abend fehlt mir nichts zu meinem Glück. Angst und Traurigkeit sind wie weggewischt – ich bin vollkommen zufrieden.

Am Bahnsteig sagt Laetitia zu mir: »Ich hab mich noch nie mit jemand so wohl gefühlt wie mit Marouan.«

»Ich auch nicht«, fügt Nadia hinzu.

»Darf ich mit Marouan und seiner Freundin nach Hause fahren? Wir frühstücken morgen zusammen, und dann fahre ich mit dem Zug wieder heim!«

»Nein, wir gehen jetzt alle nach Hause, Laetitia, dein Vater wartet auf uns.«

»Er ist einfach zu nett, Mama, ich mag ihn wirklich gern. Er ist nett, und er sieht gut aus... Er sieht super aus, Mama!«

Jetzt ist Nadia an der Reihe und hängt sich an mich: »Wann sehen wir ihn wieder, Mama?«

»Morgen vielleicht oder übermorgen. Mama kümmert sich darum, keine Sorge.«

»Was hat sie gesagt, Nadia?«

»Ich habe Mama gefragt, wann wir Marouan wiedersehen. Sie hat gesagt, wahrscheinlich morgen, stimmt's, Mama? Ja?«

»Verlasst euch auf mich. Mama kümmert sich darum...«

Der Zug fährt ab, und ich schaue auf die Bahnhofsuhr – es ist ein Uhr achtundvierzig. Beide Mädchen laufen neben dem Zug her und werfen Kusshände. Diesen Augenblick werde ich nie vergessen. Seit ich in Europa lebe, trage ich eine Uhr und habe inzwischen die beinahe manische Angewohnheit, ständig auf die Uhr zu schauen. Weil mich meine Erinnerung an die Vergangenheit so oft im Stich lässt, halte ich die Gegenwart zeitlich exakt fest, wenn sie mir wichtig ist. Seltsam, Marouan wollte von mir wissen, um welche Uhrzeit er geboren wurde ... Er muss sich wohl auch an irgendetwas festhalten. Ich habe große Schwierigkeiten, ihm diese Antwort zu geben. In dieser schlaflosen Nacht habe ich darüber nachgedacht. Alles, was ich noch weiß, ist, dass es Nacht war. Ich glaube mich zu erinnern, dass im Flur dieses verdammten Krankenhauses elektrisches Licht brannte, als der Arzt meinen Sohn wegbrachte. Wie viel Uhr ... das ist eine abendländische Überlegung, außerdem hatten bei uns nur die Männer eine Uhr. Zwanzig Jahre lang musste ich mich mit der Sonne und dem Mond begnügen. Ich werde Marouan sagen, dass er am frühen Morgen geboren worden ist.

Wieder daheim, schicke ich ihm eine SMS und frage, ob sie gut nach Hause gekommen sind. Er antwortet: »*Danke, gute Nacht und bis morgen, bis morgen ...*«

Es ist schon spät, die Mädchen gehen schlafen, und Antonio ist noch wach.

»Wie war's, Liebling?«

»Einwandfrei.«

»Hast du es den Mädchen gesagt?«

»Nein, noch nicht. Aber morgen bin ich so weit. Ich brauche nicht länger zu warten, sie mochten ihn beide sofort. Irgendwie ist es merkwürdig: Es war, als würden sie ihn schon lange kennen.«

»Und Marouan hat nichts gesagt, er hat keine Andeutung gemacht?«

»Überhaupt nicht, er war großartig. Aber es ist wirklich seltsam, wie Laetitia an ihm hing und auch Nadia. Sie wichen ihm nicht von der Seite. Mit ihren anderen Freunden benehmen sie sich nie so. Nie ...«

»Du bist einfach zu nervös ...«

»Ich bin überhaupt nicht nervös, ich bin nur neugierig. Kann es sein, dass sich Brüder und Schwestern einfach so erkennen? Was spielt sich zwischen ihnen ab, dass es so offensichtlich ist? Gibt es Signale, irgendwelche Gemeinsamkeiten, von denen sie nichts wissen? Ich hatte eigentlich mit allem gerechnet, nur nicht mit dieser instinktiven Zuneigung.«

»Vielleicht solltest du besser noch ein, zwei Tage warten …«

»Nein, morgen ist Sonntag. Ich gehe mit ihnen in die Cafeteria, da ist sonntags nichts los. Dann werde ich es Laetitia und Nadia in aller Ruhe erklären. Mal sehen, was Gott für uns vorgesehen hat, Antonio.«

Nach den Mädchen sind dann die anderen an der Reihe, meine Nachbarn und vor allem die Kollegen aus dem Büro, in dem ich inzwischen seit Jahren arbeite. Ich kümmere mich dort um die Verpflegung und organisiere manchmal kleine Empfänge. Im Büro fühle ich mich wie zu Hause, und die Freundschaft meiner Vorgesetzten ist mir sehr wichtig … Wie soll ich ihnen Marouan vorstellen, nach zehn Jahren?

Mit meinen Töchtern muss ich allein reden. Sie sollen über eine Frau urteilen, ihre Mutter, die sie ihr Leben lang angelogen hat, und noch über eine weitere Frau, die sie nicht kennen, Marouans Mutter, die ihn all diese Jahre vor ihnen versteckt hat. Die Frau, die sie liebt und beschützt. Oft habe ich ihnen gesagt, dass ihre Geburt mein ganzes Lebensglück ist. Wie sollen sie verstehen, dass Marouans Geburt so ein Albtraum war, dass ich das zu ihm nie hätte sagen können?

Am nächsten Tag werde ich wie immer am Sonntag

gegen neun Uhr geweckt: »Soll ich dir einen Kaffee machen, Mama?«

»Ja, gern.«

Das gehört zum morgendlichen Ritual, und ich antworte immer mit »ja, gern«. Höflichkeit und gegenseitiger Respekt gehen mir über alles. Meiner Meinung nach sind die Kinder hier bei uns oft schlecht erzogen. Sie benutzen eine vulgäre Sprache, die sie aus der Schule haben und gegen die Antonio und ich erbittert kämpfen. Laetitia wurde bereits mehr als einmal von ihrem Vater getadelt, weil sie freche Antworten gegeben hat. Ich selbst habe nur eine Art von Erziehung erfahren, nämlich die Versklavung.

Laetitia bringt mir Kaffee und ein Glas lauwarmes Wasser. Sie und ihre Schwester geben mir einen flüchtigen Kuss. Die Liebe, die sie und ihr Vater mir schenken, überrascht mich jeden Tag aufs Neue, so als verdiente ich sie nicht. Was ich vorhabe, ist schwierig, wenn auch aus anderen Gründen als bei meiner Angst, meinem Sohn gegenüberzutreten.

»Ich möchte etwas sehr Wichtiges mit euch besprechen.«

»Nur zu, Mama, wir hören.«

»Nein, nicht zu Hause, wir gehen in die Cafeteria im Büro.«

»Du musst doch heute nicht arbeiten! Du, ich habe gerade an gestern Abend gedacht, das war einfach super! Hat Marouan dich schon angerufen?«

»Gestern ist es spät geworden, er schläft bestimmt noch.«

Wäre er nicht ihr Bruder, müsste ich mir jetzt wohl Sorgen machen. Die beiden unterhalten sich vergnügt und finden es anscheinend überhaupt nicht ungewöhnlich, dass wir am Sonntagmorgen einen Ausflug ins Büro unternehmen. Nur ich mache mir Gedanken. Sie machen einen Spaziergang mit Mama, Mama will irgendetwas im Büro erledigen, und dann ... Egal, sie vertrauen mir.

»Gestern haben wir einen schönen Abend zusammen verbracht.«

»Ach, das wolltest du uns sagen?«

»Nein, nur mit der Ruhe, eins nach dem andern... Also, gestern haben wir einen schönen Abend mit Marouan verbracht, sagt euch das nichts? Was fällt euch bei Marouan ein?«

»Das ist ein netter junger Mann, der früher bei deinen Adoptiveltern gewohnt hat, das hat er selbst gesagt ...«

»Außerdem sieht er sehr gut aus und ist sehr nett.«

»Was gefällt euch mehr? Dass er gut aussieht oder dass er nett ist?«

»Beides, Mama, er ist einfach sympathisch.«

»Da habt ihr Recht ... Wisst ihr eigentlich noch, dass ich schwanger war, als ich verbrannt wurde? Ich habe es euch, glaube ich, erzählt.«

»Ja, das hast du ... »

»Was meint ihr denn, wo dieses Kind geblieben ist?«

Sie schauen mich fragend an.

»Es ist doch dort geblieben! Bei deiner Familie!«

»Nein. Habt ihr keine Idee, wo dieses Kind jetzt sein könnte? Hast du noch nie jemanden getroffen, der dir ähnlich sieht, Laetitia, oder du, Nadia? Oder jemanden, der mir ähnlich sieht, die gleiche Stimme hat wie ich, sich so bewegt wie ich …?«

»Ganz bestimmt nicht, Mama.«

»Nein, Mama.«

Nadia wiederholt einfach, was ihre Schwester sagt – Laetitia ist meistens die Wortführerin. Am vorigen Abend habe ich aber bei ihr so etwas wie Eifersucht gespürt. Marouan hat mehr mit Laetitia gelacht und sich etwas weniger um Nadia gekümmert. Sie hört mir aufmerksam zu und lässt mich nicht aus den Augen.

»Du weißt auch nicht, was ich meine, Nadia?«

»Nein, Mama.«

»Du bist ja schon älter, Laetitia, eigentlich müsstest du dich daran erinnern. Bestimmt hast du ihn schon einmal bei meinen Adoptiveltern getroffen …«

»Nein, Mama, wirklich nicht.«

»Dann sage ich es euch jetzt: Es ist Marouan!«

»Das gibt's doch nicht! Der Marouan, mit dem wir gestern Abend zusammen waren?!«

Sie brechen beide in Tränen aus.

»Das ist unser Bruder, Mama! Er war in deinem Bauch?«

»Das ist euer Bruder, er war in meinem Bauch, und ich habe ihn ganz allein zur Welt gebracht. Aber ich habe ihn nicht in meiner Heimat gelassen, ich habe ihn hierher mitgenommen.«

Ohne weitere Umschweife mache ich mich an den schwierigsten Teil der Erklärung, die Frage der Adoption. Vorsichtig suche ich nach den richtigen Worten, nach Worten, die ich aus der Psychotherapie kenne:

»Sich wieder aufbauen«; »sich annehmen«; »wieder Frau werden«; »wieder Mutter werden«.

»Und das hast du zwanzig Jahre lang für dich behalten, Mama! Warum hast du es uns nicht früher gesagt?«

»Ihr wart viel zu klein. Und ich wusste nicht, wie ihr reagieren würdet. Ich wollte es euch sagen, wenn ihr älter seid, wie das mit den Narben ... und dem Feuer. Das ist, wie wenn man ein Haus baut: Man setzt Ziegel für Ziegel aufeinander. Was passiert, wenn ein Ziegel wackelt? Er fällt herunter. So ist das auch mit dieser Sache, meine Lieben. Mama wollte sich ein Haus bauen und dachte, später einmal würde es auch stabil und groß genug für Marouan sein. Sonst würde es vielleicht einstürzen, mein Haus, und ich könnte nichts dagegen tun. Aber jetzt ist er da. Jetzt müsst ihr euch entscheiden.«

»Er ist doch unser Bruder, Mama. Sag ihm, er soll bei uns wohnen. Was meinst du, Nadia? Wir haben einen großen Bruder – dabei habe ich mir immer so gewünscht, einen großen Bruder zu haben. Weißt du noch? So einen großen Bruder wie meine Freundin. Und jetzt habe ich einen großen Bruder: Marouan! Was sagst du dazu, Nadia?«

»Ich räume meinen Schrank aus, und er kann mein Bett haben!«

Nadia würde mir niemals auch nur einen Kaugummi freiwillig geben! Sie ist zwar großzügig, trennt sich aber nur sehr ungern von ihren persönlichen Sachen. Für ihren Bruder tut sie es sofort! Erstaunlich, dieser Bruder taucht aus dem Nichts auf, und sie ist sofort bereit, ihm alles zu schenken ...

So kam der unbekannte große Bruder zu uns nach Hause. Man musste nur einen Schrank ausräumen und ein Bett hergeben. Demnächst ziehen wir in ein größeres Haus, dann bekommt er ein eigenes Zimmer. Ich bin überglücklich. Sie telefonieren ständig und warten sehnsüchtig auf ein Wiedersehen. Ich dachte mir, dass es nicht lang dauern würde, bis sie sich zanken; aber Marouan ist der große Bruder und augenblicklich zu einer Autorität für seine Schwestern geworden: »Laetitia, in diesem Ton redest du nicht mit Mama! Wenn sie dich bittet, den Fernseher leiser zu stellen, dann machst du das auch! Sei froh, dass du Eltern hast, du solltest sie respektieren!«

»Ja, ja, entschuldige bitte, ich werde mich bemühen, versprochen ...«

»Eigentlich bin ich nicht hier eingezogen, um mit euch zu schimpfen. Aber Papa und Mama müssen beide arbeiten – was ist denn das für ein Chaos in deinem Zimmer?«

»Schon, aber wir müssen ja in der Schule so viel arbeiten, das hast du bereits hinter dir. Du weißt doch, wie das ist!«

»Stimmt, aber das ist kein Grund, Papa und Mama so zu behandeln.«

Irgendwann nimmt mich Marouan beiseite: »Was glaubst du, Mama? Stört es Antonio nicht, wenn ich mit den Mädchen schimpfe?«

»Antonio ist zufrieden mit dem, was du machst.«

»Ich fürchte, er sagt eines Tages: Kümmere dich um deine eigenen Angelegenheiten, das sind meine Töchter ...!«

Das hat Antonio nicht getan, was sehr klug von ihm war. Er ist sogar ganz froh darüber, einen Teil seiner Autorität abtreten zu können. Der Gipfel ist, dass sie ihrem Bruder besser gehorchen als ihm oder mir … Mit uns diskutieren sie, sie schlagen auch schon mal eine Tür zu – bei ihm nicht. »Wenn das nur so bleibt …«, denke ich mir oft.

Manchmal ist er ein bisschen zu streng. Laetitia hat sich gerade zu mir ins Bett geflüchtet.

»Er nervt!«

»Aber er hat Recht, genau wie dein Vater. Du bist frech gewesen …«

»Warum sagt er, dass er weggeht, wenn wir nicht auf ihn hören? Und dass er eigentlich nicht hier eingezogen ist, um mit uns zu schimpfen …?«

»Das ist doch ganz normal. Marouan hatte nicht so viel Glück wie du. Er musste schwierige Zeiten überstehen, was ihr nie erlebt habt. Für ihn sind Eltern etwas sehr Wichtiges. Wenn man nicht immer eine Mama für sich gehabt hat, weiß man, wie wertvoll sie ist, verstehst du?«

Wenn ich mich nur von diesem Schuldgefühl befreien könnte, das allzu oft noch an die Oberfläche kommt … Wenn ich nur aus meiner Haut schlüpfen könnte … Ich habe Marouan gesagt, dass ich aus unserer Geschichte ein Buch machen will, wenn er einverstanden ist.

»Es soll so etwas wie eine Familiengeschichte sein. Und eine Anklage gegen den Ehrenmord.«

»Irgendwann gehe ich da hin …«

»Und was willst du da, Marouan? Rache? Oder Blut sehen? Du bist zwar dort geboren, aber du kennst die

Männer dort nicht. Ich träume auch davon, auch ich habe Hass in mir. Ich glaube, ich wäre erleichtert, wenn ich mit dir in mein Dorf kommen und ihnen ins Gesicht schreien könnte: ›Schaut alle her! Das ist Marouan, mein Sohn! Wir haben gebrannt, aber wir sind nicht tot! Schaut nur, wie schön und stark er ist, und wie klug!‹«

»Ich möchte meinen Vater aus der Nähe sehen! Ich will verstehen, warum er dich im Stich gelassen hat; er wusste doch, was dich erwartet …«

»Vielleicht. Du wirst es besser verstehen, wenn es in einem Buch steht. Ich werde darin alles sagen, was du noch nicht weißt, und was viele andere Menschen auch nicht wissen. Weil es kaum Frauen gibt, die überlebt haben, und sich die wenigen auch noch versteckt halten. Sie hatten Angst und haben noch immer Angst. Ich kann für sie aussagen.«

»Hast du denn keine Angst?«

»Ein bisschen schon.«

Vor allem habe ich Angst, dass meine Kinder, besonders Marouan, sich nach Rache sehnen. Dass diese Gewalt, die die Männer von Generation zu Generation weitergeben, eine wenn auch noch so kleine Spur in ihm hinterlassen haben könnte. Auch er muss sich ein Haus bauen, Stein für Stein. Ein Buch eignet sich sehr gut dazu, ein Haus zu bauen.

Ich habe einen Brief von meinem Sohn bekommen, er hat eine hübsche, runde Schrift. Er will mich zu diesem schwierigen Unternehmen ermutigen. Als ich den Brief gelesen habe, muss ich wieder weinen.

Mama,
nach all der Zeit, die ich allein, ohne dich, gelebt habe, hat mir das Wiedersehen mit dir, trotz allem, was geschehen ist, neue Hoffnung gegeben. Ich denke an dich und deinen Mut. Danke, dass du dieses Buch für uns schreibst. Mir gibt es neuen Lebensmut. Ich liebe dich, Mama.

Dein Sohn Marouan.

Jetzt habe ich zum ersten Mal meine Lebensgeschichte erzählt, indem ich versuchte, auch die verborgensten Erinnerungen aus meinem Gedächtnis hervorzuholen. Das war weitaus schwieriger als ein Auftritt in der Öffentlichkeit und weitaus schmerzvoller, als die Fragen der Kinder zu beantworten. Ich hoffe, dieses Buch geht um die Welt und kommt irgendwann auch ins Westjordanland, wo es die Männer hoffentlich nicht gleich verbrennen.

Bei uns wird es hübsch ordentlich im Bücherschrank stehen – und alles ist ein für allemal gesagt. Und ich werde es in einen ansehnlichen Ledereinband mit schönen goldenen Buchstaben stecken, damit es nicht vergilbt.

Danke.

Souad.
Irgendwo in Europa.
31. Dezember 2002

Kontaktadresse
für weitere Informationen
zum Thema »Ehrenmord«:

Fondation SURGIR
Av. Ruchonnet 3
CH-1003 Lausanne VD
Tel.: +4121/3112731
E-mail: office@surgir.ch
www.surgir.ch